TA KSIĄŻKA MOŻE WAM URATOWAĆ ŻYCIE

REDHORSE

ZOMBIE SURVIVAL

PODRĘCZNIK OBRONY
PRZED ATAKIEM ŻYWYCH TRUPÓW

MAX BROOKS

przekład: Leszek Erenfeicht

REDHORSE

Dedykuję Mamie i Tacie.
I Michelle, która sprawia,
że życie jest warte walki.

WSTĘP

U marli są wśród nas. Zombie, żywe trupy, umarlaki – jakkolwiek nazwiemy te somnambuliczne stwory – są one (obok samej ludzkości) największym zagrożeniem dla rodzaju ludzkiego. Rozważanie sprawy w kategoriach drapieżcy i ofiary nie oddaje rzeczywistej natury rzeczy. Zombizm jest bowiem chorobą zakaźną, a ludzie są jej głównym nosicielem. Ofiary mają szczęście, jeżeli zostaną pożarte, a ich kości ogryzione do czysta. Tych, którzy nie mieli szczęścia, czeka los po stokroć gorszy: zasilają szeregi swoich prześladowców, przemienieni w przerażające krwiożercze potwory. W walce z tą plagą zawodzi konwencjonalna broń i standardowe myślenie. Cała rozwijana przez wieki sztuka pozbawiania życia bliźnich zdaje się na nic w konfrontacji z przeciwnikiem pozbawionym życia, które da się odebrać. Czy to oznacza, że żywe trupy są niezwyciężone? Nie. Czy te potwory można powstrzymać? Tak. Ignorancja jest największym sojusznikiem zombie, wiedza – ich śmiertelnym wrogiem. To dlatego zdecydowałem się napisać tę książkę: aby zapewnić jej czytelnikom wiedzę niezbędną do przetrwania ataku bestii.

„Przetrwanie" jest słowem-kluczem, które należy sobie przyswoić. Właśnie „przetrwanie", a nie „zwycięstwo" czy „podbój". Ta książka nie służy edukacji zawodowych łowców zombie. Ktokolwiek zechce poświęcić swoje życie tej profesji, powinien szukać możliwości szkolenia się gdzie indziej. Nie piszę tej książki dla policji, wojska czy innych agend rządowych. Wszystkie te instytucje (o ile wreszcie zdecydują się uznać, że istnienie i powaga tego zagrożenia wymagają przygotowania skutecznej kontrakcji) mogą uzyskać dostęp do środków nieosiągalnych dla zwykłych obywateli. Moim celem jest dotarcie właśnie do nich: zwykłych ludzi, szeregowych obywateli z ograniczoną ilością wolnego czasu i gotówki, którzy jednak nie chcą być biernymi ofiarami ataku.

Oczywiście, konfrontacja z żywymi trupami będzie wymagała opanowania wielu innych umiejętności, których opis wykracza poza zakres tej książki – umiejętności przetrwania i wyżywienia się w terenie, zdolności przywódczych, czy choćby udzielania pierwszej pomocy. Wiadomości i wskazówki o nich można znaleźć w innych poradnikach, koncentrujących się na tych zagadnieniach. Zdrowy rozsądek podpowie każdemu, jakie jeszcze umiejętności i wiedzę należy posiąść, by uzupełnić to, o czym mowa w tym podręczniku. Wierząc w zdrowy rozsądek czytelnika, pominąłem wszystko, co nie dotyczy bezpośrednio zagadnień związanych z zombie.

Ta książka ma za zadanie nauczyć rozpoznawania przeciwnika, wyboru właściwej broni, specyficznych technik posługiwania się nią w odniesieniu do zombie, przygotować czytelnika do improwizowania środków obrony i ataku, nauczyć właściwych sposobów unikania niepotrzebnego kontaktu i ucieczki. Zajmuję się tu również rozważaniem scenariuszy zdarzeń, które mogą rozegrać się po wybuchu wielkiej światowej pandemii – łącznie z najczarniejszym, w którym zombie zastąpiliby ludzkość w roli dominującej formy życia (!) na Ziemi.

Wszystkie te części uzupełniają się i tworzą spójną całość. Nie wolno zlekceważyć żadnej z nich, choćby wydawała się być napisana przesadnie dramatycznie, a zawarta w niej wiedza pozbawiona racjonalnych podstaw. Każda informacja jest efektem dogłębnych studiów i z trudem zdobytego doświadczenia. Składają się na nie wiadomości historyczne, wyniki eksperymentów laboratoryjnych, badań terenowych i relacje naocznych świadków (w tym własne obserwacje autora). Nawet przykład najgorszego scenariusza jest jedynie ekstrapolacją naukowo potwierdzonych faktów. Rozdział dotyczący historii ataków zombie pokazuje, że okazji do zbierania materiałów było w dziejach ludzkości aż nadto. Dokładne ich przestudiowanie dowodzi, że większość zawartych w tej książce praktycznych porad ma swoje źródło w rzeczywistych wypadkach.

Biorąc to wszystko pod uwagę, należy podkreślić, że choć wiedza jest najsilniejszą bronią przeciw atakowi zombie, sama w sobie nie zapewni przeżycia. Na resztę musi się zdobyć sam czytelnik. To od niego zależy, jaką decyzję podejmie, gdy zmarli powstaną – czy wybierze życie, czy będzie miał dość siły woli, by przetrwać? Bo bez tego żadna wiedza i żaden, choćby najlepszy sprzęt nie pomogą. Dochodząc do ostatniej strony tej książki, zadaj sobie, drogi czytelniku, pytanie: „Co zrobię?". Zachowasz bierność i cierpliwie będziesz wyczekiwał końca, czy wstaniesz i powiesz: „Nie będę ofiarą! Ja przetrwam!".

Wybór należy do Ciebie.

OD AUTORA

Czytelnikom z zagranicy ta książka może się wydać przeładowana poradami specyficznymi dla sytuacji występującej w Ameryce, ale nic w tym dziwnego, gdyż jej autorem jest Amerykanin. Odniesienia do typowo amerykańskiego kultu samochodu i rewolweru ludziom z innych części świata mogą się wydawać dziwne, a nawet groteskowe. Być może dotyczy to niektórych uwarunkowań, ale lekcje z nich wypływające są uniwersalne. Filozofia tej książki nie jest czysto amerykańska. Taktyka i strategia przetrwania rodzaju ludzkiego dotyczą w takim samym stopniu wszystkich ludzi, niezależnie od narodowości czy miejsca zamieszkania.

Zombizm jest zagrożeniem światowym. Obywatele zachodniej Europy i Wysp Brytyjskich, krajów gęsto zaludnionych, dostatnich, bezpiecznych i spokojnych przez ostatnie dwa pokolenia, są być może nawet bardziej narażeni, niż kiedykolwiek w dziejach. Jeśli komuś się zdaje, że Europarlament jest w stanie rozwiązać kryzys spowodowany epidemią zombizmu równie łatwo i spokojnie, jak strajk kierowców ciężarówek, to osoba ta myli się bardzo i powinna wnikliwie zapoznać się z danymi historycznymi na temat ostatnich wypadków ataków zombie na jej kontynencie. Otwarte granice i swoboda przemieszczania się sprawiają, że kolejny wybuch zapoczątkowany pięcioma przypadkami w hiszpańskiej Andaluzji, może w ciągu trzech tygodni doprowadzić do ataku tysięcy zombie na południową Szkocję.

Obywateli krain odległych i izolowanych geograficznie, jak Australia czy Nowa Zelandia, może z tego powodu ogarnąć fałszywe poczucie bezpieczeństwa. Jak dowodzą liczne przykłady w historii, odległość nigdy nie była odpowiednim zabezpieczeniem przed żadną epidemią. Dotyczy to również mieszkańców tych krajów, w których istnieją rozległe połacie pustkowi, mamiące możliwością schronienia się tam przed atakiem. W teorii australijski busz czy południowe Alpy rzeczywiście wyglądają na bezpieczne schronienie, tylko jak się tam dostać, jak tam przetrwać, zaś przede wszystkim pojawia się pytanie: a jeśli zombie już tam dotarły przed nami?

Od Glasgow po Kapsztad, od Dublina po Hobart – każdy czytelnik znajdzie w tej książce coś, co pomoże mu przetrwać. Nadszedł czas, by odłożyć na bok historyczne resentymenty, jałowe nacjonalizmy i sztuczne polityczne granice, by zjednoczyć się przeciw zarazie grożącej zagładą ludzkości. Żywe trupy zagrażają nam wszystkim i tylko zjednoczony świat może przetrwać to zagrożenie.

1 ZOMBIZM: MITY I RZECZYWISTOŚĆ

ROZDZIAŁ

Powstaje z grobu, a ciało jego nieczyste domem czerwi. Bez życia w oczach, zimna jego skóra, serce mu w piersi nie bije. Jego dusza pusta i mroczna jak nocne niebo. Drwi z ostrzy, plwa na strzały żadnej szkody mu nieczyniące. Po kres wieczności błąka się po ziemi, wietrząc krew żywych i ucztując na kościach potępionych. Strzeżcie się żywej śmierci!

Z rozproszonych tekstów hinduistycznych,
około 1000 r. p.n.e.

Zombie – [zombi:], nieodm.: 1. ożywiony trup żywiący się mięsem żywych ludzi. 2. zaklęcie voodoo ożywiające zmarłych. 3. w religii voodoo bóg pod postacią węża. 4. osoba działająca lub poruszająca się w szoku „jak zombie”. Słowo pochodzenia zachodnioafrykańskiego.

Co to są zombie? Jak powstają? Jakie są ich mocne, a jakie słabe punkty? Czego pragną, do czego dążą? Dlaczego są wrogie ludzkości? Zanim zaczniemy się zajmować techniką przetrwania, należy znaleźć odpowiedź na te pytania, by wiedzieć, **co** mamy przetrwać.

Na początek oddzielmy prawdę od fikcji. Żywe trupy nie są produktem magii ani żadnych innych sił nadprzyrodzonych. To produkt zmian powodowanych w organizmie przez wirus *Solanum vanderhaveni*, nazwany tak przez jego odkrywcę, Jana Vanderhavena, który pierwszy go wyodrębnił i połączył z wypadkami ożywania zmarłych.

WIRUS *SOLANUM*

Wirus przedostaje się z krwioobiegiem z zainfekowanego miejsca do mózgu. Sam mechanizm działania wirusa nie jest do końca rozpoznany, ale atakuje on komórki płata czołowego, mnożąc się i stopniowo prowadząc do ich zniszczenia. W trakcie tego procesu ustają wszystkie funkcje życiowe organizmu. Gdy zatrzymuje się akcja serca, zombityk (chory na zombizm) zostaje uznany za biologicznie zmarłego. Nie następuje jednak pełna śmierć, gdyż mózg pozostaje zdolny do działania, choć znajduje się w uśpieniu. W tej fazie zmiany chorobowe spowodowane atakiem wirusa są już tak zaawansowane, że mózg mutuje się w organ zupełnie odmienny od normalnego. Jego główną cechą staje się odtąd niezależność

od dopływu tlenu. Ta niezależność eliminuje potrzebę działania krwioobiegu, którego głównym celem było dotąd dotlenianie mózgu. Ożywiony mózg może więc używać skomplikowanej maszynerii ludzkiego ciała do realizacji własnych celów, ale nie jest w żaden sposób od niej zależny. Po zakończeniu procesu mutacji mózg ponownie uruchamia (reanimuje) ciało, które od tej pory działa w sposób, który z punktu widzenia fizjologii nie ma już nic wspólnego z życiem biologicznym. Niektóre funkcje organizmu pozostają niezmienne, inne ulegają modyfikacji, ale większość ustaje zupełnie. Taki „zmartwychwstały" organizm staje się zombie, członkiem armii „żywych trupów", znanych także pod ludową nazwą „umarlaków".

1. Źródło infekcji

Badania naukowe nie zdołały jak dotąd odnaleźć w przyrodzie wirusa zombizmu w postaci wolnej. Nie znaleziono go w żadnym z dotąd przebadanych ekosystemów wody, powietrza ani gleby, ani u żadnego przedstawiciela flory i fauny. Badania trwają nadal.

2. Objawy

Poniższy godzinowy rozkład objawów podaje jedynie zbliżone okresy występowania symptomów zombizmu – różnice mogą wynosić kilka godzin w zależności od podatności osobniczej.

1 godzina po zainfekowaniu: ból i przebarwienie zakażonej okolicy. Rana (o ile zakażenie następuje w wyniku ukąszenia) natychmiast krzepnie.

5 godzin po zainfekowaniu: gorączka (37–39°C), dreszcze, lekkie otępienie, wymioty, ostre bóle stawów.

8 godzin po zainfekowaniu: drętwienie kończyn i okolicy zakażonej, dalszy wzrost temperatury (39–40,5°C), wzrastające otępienie, utrata kontroli nad skurczami mięśni.

11 godzin po zainfekowaniu: paraliż dolnej połowy ciała, ogólne odrętwienie, zwolnienie akcji serca.

16 godzin po zainfekowaniu: śpiączka.

20 godzin po zainfekowaniu: zatrzymanie akcji serca, ustanie funkcjonowania mózgu. Śmierć biologiczna.

23 godziny po zainfekowaniu: samoistna reanimacja.

3. Drogi przenoszenia

Zombizm jest chorobą zakaźną, w 100% przypadków zakończoną zejściem śmiertelnym. Na szczęście dla rodzaju ludzkiego wirus nie przenosi się drogą kropelkową ani przez wodę pitną. Nieznane są przypadki samoistnego zakażenia wirusem *Solanum*. Infekcja do tej pory zawsze przenoszona była przez kontakt z płynami ustrojowymi. Ukąszenie przez zombie, najbardziej znany sposób przenoszenia infekcji, nie jest jednak jedynym sposobem zakażenia. Znane są przypadki, gdy dochodziło do niego na skutek kontaktu otwartych ran na ludzkim ciele z płynami ustrojowymi zombityka, a nawet w wyniku obryzgania człowieka zakażonymi tkankami w wyniku eksplozji wybuchowych środków walki (ładunków wybuchowych, granatów ręcznych, bomb lotniczych, pocisków artyleryjskich itp.). Zjedzenie zainfekowanego mięsa – o ile jedzący nie ma w ustach otwartej rany – nie prowadzi do zakażenia, choć również skutkuje śmiercią. Mięso osobników zakażonych jest bowiem silnie toksyczne.

Nie istnieją dane historyczne, empiryczne ani żadne inne, wskazujące na możliwość przenoszenia infekcji drogą płciową, lecz to, co dotychczas wiadomo o naturze infekcji każe przypuszczać, że ryzyko zakażenia w ten sposób jest bardzo wysokie. Ostrzeganie przed następstwami takich praktyk chyba nie ma sensu, bo trudno mi sobie wyobrazić osobników do tego stopnia wykolejonych i pozbawionych instynktu samozachowawczego, by kiedykolwiek próbować stosunku seksualnego z zombitykiem. Zdaniem niektórych badaczy, biorąc pod uwagę brak krwioobiegu i zgęstnienie płynów ustrojowych u zombie, ryzyko zakażenia w wyniku kontaktu natury innej niż ukąszenie jest relatywnie niskie. Należy jednak pamiętać o silnie zakaźnej naturze zombizmu – wystarczy nawet jeden wirus w krwioobiegu zdrowego człowieka, by wywołać pełnowymiarową infekcję.

4. Zakażenia międzygatunkowe

Infekcja wirusem zombizmu jest śmiertelna dla każdego żywego organizmu, niezależnie od wielkości, gatunku czy ekosystemu, w którym występuje, jednak reanimacja następuje jedynie u ludzi. Badania dowiodły, że wirus infekujący mózg zwierzęcia obumiera w ciągu kilku godzin od śmierci biologicznej zakażonej istoty, sprawiając, że jej padlina jest bezpieczna pod względem epidemiologicznym i nie powoduje szerzenia choroby. Zwierzęta umierają na tyle szybko, że wirus nie jest w stanie znacząco namnożyć się w ich ciałach. Wykluczone są także zarażenia zombizmem w przypadku ukąszenia przez owady pasożytnicze w rodzaju komarów, meszek czy moskitów. Badania wykazały, że stworzenia te doskonale rozpoznają osobniki zainfekowane zombizmem i unikają nie tylko kąsania ich, ale w ogóle jakiegokolwiek kontaktu.

5. Leczenie

Dla zakażonego człowieka nie ma ratunku. *Solanum v.* jest wirusem, nie bakterią, więc nie działają na niego antybiotyki. Z kolei jedyny sposób ochrony przed infekcjami wirusowymi, szczepienia ochronne, są pozbawione sensu, gdyż wirus nawet w najmniejszej dawce i osłabionej postaci zawsze prowadzi do pełnoobjawowego zakażenia. Trwają prace badawcze z zakresu genetyki. Ich celem jest wykształcenie skutecznych przeciwciał u człowieka, pomagających w obronie przed infekcją, jak również stworzenie antywirusa  zdolnego zidentyfikować i zniszczyć wirusa zombizmu. Zarówno te, jak i inne prace, mające na celu stworzenie bardziej skutecznych metod walki z zakażeniem, są nadal we wstępnych stadiach rozwoju i najbliższa przyszłość nie zapowiada żadnych gwałtownych przełomów w tej dziedzinie. Doświadczenia wojenne wykazały, że radykalne metody w rodzaju natychmiastowej amputacji zakażonej kończyny wykazują bardzo niską skuteczność (poniżej 10%), niosąc znaczne obciążenia psychiczne dla ratowanego pacjenta i personelu medycznego. Wiele wskazuje na to, że zainfekowany człowiek jest „skazany" od początku, od chwili wniknięcia choćby jednego wirusa do organizmu. Jeśli zakażony zombizmem zdecyduje się na samobójstwo, powinien wybierać metodę zapewniającą eliminację mózgu w pierwszej kolejności. Odnotowywano bowiem przypadki, w których chory zmarły z powodów innych niż infekcja wirusem zombizmu reanimował się mimo wszystko jako zombie. Zwykle następowało to w przypadkach śmierci po upływie co najmniej pięciu godzin od zakażenia. W każdym przypadku ciało osoby zabitej po ukąszeniu lub w inny sposób zainfekowanej wirusem powinno zostać natychmiast zlikwidowane.

6. Samoistna reanimacja

Wedle jednej z hipotez zakażenie świeżych zwłok wirusem może doprowadzić do reanimacji. To nieprawda. Zombie ignorują padlinę i nie kąsają jej, więc zakażenie zwłok w sposób naturalny nie wchodzi w grę. Eksperymenty prowadzone w czasie II wojny światowej dowiodły, że nawet w razie sztucznego wszczepienia wirusa brak krążenia krwi nie pozwala mu dotrzeć do mózgu i mnożyć się. Także wszczepianie wirusa bezpośrednio do mózgu nie daje rezultatów, gdyż obumarłe komórki nie mutują. Wirus zombizmu nie tworzy życia – może jedynie je przeobrazić.

CECHY ZOMBIE

1. Zdolności fizyczne

Nazbyt często żywym trupom przypisywano nadludzkie możliwości: niezwykłą siłę, nadzwyczajną prędkość, zdolność telepatii itd. Opowieści mówiły o zombie mających rzekomo latać w powietrzu, czy wspinać się niczym pająki po pionowych powierzchniach. Takie opowieści mogą być zabawne jako fascynujące historyjki, ale zwykły umarlak nie ma w sobie nic z mrocznego, magicznego, wszechmocnego demona. Nigdy nie należy zapominać o tym, że ciało żywego trupa jest – ze wszystkimi zmianami, które w nim zachodzą – ciałem ludzkim. Zmiany zachodzące w procesie reanimacji ograniczają się jedynie do zainfekowanego mózgu. Jeśli człowiek nie umiał za życia latać, to jako zombie na pewno tej umiejętności nie opanuje. To samo dotyczy przypisywanego im przez wieki roztaczania pól siłowych, zdolności teleportacji, telekinezy (przesuwania obiektów na odległość), przenikania przez ściany, wilkołactwa, ziania ogniem i wszystkich innych mistycznych zdolności. Ciało ludzkie jest dla zombie czymś w rodzaju zestawu narzędzi. Zmutowany mózg ma do dyspozycji jedynie narzędzia, które się w tym ciele znalazły i żadne inne. Nie potrafi opanować nowych umiejętności. Nie znaczy to, że nie jest zdolny używać ciała w sposób zaskakujący i niekonwencjonalny, łącząc cząstkowe zdolności lub przekraczając granice ludzkiej wytrzymałości i siły.

A. Wzrok

Oko zombie nie różni się budową od oka ludzkiego. Po reanimacji zachowuje ono zdolność cząstkowego przekazywania sygnałów świetlnych do mózgu, zmieniającą się wraz z postępem procesów rozkładu, ale zmutowany mózg nieco inaczej radzi sobie z ich interpretacją. Wyniki badań nad wzrokiem umarlaków są jak na razie niejednoznaczne. Zombie potrafią wypatrzeć ofiarę na odległość porównywalną ze wzrokiem ludzkim, ale czy są w stanie odróżnić wzrokiem osobę żywą od innego zombie? Pozostaje to tematem ożywionych dyskusji.

Jedna z teorii głosi, że ruchy człowieka, szybsze i bardziej skoordynowane od ruchów zombie to cecha, która pozwala tym stworom dokonywać takiego rozróżnienia. W trakcie eksperymentów ludzie próbowali uniknąć wykrycia przez zombie, naśladując ich kaczy chód i sposób poruszania się. Jak dotąd żadna z tych prób nie zakończyła się jednak powodzeniem. Sugerowano także, że zombie odznaczają się czymś w rodzaju nocnego widzenia, co miało tłumaczyć ich sukcesy w polowaniach po zmroku. Przeczy tej teorii fakt, że wszystkie zombie, także te pozbawione oczu, polują w nocy równie skutecznie.

B. Słuch

Nie ulega wątpliwości, że zombie odznaczają się doskonałym słuchem. Nie tylko są w stanie wykryć dźwięk, ale także określić kierunek, z którego on dochodzi. Zasięg ich słuchu nie odbiega od zasięgu słuchu człowieka. Eksperymenty z użyciem dźwięków o bardzo niskiej i bardzo wysokiej częstotliwości dały negatywne rezultaty. Badania wykazały, że zombie kierują się ku wszelkim źródłom dźwięków – nie tylko tych, które wydają żywe stworzenia. Znane są przypadki, kiedy zombie reagowały na dźwięki ignorowane przez ludzi. Najbardziej prawdopodobna – choć nadal nieudokumentowana – teza głosi, że zombie polegają na wszystkich zmysłach w równym stopniu. Ludzie są od urodzenia skoncentrowani na bodźcach wzrokowych, zdając się w pełni na inne zmysły jedynie w razie uszkodzenia wzroku. Prawdopodobnie zombie są pozbawieni tej wady, co tłumaczyłoby ich fenomenalną zdolność poruszania się, walki i polowania w całkowitej ciemności.

C. Węch

W odróżnieniu od słuchu, węch zombie jest wyraźnie czulszy niż u żywego człowieka. Zarówno w terenie, jak i w testach laboratoryjnych zombie były w stanie bezbłędnie wyróżnić zapach żywej ofiary wśród wszystkich innych. W licznych przypadkach, przy pomyślnym wietrze, zombie był w stanie wywęszyć żywego człowieka z odległości ponad półtora kilometra. Znów, jak wyżej, nie oznacza to żadnych nadzwyczajnych zdolności zombityka, lecz jest efektem polegania na węchu w większym stopniu niż u człowieka. Nie jest pewne, jaki składnik zapachu ofiary – pot, krew, feromony itp. – najmocniej działa na umarlaka. W zanotowanych przypadkach epidemii ludzie wielokrotnie usiłowali zamaskować swoją obecność na terenach zajętych przez zombie, używając aktywnych substancji zapachowych – perfum, dezodorantów i innych silnie aromatycznych związków chemicznych. Żadna z tych prób nie zakończyła się powodzeniem.

Prowadzone są eksperymenty nad izolowaniem i sztuczną syntezą zapachów żywych stworzeń, mogących służyć jako przynęta lub do odstraszania zombie. Od sukcesu w tej dziedzinie dzieli nas jeszcze daleka droga.

D. Smak

Niewiele wiadomo o zmianach, którym ulegają kubki smakowe umarlaków. Zombie na pewno potrafią odróżnić po smaku mięso ludzkie od zwierzęcego i zdecydowanie preferują to pierwsze. Zombie mają także godną odnotowania zdolność do odrzucenia padliny, o ile w pobliżu znajduje się świeżo upolowana zdobycz. Ludzkie zwłoki martwe od więcej niż 12-18 godzin są z założenia odrzucane jako pożywienie. To samo dotyczy zwłok zabalsamowanych lub w jakikolwiek inny sposób zakonserwowanych. Czy te zdolności mają cokolwiek wspólnego ze zmysłem smaku, w rozumieniu w jakim odnosimy ten termin do istot żywych, nie jest wcale pewne. Może to być sprawa smaku lub jakiegoś innego zmysłu, którego jeszcze nie poznaliśmy. Nie jest też pewne, co powoduje przedkładanie mięsa ludzkiego nad inne – w poszukiwaniu odpowiedzi na to przerażające pytanie nauka jest jak na razie bezsilna.

E. Czucie

Zombie nie mają czucia w sensie dosłownym, nie odczuwają bodźców zewnętrznych. Wszystkie zakończenia nerwowe po reanimacji pozostają martwe. Na tym zasadza się ich największa i najbardziej przerażająca przewaga nad żywymi. My, ludzie, rozwinęliśmy zdolność odczuwania bólu jako oznaki uszkodzenia ciała. Nasz mózg odbiera takie sygnały z receptorów, łączy skutek z przyczyną, która je wywołała, a następnie zapamiętuje jako przestrogę na przyszłość. To właśnie dzięki tej właściwości naszej fizjologii zdołaliśmy do tej pory przetrwać jako gatunek. To dlatego cenimy takie cechy, jak odwaga, która inspiruje ludzi do dokonywania czynów wbrew biegnącym zewsząd ostrzeżeniom o niebezpieczeństwie. Brak wrażliwości na ból i konieczności unikania go sprawia, że zombie są przeciwnikiem bardzo trudnym do zwalczenia. Zombie po prostu nie zauważa, że odniósł rany, nie kojarzy ich z zagrożeniem dla życia i zdrowia, nie odstraszą go zatem od ponownego ataku. Będzie walczyć nadal, nawet jeśli odniósł poważne uszkodzenie ciała – do momentu, w którym nic z niego nie zostanie.

F. Szósty zmysł

Studia historyczne wspierane badaniami laboratoryjnymi i obserwacjami terenowymi wykazały, że zombie wielokrotnie atakowały nawet w sytuacji, kiedy wszystkie narządy odpowiedzialne za postrzeganie zmysłowe zostały uszkodzone lub uległy rozkładowi. Czy to oznacza, że zombie odznaczają się jakimś „szóstym zmysłem" nieznanym ludziom? Być może. Żywi ludzie zwykle korzystają z niewiele ponad 5% zdolności swych mózgów. Możliwe, że wirus stymuluje jakiś zmysł, o którym ludzie zapomnieli w czasie ewolucji. Teoria ta prowokuje najbardziej ożywione debaty spośród wszystkich dotyczących walki z zombie. Jak dotąd nauka nie dostarczyła przekonujących dowodów na jej potwierdzenie lub obalenie.

G. Zdolność regeneracji

Mimo licznych podań i legend ludowych, fizjologia umarlaków nie umożliwia im regenerowania żadnej części ciała. Co obumarło, to ulega rozkładowi. Wszelkiego rodzaju i wielkości rany odniesione za życia pozostaną widoczne przez cały okres reanimacji. Na pojmanych osobnikach wypróbowywano wiele metod leczenia, mających stymulować procesy gojenia, ale bez rezultatu. Ta niezdolność do samoistnego gojenia się ran, którą żywi ludzie przyjmują za najbardziej naturalny proces, jest wielką słabością zombie. Gdy człowiek dokonuje wielkiego wysiłku fizycznego, dochodzi do nieuniknionego uszkodzenia mięśni, ale niemal natychmiast uszkodzona tkanka zostaje odbudowana i wzmocniona – na tym zasadza się cały proces zaprawy fizycznej i treningu. U żywego trupa naderwany mięsień pozostanie uszkodzony, co sprawia, że ich sprawność z każdym ruchem maleje zamiast rosnąć.

H. Rozkład

Przeciętna długość „życia" zombie, definiowanego jako okres mijający od reanimacji do momentu, w którym rozkład posunie się tak daleko, że uniemożliwia jego dalsze funkcjonowanie, wynosi od trzech do pięciu lat. Brzmi to nieprawdopodobnie – ludzkie zwłoki zdolne stawić czoło naturalnemu procesowi rozkładu – ale wynika z elementarnych praw biologii. Gdy człowiek umiera, jego ciało zostaje natychmiast zaatakowane przez miliardy mikroskopijnych organizmów. Te mikroby są cały czas obecne w ciele, jak również w otaczającym je środowisku naturalnym. Póki organizm żyje, procesy immunologiczne trzymają mikroorganizmy w szachu, nie pozwalając im atakować tkanek. Śmierć usuwa tę barierę. Mikroby mnożą się i zaczynają zjadać ciało, rozkładając tkanki na poszczególne komórki. Odór i zmiana koloru, towarzyszące rozkładowi mięsa, to właśnie efekty działalności tych organizmów. Zamawiając stek „skruszały", w rzeczywistości zamawiasz taki, w którym mięso zostało już napoczęte przez bakterie osłabiające jego ścisłość. Gdyby pozwolić mu „kruszeć" nieco dłużej, stek ten rozpadłby się, pozostawiając jedynie części zbyt twarde lub niejadalne dla mikrobów. W ciele ludzkim są to kości, zęby, paznokcie i włosy. To naturalny cykl biologiczny, sposób, w jaki przyroda od wieków „recyrkulowała" składniki odżywcze, pozwalając im wracać do łańcucha pokarmowego. By zatrzymać ten proces i uchronić martwe tkanki przed rozkładem, należy je umieścić w środowisku, którego unikają bakterie – o ekstremalnie niskiej lub wysokiej temperaturze, w obecności toksycznych chemikaliów (balsamowanie formaldehydem) lub wirusa *Solanum*.

Niemal wszystkie znane bakterie powodujące rozkładanie ludzkiego ciała w wielokrotnie powtarzanych testach odrzucały tkanki zakażone tym wirusem, który dzięki temu okazał się być całkiem efektywnym środkiem do balsamowania zwłok. Gdyby nie to, zwalczanie żywych trupów byłoby bardzo proste, bo wystarczałoby unikać ich przez kilka tygodni, czy nawet dni, zanim się nie porozpadają. Naukowcy nadal spierają się co do przyczyn tego stanu rzeczy. Tym bardziej, że istnieją jednak bakterie zdolne przystosować się do życia w organizmach zainfekowanych wirusem – i całe szczęście, gdyż inaczej pozostałyby idealnie zakonserwowane na zawsze. Także warunki naturalne, wilgotność i temperatura, grają sporą rolę w tym procesie. Zombie przemierzające bagna Luizjany na pewno przetrwają krócej, niż te błąkające się po suchej i zimnej pustyni Gobi. Warunki ekstremalne, takie jak bardzo niskie temperatury lub zanurzenie ciała w substancjach konserwujących, hipotetycznie mogą umożliwić zombie nieograniczoną czasem egzystencję. Notowano przypadki, w których poddany podobnym zabiegom zombie przetrwał kilka dekad, jeśli nie wieków. Rozkład nie oznacza, że któregoś dnia zombie po prostu się rozleci. Procesy rozkładu dotykają poszczególnych organów w różnym stopniu i czasie. Znane są opisy, według których mózg zombie pozostał nienaruszony w momencie, gdy ciało uległo niemal pełnej dezintegracji. Natomiast u części osobników rozkład dotknął szybciej mózgu, który zachowując kontrolę nad pewnymi funkcjami organizmu, utracił kompletnie panowanie nad innymi. Ostatnio pojawiła się i nabrała popularności teoria, według której mumie egipskie to pierwszy znany przypadek zabalsamowania zombie. Dzięki tej technice miałyby one przetrwać kilka tysięcy lat po pogrzebaniu. To kompletna bzdura i każdy, kto ma choć blade pojęcie o starożytnym Egipcie uśmieje się setnie: przecież pierwszym najważniejszym i najbardziej skomplikowanym krokiem przygotowań do balsamowania ciała faraona było właśnie usunięcie mózgu!

1. Układ trawienny

Ostatnie odkrycia obaliły raz na zawsze teorię, że zombie odżywiają się ludzkim mięsem. Przewód pokarmowy zombie jest całkowicie martwy. Cały skomplikowany proces rozkładania zjedzonego pokarmu, pozyskiwania z niego czynników odżywczych i wydalania niestrawnych resztek w organizmie umarlaka w ogóle nie zachodzi. Sekcje zwłok zneutralizowanych zombie wykazały ponad wszelką wątpliwość, że pożarte mięso zalega w stanie niestrawionym w całym przewodzie pokarmowym. Częściowo przeżute, powoli rozkładające się resztki pokarmu gromadzą się w miarę pożerania kolejnych ofiar, aż wreszcie napierające od przełyku świeże mięso wypchnie starsze jego pokłady przez odbyt; w razie jego zatkania dochodzi do rozerwania żołądka, a czasem i powłok brzusznych. O ile te widowiskowe przypadki nie są może powszechne, wielu świadków wspomina zombie z rozdętymi brzuchami. Sekcja jednego ze zneutralizowanych umarlaków wykazała, że miał on w przewodzie pokarmowym aż 95 kilogramów niestrawionego mięsa!

3. Oddychanie

Płuca zombie zachowują szczątkową czynność, zasysając powietrze i usuwając je. W ten sposób powstaje charakterystyczne jękliwe zawodzenie wydawane przez umarlaków. Nie służy to jednak, jak u żywego organizmu, absorbowaniu tlenu z powietrza i usuwaniu dwutlenku węgla. Wirus *Solanum* sprawia, że tlen nie jest potrzebny do funkcjonowania mózgu i ciała – cały układ oddechowy jest zombie zupełnie niepotrzebny. To wyjaśnia zdolność umarlaków do chodzenia po dnie zbiorników wodnych i przeżycia w atmosferze zabójczej dla żywych ludzi. Zmutowany mózg jest, jak już wspomniałem, całkowicie niezależny od tlenu.

K. Krążenie i płyny ustrojowe

Zombie zachowują wszystkie organy układu krążenia, włącznie z sercem, lecz są one dla nich absolutnie bezużyteczne. Układ krążenia umarlaka to jedynie ciąg przewodów wypełnionych zgęstniałą krwią o konsystencji żelu. To samo dotyczy układu limfatycznego i wszystkich innych obwodów, w których u żywego człowieka krążą płyny ustrojowe. Ta mutacja, która zdaje się być kolejną przewagą zombie nad ludźmi, jest w istocie darem niebios dla żywych – brak płynów ustrojowych zapobiega łatwemu przekazywaniu wirusa. W innym przypadku walka wręcz byłaby niemal niemożliwa, gdyż nieuniknione przy niej opryskanie krwią i innymi płynami ustrojowymi byłoby śmiertelnym zagrożeniem.

L. Rozmnażanie

Zombie nie mogą rozmnażać się płciowo. Ich organy płciowe są martwe i niezdolne do działania na skutek braku krążenia. Podejmowane w warunkach laboratoryjnych próby zapłodnienia jaja pobranego od kobiety-zombie ludzkimi plemnikami (i vice versa) zakończyły się niepowodzeniem. Zombie nie wykazują żadnych oznak podniecenia seksualnego, zarówno względem siebie, jak żywych ludzi. Dopóki bardziej zaawansowane badania nie wykażą inaczej, możemy chyba odetchnąć z ulgą: nasza najgorsza obawa – zombie zdolne do rozmnażania się – jest na szczęście niemożliwa do spełnienia.

M. Siła

Zombie dysponują tą samą siłą co żywi ludzie. Siła poszczególnych zombie zależy od tego, do czego był zdolny człowiek, który stał się żywym trupem. Po śmierci żadne komórki mięśniowe nie przyrastają, nic także nie wiadomo o czynności gruczołów wydzielających hormony, w tym zwłaszcza adrenalinę, która umożliwia ludziom krótkotrwałe zwiększenie wydolności fizycznej. Umarlaki mają natomiast jedną wielką przewagę nad ludźmi – niesamowitą wytrzymałość. Wyobraźcie sobie do czego byłby zdolny człowiek nieodczuwający zmęczenia. Ból mięśni i wyczerpanie kładą kres zdolności każdego człowieka do wysiłku, ale zombie to po prostu nie dotyczy. One działają bez przerwy z tą samą energią aż do momentu, w którym przeciążone mięśnie dosłownie się rozpadną. Ten brak umiaru sprawia, że siła zombie z czasem ulega ograniczeniu, ale zanim do tego dojdzie, umarlak zdaje się rozporządzać nadludzką energią. Wiele barykad zdolnych powstrzymać 3–4 silnych ludzi padało pod naporem jednego zdeterminowanego zombie.

N. Prędkość

Umarlak porusza się wolno, z wysiłkiem, kulejącym kaczym chodem. Nawet świeżo reanimowany zombie ma problemy z koordynacją ruchów i zatacza się w trakcie chodu. Jego prędkość poruszania się zależy w zasadzie od długości nóg. Wysoki umarlak stawia dłuższe kroki niż niski. Zombie są całkowicie niezdolne do biegu. Najszybsze ich zaobserwowane tempo poruszania się to jeden krok na półtorej sekundy. Nie należy jednak zapominać o zasadniczej przewadze zombie nad ludźmi, jaką jest nieodczuwanie zmęczenia. Ludzie, którym się wydaje, że zawsze uda im się biegiem uciec przed zombie, powinni sobie przypomnieć bajkę o zającu i żółwiu, zmodyfikowaną o finał, w którym zając zostaje pożarty żywcem...

O. Sprawność ruchowa

Przeciętny człowiek przewyższa poziomem sprawności nawet najsilniejszego umarlaka o 90%. Spora w tym zasługa ogólnej sztywności nekrotycznej tkanki mięśniowej zombie, odpowiedzialnej za ich niepewny chód. Umarlaki niemal nie wykazują koordynacji ruchów, co stanowi ich najsłabszy punkt. Nikt nigdy nie widział, żeby zombie skakał i to nawet nie z miejsca na miejsce, ale w miejscu. Utrzymanie równowagi na wąskiej powierzchni leży poza ich możliwościami.

Także pływanie to umiejętność zastrzeżona dla istot żywych. Istnieje teoria, zgodnie z którą wzdęty umarlak może zostać wyniesiony na powierzchnię i stanowić tam zagrożenie. Jakkolwiek brak wyników badań mogących jednoznacznie obalić to twierdzenie, wydaje się być ono raczej niewiarygodne. Powolny proces rozkładu zjedzonego mięsa zapobiega akumulacji powstających przy tym gazów. Zombie wchodzące lub spadające do wody stanowią zagrożenie głównie na dnie, włócząc się po nim bez celu, póki w końcu nie pokona ich proces rozkładu.

Umarlaki potrafią się wspinać jedynie w sprzyjających okolicznościach. Jeśli zombie wykryje ofiarę na wyższym piętrze budynku, zawsze podejmie próbę wspinaczki do niej, wchodząc na każdą powierzchnię wokół, choćby absolutnie się do wspinaczki nie nadawała. Większość tych usiłowań kończy się porażką. Nawet jeśli zombie natknie się na drabinę, brak koordynacji ruchowej sprawi, że jedynie jeden umarlak na czterech będzie w stanie z niej skorzystać.

2. Wzorce zachowań

A. Inteligencja

Wielokrotnie udowodniono, że naszą główną przewagą nad umarlakami jest zdolność logicznego myślenia. Inteligencja przeciętnego zombie znajduje się na poziomie owada, a może nawet nieco niżej. W żadnym przypadku nie udowodniono ich zdolności do rozumowania lub używania logiki. Zombie pozbawione są wspólnej dla wielu przedstawicieli ziemskiej fauny zdolności do wyciągania wniosków z niepowodzeń i modyfikowania taktyki działań, by w końcu odkryć właściwą drogę prowadzącą do celu. W jednym z zanotowanych przypadków człowiek znalazł się na krawędzi doliny oddzielony od kilkudziesięciu zombie zerwanym mostem. Umarlaki jeden po drugim dochodziły do zerwanego mostu i spadały w przepaść, podejmując indywidualną próbę złapania ofiary i nie biorąc pod uwagę losu, jaki spotkał ich pobratymców. Żaden zombie nawet nie próbował modyfikować swojego sposobu działania.

Nieprawdziwe są także mity o zombie zdolnych używać narzędzi. Do tej pory nie zanotowano przypadku, by umarlak potrafił się posługiwać czymkolwiek ze swego otoczenia. Nawet podniesienie z ziemi kamienia i użycie go jako młotka jest poza zasięgiem jego zdolności umysłowych. To proste działanie mogłoby dowodzić, że w mózgu zombie zachodzą choćby podstawowe procesy myślowe, jak obserwacja, iż kamień mógłby być skuteczniejszym, twardszym narzędziem niż goła ręka. Jak na ironię, wiek komputerów pozwolił nam lepiej wczuć się w rolę zombie niż naszym „prymitywnym" przodkom. Z rzadkimi wyjątkami nawet najpotężniejsze komputery nie są w stanie samodzielnie myśleć. Robią to, do czego się je zaprogramuje i nic więcej. Tej jednej zaprogramowanej funkcji nie są w stanie zmienić, zawiesić czy porzucić. Nie zapisują nowych danych. Nie generują nowych komend. Taki komputer będzie wykonywał zadaną czynność najlepiej jak potrafi, póki jest zasilany prądem. I tak właśnie funkcjonuje mózg zombie. Jest zaprogramowaną instynktem na jedną czynność, odporną na zużycie maszyną, której nie da się wyłączyć – można ją jedynie zniszczyć.

B. Uczucia

Nic nie wiadomo o tym, by żywy trup miał jakiekolwiek uczucia. Wszelkie próby podejmowania z nimi walki psychologicznej, od rozbudzania gniewu po apelowanie o wyrozumiałość, spaliły na panewce. Radość, smutek, zaufanie, niepokój, miłość, nienawiść, strach – te i tysiące innych odczuć kształtujące ludzkie serce są dla zombie równie bezużyteczne, co sam organ, który tradycyjnie uważa się za ich siedzibę. Nie jest do końca pewne, czy to nasza przewaga, czy wręcz przeciwnie – największa słabość. Dyskusja trwa od dawna i zapewne będzie trwać jeszcze bardzo długo.

C. Pamięć

Nieprawdziwa jest teoria, według której zombie zachowują znajomość faktów ze swego poprzedniego życia. Słyszy się historie, że zombie wracają do swoich dawnych miejsc zamieszkania lub pracy, posługują się urządzeniami, które kiedyś wykorzystywali, a nawet okazują litość członkom dawnej rodziny. To kompletna bzdura. Nie istnieje nawet cień dowodu na poparcie tej teorii. Zombie nie może zachować w świadomości żadnych obrazów z przeszłości, a to z bardzo prostej przyczyny – w jego zmutowanym mózgu nie ma nic takiego jak świadomość! Ani widok ukochanego za życia zwierzaka, ani tym bardziej znajoma okolica czy żywy członek rodziny nie wzbudzi w nim żadnych miłych wspomnień. Niezależnie od tego kim był żywy trup za życia, tej osoby już nie ma, odeszła, a jej miejsce zajął bezduszny automat kierujący się jedynie żądzą zjadania mięsa. Dlaczego w takim razie zombie trzymają się miast, unikając wsi? Po pierwsze, nie wynika to z żadnych świadomych preferencji – po prostu zostają tam, gdzie nastąpiła reanimacja. Po drugie, głównym powodem, dla którego zombie pozostają w miastach, zamiast rozlewać się po całym kraju, jest obfitość pożywienia, gdyż miasta są największymi skupiskami ludzi.

D. Potrzeby fizyczne

Umarlak nie wykazuje żadnych potrzeb fizycznych artykułowanych lub odczuwanych przez żywych ludzi, poza głodem. Nigdy nie widziano zombie śpiącego ani w inny sposób odpoczywającego. Nie reagują na zimno lub gorąco. Nie szukają schronienia w złą pogodę. Nie znają nawet tak prostej i naturalnej potrzeby jak pragnienie. Skutki mutacji wywołanych przez wirus *Solanum* przeczą wszystkiemu, na czym opiera się nauka, gdyż w ich wyniku powstaje organizm całkowicie samowystarczalny.

E. Porozumiewanie

Zombie nie posługują się żadnym językiem. Ich struny głosowe są w stanie wydawać dźwięki, ale ich mózg nie jest zdolny do procesów myślowych niezbędnych do artykulacji mowy. Gardłowe jęki wydawane w chwili odnalezienia ofiary są jedynym przejawem zdolności zombie do komunikacji głosowej. Gdy umarlak szuka żeru, jęki są przeciągłe i utrzymane w niskich tonach. Ich wysokość i głośność ulega wyraźnej zmianie, gdy zombie przystępuje do ataku. Ten przerażający dźwięk powszechnie wiązany z żywymi trupami służy do zwoływania innych zombie, a ostatnie badania dowodzą, że działa on na ludzi jako broń psychologiczna o dużej sile oddziaływania.

F. Stosunki społeczne

Od zawsze krążyły różnorakie teorie na temat zdolności zombie do funkcjonowania jako kolektywna siła. Jedni przedstawiali je jako armię dowodzoną przez szatana, inni snuli porównania do roju owadów kierujących się feromonami, zaś ostatnio wielką popularność zyskała hipoteza, jakoby grupy zombie dogadywały się za pomocą telepatii. W rzeczywistości umarlaki nie tworzą społeczeństwa godnego tej nazwy. Nie wykształciły hierarchii, nie ma wśród nich wyraźnego łańcucha decyzyjnego, nie dążą do stworzenia jakiejkolwiek cywilizacji.

Horda żywych trupów, niezależnie od jej wielkości, stanowi jedynie zbiorowisko jednostek. To, że kilka setek zombie zaatakuje jedną ofiarę, wynika z indywidualnych decyzji podjętych samodzielnie przez każdego osobnika. Umarlaki zdają się nie zauważać obecności innych zombie. Nigdy nie zaobserwowano żadnej reakcji na widok innego zombie niezależnie od dystansu pomiędzy nimi. To skłania do zadania pytania: w jaki sposób zombie rozpoznają się nawzajem i są w stanie odróżnić na odległość przedstawiciela swego rodzaju od żywej ofiary? Odpowiedzi na tę zagadkę wciąż nie odnaleziono. Zombie omijają się na takiej samej zasadzie, jak omijają przedmioty. Wpadając na siebie, nie podejmują żadnej próby kontaktu czy porozumienia. Zombie pożerające tę samą ofiarę będą sobie wyrywać kęs mięsa, na który mają ochotę, ale żadnemu nie przyjdzie na myśl odepchnąć konkurenta. Jedynym działaniem mającym jakieś pozory interakcji społecznej jest reakcja na odgłosy wydawane przy atakowaniu zdobyczy, zdolne przyciągnąć wszystkie zombie w zasięgu słuchu. Te dźwięki nieodmiennie ściągają je do miejsca, skąd są wydawane. Kiedyś podnoszono tezę, że to oznaka zorganizowanego działania – meldunki wysłanych przodem szperaczy o odnalezieniu ofiary. Dziś zdajemy sobie już sprawę z tego, że to jedynie przypadek. Okrzyki wydawane przez zombie są ich instynktowną reakcją, a nie wezwaniem skierowanym do innych.

G. Polowanie

Zombie są nomadami, istotami wędrownymi bez świadomości terytorialnej i nieznającymi koncepcji

„domu". W poszukiwaniu pożywienia potrafią przemierzać setki i tysiące kilometrów, wręcz przewędrować całe
kontynenty. Trudno mówić o jakichkolwiek wzorcach
zachowań w czasie polowania, wszystko zależy od przypadku. Żerują zarówno za dnia, jak i w nocy. Nie prowadzą żadnych systematycznych poszukiwań ofiar, nie są
zdolne do oczekiwania na żer w pułapce. Atakują jedynie te ofiary, na które się przypadkiem natkną. Nie koja-
rzą żadnych miejsc czy kształtów z żerowiskiem. Znane
są przypadki, w których watahy zombie przechodzące
koło zabudowań gospodarskich mijały je obojętnie, a do
domów wchodziły jedynie te osobniki, którym budynki wyrosły na trasie marszu. Przeszukiwanie terenów
miejskich zajmuje więcej czasu, co sprawia, że zombie
zatrzymują się tam na dłużej, ale i tam nie zauważono,
by jakieś konkretne typy budynków cieszyły się większym zainteresowaniem. Umarlaki zdają się całkowicie
ignorować otoczenie. Nie rozglądają się, próbując poznać
nowe miejsce. Powłócząc nogami, chwiejnym krokiem
będą milcząco podążać przed siebie, póki nie odnajdą
ofiary. Jak już wcześniej mówiono, zombie dysponują
znakomitą zdolnością lokalizacji żeru. Kiedy już trafią
na trop, te uprzednio ciche i obojętne automaty, prze-
chodzą metamorfozę w coś, co najłatwiej przyrównać
do samonaprowadzającej się rakiety. Głowa natychmiast
kieruje się w stronę potencjalnej ofiary, opada szczęka,
rozchylają się wargi, a z głębi trzewi odzywa się do-
nośne zawodzenie. Od momentu pojawienia się żeru
zombie przestaje reagować na cokolwiek innego. Raz
rozpoczęty atak może przerwać jedynie śmierć ofiary
lub samego zombie.

H. Motywacja

Dlaczego zombie polują na ludzi? Przecież wiadomo, że pożerane mięso nie jest trawione, nie służy zasilaniu organizmu. Skoro nie daje im to żadnej korzyści, dlaczego instynkt każe im zabijać i pożerać? Nie wiadomo. Współczesne badania i studia historyczne dowodzą, że ludzkie mięso nie stanowi wyłącznej diety zombie. Ekspedycje ratunkowe wielokrotnie meldowały, że rejon występowania epidemii rozpoznaje się po całkowitym braku fauny. Włóczące się po takim terenie zombie zabijają i pożerają wszystkie stworzenia, duże i małe, a jednak ludzkie mięso stanowi najbardziej pożądany żer, dla którego porzucają wszelki inny. W jednym z eksperymentów pojmanemu umarlakowi dano do wyboru dwa identycznie wyglądające kawałki mięsa – jeden ludzki, drugi zwierzęcy. W wielokrotnie powtarzanej próbie zombie zawsze wybierał mięso ludzkie. Powody tak wyraźnej preferencji pozostają wciąż nieznane. Nie ulega jednak wątpliwości, że zabójczy instynkt wytwarzany przez infekcję wirusem *Solanum* nie jest specjalnie wybredny, popychając zombie do atakowania i pożerania każdego żywego organizmu. Nie napotkano do tej pory żadnych wyjątków od tej zasady.

1. Zabicie żywego trupa

Zabicie zombie, jakkolwiek nieskomplikowane metodologicznie, nie jest wcale łatwe. Jak stwierdzono powyżej, umarlak nie potrzebuje żadnych ludzkich procesów fizjologicznych do podtrzymania życia. Zniszczenie lub poważne uszkodzenie układów krążenia, pokarmowego, czy oddechowego w żaden sposób nie zaszkodzi żywemu trupowi, gdyż funkcjonowanie jego mózgu nie jest od nich zależne. Mówiąc krótko, o ile istnieją tysiące sposobów zabicia człowieka, zabić zombie można tylko w jeden, jedyny sposób. Tylko zniszczenie mózgu skutkuje jego uśmierceniem i należy do tego dążyć wszelkimi dostępnymi środkami.

J. Usuwanie ciał

Wirus *Solanum* jest w stanie przeżyć w ciele uśmierconego umarlaka do 48 godzin. Z tego powodu należy wykazać najwyższą ostrożność w obchodzeniu się ze zwłokami zombie. Najgroźniejsza jest głowa, w której występuje największe stężenie wirusów. Nigdy nie należy dotykać ciał zombie bez ubrania ochronnego. Należy je zawsze traktować jak materiał niebezpieczny, silnie toksyczny. Najbezpieczniejszym i najskuteczniejszym sposobem usunięcia ciała jest kremacja. Nie należy wierzyć w pogłoski o rzekomym skażeniu terenu chmurami dymu przenoszącego wirusy – to zabobon. Wystarczy zdrowy rozsądek, by wykazać, że żaden wirus nie jest w stanie przeżyć wysokiej temperatury koniecznej do spopielenia ciała, nie mówiąc już o kontakcie z otwartym ogniem.

K. Czy istnieje możliwość udomowienia?

Powtórzmy: zmutowany mózg umarlaka nie jest podatny na jakiekolwiek manipulacje. Ani leczenie far-

makologiczne, ani interwencje chirurgiczne, ani radio-
terapia nie przyniosły żadnych rezultatów. Nie pomogła
terapia zajęciowa, zombie nie jest podatny na tresurę. Tej
maszyny do zabijania nie da się przeprogramować. Będzie działać tak, jak jej nakazuje instynkt, albo wcale.

ŁŻE-ZOMBIE VOODOO

Skoro zombie jest produktem infekcji wirusowej, a nie
czarnej magii, jak wyjaśnić fenomen zombie w religii
voodoo: osób, które zmarły, po czym wstały z grobu,
by żyć wiecznie jako niewolnicy żywych? To prawda,
że samo słowo „zombie" pochodzi od używanego w języku kimbundu słowa „nzúmbe", oznaczającego dusze
zmarłych. Prawdą jest także, że zombie i przemiana
w zombie są integralną częścią afrokaraibskiej religii
voodoo. Tyle tylko, że wspólne cechy zombizmu wiru-
sowego i religijnego kończą się na podobieństwie nazwy.
Wprawdzie houganom (kapłanom voodoo) przypisuje
się moc przemiany siłą magii żywych ludzi w zombie,
lecz w rzeczywistości ich praktyki są w pełni wytłuma-
czalne argumentami naukowymi. „Proszek zombie",
środek wykorzystywany przez houganów do rzekomej
zombifikacji, zawiera bardzo silne neurotoksyny, a jego
skład jest najsilniej strzeżoną tajemnicą kapłanów. Tok-
syny zawarte w tej substancji paraliżują centralny układ
nerwowy, wywołując stan podobny do hibernacji. Czynności serca, mózgu i oddechowe zostają sprowadzone do

minimum, co mniej doświadczonych lekarzy wprowadza w błąd i orzekają oni o śmierci osobnika poddanego działaniu „proszku zombie". Wielu ludzi pogrzebano w tym stanie, skazując na straszne przebudzenie z letargu w zamkniętej i zakopanej trumnie. Szamocząc się w jej wnętrzu, zużywają resztkę tlenu i jeśli nawet zostają w końcu wydobyci, niedotlenienie mózgu powoduje w nim nieodwracalne zmiany. Przywrócony do życia osobnik będzie błądził bez celu, niezdolny wyartykułować mowy, z bardzo ograniczoną zdolnością rozpoznawania czegokolwiek wokół siebie, błędnie rozpoznawany jako zombie. Jak odróżnić takiego łże-zombie od ofiary infekcji wirusem *Solanum*? Różnice są oczywiste:

1. Łże-zombie okazują uczucia.

Ludzie cierpiący na uszkodzenia mózgu wywołane działaniem neurotoksyn z „proszku zombie" nadal są zdolni odczuwać normalne ludzkie emocje. Uśmiechają się, płaczą, okazują gniew, gdy są krzywdzeni lub prowokowani. Prawdziwy zombie nie jest do tego zdolny.

2. Łże-zombie zastanawiają się.

Prawdziwy zombie na widok żywego człowieka zamienia się w „inteligentną bombę". Łże-zombie voodoo zatrzyma się, by zastanowić się, kim jest ta druga istota. Może podejść do człowieka, ale równie dobrze stać dalej i obserwować, czekając, aż jego uszkodzony mózg wreszcie zanalizuje to, co widzi, lub uciec. Natomiast na pewno nie uniesie ramion, nie opuści szczęki i nie ruszy, wydając nieziemskie zawodzenie, by zabijać i pożerać.

3. Łże-zombie odczuwają ból.

Gdy łże-zombie potknie się i przewróci, nabije sobie siniaka i może jęknąć z bólu. Jeśli odniósł wcześniej jakieś obrażenia, będzie je opatrywał, a przynajmniej zauważy, że odniósł ranę. Zombie voodoo nie zignoruje głębokiego cięcia, uszkadzającego jego ciało, jak prawdziwy zombie.

4. Łże-zombie rozpoznają ogień.

Zombie voodoo nie zawsze muszą wykazywać strach przed ogniem. Niekiedy uszkodzenia mózgu są na tyle głębokie, że w pierwszej chwili ci nieszczęśnicy mogą nawet nie pamiętać, co to jest. Zatrzymają się, żeby go obejrzeć, może nawet sięgną, by go dotknąć, ale raz sparzywszy się, będą unikać płomieni.

5. Łże-zombie rozpoznają otoczenie.

W odróżnieniu od zombie prawdziwych, które wykazują pobudzenie tylko w trakcie polowania na ofiarę, łże-zombie reagują na gwałtowne zmiany oświetlenia, dźwięki, smak i zapach. Zanotowano przypadki oglądania przez łże-zombie telewizji, śledzenia migających świateł, słuchania muzyki, kulenia się na grzmot burzy, a przede wszystkim zwracania uwagi na inne łże-zombie. Ta ostatnia okoliczność zapobiegła w kilku wypadkach ich pochopnej eksterminacji przez domorosłych łowców – łże-zombie spoglądał na innych członków hordy, wydawał dźwięki, nawet dotykał ich twarzy.

6. Łże-zombie nie mają szóstego zmysłu.

Człowiek cierpiący na symptomy zatrucia neurotoksynami zawartymi w „proszku zombie" pozostaje nadal

istotą ludzką, polegającą głównie na postrzeganiu wzro-
kowym. Nie jest w stanie funkcjonować sprawnie w nocy,
słyszeć kroków z dużej odległości, wyczuwać woni ofiary
z wiatrem. Te łże-voodoo dają się nawet zaskoczyć komuś, kto podchodzi je z tyłu. Tego ostatniego nie za-
leca się jednak, gdyż przestraszone mogą gwałtownie
zareagować.

7. Łże-zombie potrafią się komunikować.

Co prawda nie znajduje to pełnego potwierdzenia we
wszystkich przypadkach, ale część łże-zombie potrafi reagować na sygnały audiowizualne; mogą rozumieć słowa, a nawet proste zdania. Wiele łże-zombie z czasem
odzyskuje zdolność mowy, komunikując się krótkimi,
prostymi zdaniami, zwykle nie prowadząc zbyt długich
rozmów.

8. Łże-zombie można kontrolować.

W wielu przypadkach uszkodzenia mózgu łże-zombie
w dużym stopniu eliminują u nich zdolność rozpoznawania czynów. W tym stanie są one bardzo podatne na
sugestie. Czasem do pozbycia się ich wystarczy prosty
rozkaz, co powoduje, że wielu ludzi uważa, że jest w stanie podobnie kontrolować prawdziwego zombie. Paru
lekkomyślnych osobników było przekonanych, że potrafią siłą sugestii powstrzymać atakującą hordę prawdziwych umarlaków. O swoim błędzie przekonywali się po-
niewczasie, gdy zewsząd wyciągały się już do nich zimne
dłonie, a połamane zęby wbijały się w ich ciała.

Powyższe uwagi mają pomóc w rozróżnieniu
prawdziwych zombie od osobników wykazujących

pewne cechy zombie, ale nimi niebędących. Uwaga końcowa: łże-zombie spotyka się w Afryce subsaharyjskiej, na Karaibach, w Środkowej i Południowej Ameryce oraz na południu Stanów Zjednoczonych. Szanse na spotkanie człowieka zamienionego przez houganów w łże-zombie w innych regionach geograficznych, jakkolwiek realnie istniejące, wydają się być znikome.

ZOMBIE W HOLLYWOOD

Od chwili, gdy żywe trupy po raz pierwszy pokazały się na srebrnym ekranie, ich największym wrogiem stali się nie łowcy zombie, lecz krytycy. Naukowcy, wykładowcy, nawet świadomi obywatele zwracali uwagę, że filmy te przedstawiają umarlaków w sposób fantastyczny, oderwany od rzeczywistości. Porażające wizualnie skutki użycia broni, przeczące fizyce sceny walk, nierealne postawy i dokonania ludzkich bohaterów, a nade wszystko magiczne, niezwyciężone, a czasem komiczne postaci żywych trupów składają się na kontrowersyjny obraz nurtu „kina zombie". Podnosi się również argument, że przewaga stylizacji nad ilustrowaniem problemu, spotykana nagminnie w tych filmach, prowadzi do błędnych wniosków, mogących narazić widza na śmierć w razie rzeczywistego spotkania z zombie. Tak poważne ataki zasługują na równie poważny odpór. Oglądając film, nigdy nie należy zapominać o tym, że z rzadkim wyjątkiem obrazów bazujących na prawdziwych wydarzeniach[*], celem każdej produkcji kinematograficznej jest w pierwszym rzędzie dostarczenie widzowi rozrywki. Poza twórcami filmów dokumentalnych (a i z tych część jest przecież dramatyzowana), twórca musi się cieszyć jakąś dozą artystycznej swobody wyrazu, konieczną również po to, by jego dzieło zostało zaakceptowane przez publiczność. Nawet filmy ilustrujące prawdziwe wydarzenia czasem od nich odchodzą, poświęcając prawdę historyczną na rzecz sprawnie przedstawionej opowieści. Niektóre postaci w rzeczywistości łączą cechy kilku osób, wprowadza się postaci fikcyjne, by łatwiej przedstawić długotrwałe procesy, uprościć scenariusz, bądź nawet jedynie dla ubarwienia sceny. Oczywiście można twierdzić, że najważniejszym zadaniem artysty jest stawiać publiczności intelektualne wyzwania, edukować ją i oświecać. To bardzo szczytne i zasługujące na pochwałę cele, ale trudno nieść kaganek oświaty wśród publiczności, która w ciągu dziesięciu minut od rozpoczęcia filmu posnęła lub rozeszła się do domów. Przyjmując do wiadomości podstawową zasadę produkcji filmów, łatwiej zrozumieć, dlaczego filmy nurtu „kina zombie" niekiedy tak daleko odchodzą od rzeczywistości, na której się opierają. Zbrojni w tę wiedzę możemy bezpiecznie oglądać te filmy zgodnie z intencjami ich twórców: jako źródła przejściowej, rzadko skłaniającej do głębszych przemyśleń rozrywki, a nie ilustrację podręcznika sztuki przetrwania.

---

[*] Na żądanie twórców filmów lub ich spadkobierców, tytuły filmów opartych na rzeczywistych historiach starć z zombie zostały usunięte [przyp. aut.].

WYBUCHY EPIDEMII

Każdy atak wirusa zombizmu jest inny, ale w zależności od czynników terenowych, liczebności zainfekowanych, reakcji zamieszkującej dany teren ludności itp., można wydzielić cztery klasy (stopnie) intensywności epidemii:

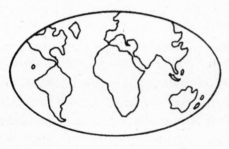

Epidemia klasy 1

Lokalny atak epidemii zwykle w krajach rozwijających się lub w izolowanym rejonie wiejskim krajów rozwiniętych. Liczba przypadków zombizmu w epidemii klasy I waha się między 1 a 20. Liczba ofiar (wliczając zainfekowanych) zwykle mieści się w przedziale od 1 do 50. Czas jej trwania, od pierwszego do ostatniego zanotowanego przypadku choroby, wynosi od 24 godzin do 14 dni. Promień terenu zagrożonego przez lokalne ognisko choroby rzadko przekracza 30 km. W wielu przypadkach granice ogniska wyznaczają przeszkody terenowe, niemożliwe do pokonania przez zombityków. Reakcja na lokalny atak zwykle jest niewielka, ograniczona do działań podejmowanych przez miejscową ludność własnymi siłami, czasem z małym udziałem formacji porządkowych. Takie lokalne wybuchy epidemii rzadko, jeśli w ogóle, stają się przedmiotem zainteresowania mediów. Jeśli informacje na ten temat przedostają się do gazet i telewizji, zwykle można je znaleźć w historiach o „wypadkach" lub „zabójstwach". Tego typu ataki epidemii zdarzają się najczęściej i są najłatwiejsze do przeoczenia.

Epidemia klasy II

Zwykle zdarzają się w miastach lub na terenach gęsto zaludnionych. Liczba przypadków jest wyższa niż w epidemii klasy I, w przedziale od 20 do 100. Liczba ofiar sięga już zwykle kilkuset, choć czas trwania może nie być dłuższy niż w przypadku epidemii klasy I. W wielu przypadkach większa liczba zombityków powoduje znacznie aktywniejszą reakcję. Na terenach miejskich może objąć obszar o promieniu nawet powyżej 150 km, ale w gęsto zaludnionych miastach ograniczać się do kilku kwartałów. Zwalczenie tak intensywnego ogniska epidemii wymaga zaangażowania znacznych i dobrze zorganizowanych sił, zwykle wiąże się z użyciem jednostek obrony terytorialnej – w USA Gwardii Narodowej, a za granicą odpowiedników tej formacji. Struktury wojskowe i paramilitarne nie tylko podejmują działania bojowe, ale zapewniają także kontrolę tłumów oraz zabezpieczenie medyczne i logistyczne. Wybuch epidemii klasy II zwykle przyciąga zainteresowanie prasy, o ile wydarzenia nie mają miejsca w jakimś bardzo odległym regionie geograficznym lub w kraju, w którym dostęp do informacji jest blokowany przez cenzurę. Nie zawsze jednak, niestety, można liczyć na dokładną i rzetelną relację z przebiegu zdarzeń.

Epidemía klasy III

Prawdziwy kryzys. Wybuchy epidemii klasy III szczególnie dobitnie pokazują prawdziwą naturę zagrożenia zombizmem. Tysiące żywych trupów opanowują teren w promieniu setek kilometrów. Czas trwania takiego ataku i następującego po nim okresu dogaszania ogniska epidemii oraz czyszczenia terenu może sięgać kilku miesięcy. Przy tak długotrwałej i intensywnej akcji nie ma już możliwości wyciszenia sprawy w mediach – nawet gdyby cenzura zdusiła informację, pozostaje zbyt wielu naocznych świadków. Trudno jest ukryć przed światem regularną bitwę, w której formacje porządkowe zwykle zastępują już jednostki sił zbrojnych. Na terenach dotkniętych epidemią i otaczających siedlisko zarazy wprowadza się zwykle stan wyjątkowy, co oznacza, że należy się spodziewać ograniczeń w podróżowaniu, racjonowania zapasów, kontroli dokumentów, militaryzowania służb komunalnych i ścisłego nadzoru nad dochodzącymi z rejonu działań informacjami. Wprowadzenie tych wszystkich środków zajmuje jednak sporo czasu, więc początkowo, dopóki władze nie uporają się z zaprowadzeniem porządku, panuje zupełny chaos. Zamieszki, grabieże i powszechna panika utrudniają zadanie zwalczania epidemii, dodatkowo opóźniając skuteczne przeciwdziałanie rozwojowi choroby. Zanim to nie nastąpi, zamieszkujący teren zagrożony infekcją są zdani na łaskę i niełaskę watah umarlaków. Izolowani, opuszczeni, otoczeni i atakowani przez zombie mogą liczyć tylko na siebie.

Epidemia klasy IV

Pandemia, światowy wybuch epidemii zombizmu. Patrz rozdział „Przeżyć w świecie żywych trupów".

WYKRYWANIE

Każdy wybuch epidemii zombizmu, niezależnie od tego, jakie później osiągnie rozmiary, zaczyna się od Pacjenta Zero. Skoro już wiemy, co stanowi zagrożenie, kolejnym etapem działania jest stworzenie sieci wczesnego ostrzegania. Znajomość istoty zombizmu w niczym nie pomoże, jeśli zagrożenie wybuchem epidemii nie zostanie w porę wykryte. Przygotowanie się na ten wybuch nie oznacza konieczności budowania w piwnicy bunkra dowodzenia, wieszania nabijanych kolorowymi szpilkami map i garbienia się całymi dniami nad trzeszczącą krótkofalówką. Wystarczy pilnie śledzić oznaki, które umkną człowiekowi nieświadomemu zagrożenia. Należą do nich:

1. **Nasilenie doniesień o zabójstwach dokonanych w okolicy przez strzały w głowę lub dekapitację.**
   Wiele razy zaczynało się właśnie od tego: ludzie świadomi zagrożenia rozpoznawali w porę naturę choroby

i decydowali się brać sprawę w swoje ręce. Niestety niemal zawsze kończyło się to aresztowaniem przez nieuświadomione organy ścigania i skazaniem za morderstwo.

2. **Zaginięcia osób, do których dochodzi zwłaszcza w dzikich ostępach i na terenach niezamieszkanych.**

Prawdopodobieństwo wybuchu epidemii wzrasta, gdy zaginie jeden lub więcej członków ekipy poszukiwawczej. Jeśli historia jest relacjonowana w prasie lub telewizji, należy zwrócić szczególną uwagę na rodzaj uzbrojenia ekipy, widocznego na ekranie lub zdjęciu. Obecność broni długiej w kadrze, a zwłaszcza widok więcej niż jednego karabinu, powinna być sygnałem ostrzegawczym, że w tym przypadku chodzi o coś więcej niż tylko zwykłą ekspedycję poszukiwawczą.

3. **Przypadki morderczego szału, w którym członek rodziny atakuje domowników lub przyjaciół bez użycia jakiejkolwiek broni.**

Dowiedz się, czy w przypadku ataku doszło do pogryzienia lub próby pogryzienia ofiar. Czy pogryzione ofiary są nadal hospitalizowane? Czy któraś z nich zmarła w ciągu doby po pogryzieniu?

4. **Zamieszki lub niepokoje społeczne, które nie zostały sprowokowane ani wywołane żadnymi logicznymi przyczynami.**

Zdrowy rozsądek podpowiada, że żadna grupa społeczna nie zdecyduje się na jawne wypowiedzenie posłuszeństwa i gwałtowne działania bez naprawdę ważnego

powodu, jakiegoś katalizatora przemocy w rodzaju na-
pięć rasowych, działań politycznych lub prawnych. Nawet
tak zwana „masowa histeria" zawsze ma jakiś początek.
Jeżeli żadnej nie można zlokalizować, przyczyna musi
leżeć gdzie indziej.

5. **Zgony na chorobę niezidentyfikowaną lub niezwykłą, której rozpoznanie budzi podejrzenia.**

W świecie rozwiniętym zgony na choroby zakaźne należą już dziś do rzadkości. Z tego powodu wybuch każdej
nowej epidemii budzi wielką sensację w mediach. Szukaj
przypadków, w których prawdziwa natura zachorowania
pozostała niewyjaśniona. Szczególną ostrożność powinny budzić rozpoznania chorób mózgu, w rodzaju „gorączki Zachodniego Nilu" czy „choroby Creutzfeldta-
-Jakoba", zwanej popularnie „chorobą wściekłych krów".
Jedna i druga stanowi uznaną jednostkę chorobową, lecz
takie objaśnianie natury schorzenia może służyć do próby utrzymania w tajemnicy rzeczywistej przyczyny wybuchu danej epidemii.

6. **Wszelkie przypadki ze wszystkich powyższych
   grup, które zostały utajnione.**

W Stanach Zjednoczonych bardzo trudno jest cokolwiek całkowicie utrzymać w tajemnicy przed prasą.
Wszelkie takie próby powinny natychmiast wszczynać
alarm. Oczywiście, przyczyną podjęcia takiego działania
może być coś innego, niż wybuch epidemii zombizmu,
ale w kraju deklarującym taką otwartość i przejrzystość
jak Ameryka wszelkie próby ograniczenia wolności prasy powinny zasługiwać na szczególną uwagę. Gdy rząd

próbuje coś ukryć, nie może to oznaczać niczego dobrego dla obywateli.

Jeśli dojdzie do wydarzenia budzącego niepokój, staraj się trzymać rękę na pulsie. Sprawdź, gdzie do niego doszło, jak daleki dystans dzieli cię od tego miejsca. Szczególnie uważnie śledź wiadomości o podobnych incydentach w rejonie zbliżonym do domniemanego pierwotnego ogniska epidemii, pojawiające się w ciągu kilku tygodni po pierwszych doniesieniach. Zwróć uwagę na reakcję sił porządkowych i agencji rządowych. Jeśli intensywność ich reakcji rośnie z każdym doniesieniem o kolejnych incydentach, może to oznaczać rozwój epidemii.

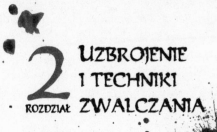

2 UZBROJENIE
ROZDZIAŁ I TECHNIKI
ZWALCZANIA

B yło ich co najmniej z piętnaście czy dwadzieścia sztuk, mężczyzn, kobiet i dzieci. Zaczęliśmy strzelać z 70, może 80 metrów. Widać było kawałki mięsa wyrywane z ich ciał kulami, więc trafialiśmy na pewno! A oni szli, po prostu szli dalej! Zobaczyłem jednego blisko i wywaliłem do niego długą serię, cały magazynek z mojego BXP. Jakiś pocisk musiał mu przerwać rdzeń kręgowy, bo facet po prostu zwalił się na ziemię jak kłoda. Patrzę za chwilę – nogi jeszcze drgają, a ten dalej pełznie do mnie! Z 20 metrów pociągnęliśmy po nich z Vektora. I nic! Rany boskie, z pleców wylatywały im kawałki bebechów i kości wyrywanych pociskami. Widziałem na własne oczy, jak kule dosłownie wyrywały im nogi ze stawów. SS77 to najlepszy kaem na świecie, 800 strzałów na minutę – a tym, kurwa, nic nie zrobił! Wyrzuciliśmy wszystkie granaty, jakie kto miał i tylko jednego wykończyliśmy. Rozumiesz? Jednego! Tyloma granatami! I nawet jak tam leżał porozrywany na ziemi, to ta jego pieprzona głowa jeszcze kłapała do *nas zębami! X. wygarnął do nich z bazooki. Cholerna grucha tylko przeleciała przez miękki cel na wylot i roz-pieprzyła skałę na przedpolu. W końcu podeszli na 5 metrów i musieliśmy zużyć resztę mieszanki do miota-cza ognia. Sukinsyny palili się jak pochodnie i dalej szli na nas! Jeden z tych płonących złapał Y. Jak mu sięgał zębami do szyi, to się na nim mundur zajął. Kiedy ucie-kaliśmy w dżunglę, widziałem jeszcze, jak się na niego rzuciły; tłum gorejących trupów rozrywający na strzę-py wyjącego z bólu, płonącego jak pochodnia człowie-ka. Że co, że uciekaliśmy? A co, kurwa, mogliśmy zrobić innego?!*

Serbski najemnik,
uczestnik wojny domowej
w Zairze, 1994

Wybór właściwych broni (NIGDY nie wolno się ogra-niczać do jednej) może przesądzić o tym, czy po spotka-niu z umarlakami zostawisz za sobą dymiący stos zwłok zombie, czy sam zasilisz ich szeregi. Stając naprzeciw chodzących trupów, łatwo uwierzyć, że do osiągnięcia zwycięstwa wystarczy po prostu zebrać ile się da jak najskuteczniejszej broni i „skopać im tyłki". To złudze-nie i głupota, a nawet więcej – to samobójstwo. Zombie to nie strażnicy obozu jenieckiego w jakiejś idiotycznej filmowej ramboidalnej rąbance, padający jak muchy na sam dźwięk długiej serii z karabinu głównego bo-hatera. Wybór broni do walki z nimi wymaga uważnej, praktycznej analizy wszystkich okoliczności i jasnego umysłu.

PODSTAWOWE ZASADY

1. Przestrzegaj obowiązującego prawa!

Prawo dotyczące broni, rodzaju materiałów wybuchowych czy broni palnej może być odmienne w różnych stronach. Prawa należy przestrzegać skrupulatnie! Niezależnie od naszych intencji jego złamanie może kosztować poważną grzywnę lub nawet karę pozbawienia wolności. Tak czy inaczej, nie stać cię na zabagnienie sobie kartoteki. Gdy umarli powstaną, dla policji musisz być czystym jak łza modelowym obywatelem. Kimś, komu można zaufać i zostawić go w spokoju, a nie potraktować jak kryminalistę, pierwszego kandydata do przesłuchania, gdy w okolicy zaczynają się kłopoty. Na szczęście, jak wykażemy w tym rozdziale, prostsze, całkowicie legalne rodzaje broni mogą się w walce z zombie sprawdzić lepiej niż paramilitarne „machiny śmierci".

2. Ćwicz nieustannie!

Jakąkolwiek broń wybierzesz, prostą maczetę czy samopowtarzalny karabin, musisz posługiwać się nią pewnie i skutecznie. Ćwicz tak często, jak to tylko możliwe. Jeśli masz okazję zapisać się na jakieś kursy, zrób to koniecznie. Wykwalifikowani instruktorzy pomogą ci zaoszczędzić mnóstwo czasu i energii. Jeśli twoją broń można rozłożyć, ćwicz to jak najczęściej, w różnych warunkach oświetlenia, w dzień i w nocy, aż wreszcie nauczysz się wyczuwać każdy kołek, każdą sprężynkę, każdy kant i krzywiznę urządzenia, od którego może zależeć twoje życie. W miarę treningów nabierzesz wprawy, a wraz z nią pojawią się doświadczenie i zaufanie do swoich umiejętności – dwie cechy, które musisz w sobie wykształcić, by skutecznie podjąć walkę z żywymi trupami. Historia dowodzi, że dobrze wyszkolony wojownik posiadający choćby kamień, ma większe szanse przeżycia w walce niż uzbrojony po zęby nowicjusz.

3. Dbaj o swoją broń!

O broń, choćby najprostszą, należy dbać równie troskliwie, jak o żywą istotę. Każdy, kto ma doświadczenie w użytkowaniu broni palnej wie, jak ważną częścią codziennego obchodzenia się z bronią jest jej przegląd, czyszczenie i smarowanie. To samo dotyczy także broni do walki wręcz. Ostrza broni białej potrzebują ostrzenia i ochrony przed korozją. Trzonki i drzewca wymagają przeglądu i konserwacji. Nigdy nie niszcz narzędzi walki ani nie wystawiaj ich na niebezpieczeństwo uszkodzeń. Jeśli to możliwe, zadbaj o regularne przeglądy przez doświadczonego fachowca. Ekspert w porę wykryje wczesne symptomy uszkodzeń, które mogłyby ujść uwadze amatora.

4. Unikaj atrap!

Wielu producentów oferuje szeroki wybór replik mieczy, broni drzewcowej, neurobalistycznej itp., które nadają się wyłącznie do celów ekspozycyjnych. Zakup broni zawsze poprzedzaj jej dokładnym sprawdzeniem i upewniaj się, czy dany egzemplarz jest przeznaczony do rzeczywistego użytku w warunkach realnego pola walki. Nigdy nie wierz sprzedawcy na słowo. Określenie „zdatny do walki" może oznaczać, że przedmiot wytrzyma kilka markowanych ciosów na imprezie rekonstrukcji historycznej czy scenie teatralnej, ale w trakcie rzeczywistej walki na śmierć i życie rozleci się na kawałki. Jeśli masz na to pieniądze, zawsze kupuj duplikat wybranej broni i trenuj nim aż do jego rzeczywistego zniszczenia. Dopiero wtedy przekonasz się, co jest warta i czy będziesz mógł jej zaufać.

5. Dbaj o najważniejszą broń!

Właściwie utrzymywane i ćwiczone ludzkie ciało jest najwspanialszą bronią na świecie. Niestety, Amerykanie słyną w świecie z zaniedbywania jej przez złą dietę, brak ćwiczeń fizycznych i nadmierne zamiłowanie do gadżetów zmniejszających wysiłek. Ich sybarytyzm robi z nich w końcu bydło: tłuste, leniwe, bezwolne – gotowe na rzeź. Najważniejsza broń, biologiczne narzędzie walki, jakim jest nasze ciało, może i musi przejść przemianę, która zamieni nas ze zwierzyny w łowcę. Przestrzegaj ściśle diety i reżimu ćwiczeń. Koncentruj się na tych, które wzmacniają układ krążenia, a nie jedynie budują masę mięśniową. Uważnie monitoruj każde, nawet najdrobniejsze schorzenie. Nawet jeśli dolega ci jedynie alergia, lecz ją regularnie. Gdy nadejdzie chwila prawdy, będziesz DOKŁADNIE wiedział czego możesz się spodziewać po swoim organizmie. Zgłębiaj i ćwicz co najmniej jedną sztukę walki. Wybieraj takie, które stawiają nacisk raczej na uwalnianie się z chwytów, niż zadawanie ciosów. Umiejętność uwolnienia się z uścisku umarlaka może się okazać decydująca, gdyby kiedykolwiek doszło do starcia wręcz.

WALKA WRĘCZ

W miarę możliwości należy unikać walki wręcz. Biorąc pod uwagę powolność ruchów zombie, znacznie łatwiej i bezpieczniej jest przed nim uciec, biegnąc lub nawet idąc szybkim krokiem, niż stawać do walki bez odpowiedniej

broni. Może się jednak zdarzyć, że walka wręcz będzie nieodzowna, by go zniszczyć. Jeśli do tego dojdzie, najważniejsze jest wyczucie chwili, właściwego ułamka sekundy. Każdy błąd, moment zawahania – i możesz poczuć zimne ręce zaciskające się na ramieniu, a potem ostre, połamane zęby wbijające się w twoje ciało. Z tego powodu wybór właściwej broni do walki w półdystansie jest najważniejszym zagadnieniem poruszanym w tym rozdziale.

I. Broń obuchowa

Celem użycia broni obuchowej jest skruszenie mózgoczaszki przeciwnika (pamiętaj: zniszczenie mózgu jest JEDYNYM pewnym sposobem zabicia żywego trupa). To nie takie proste, jak się wydaje. Ludzka czaszka jest jednym z najtwardszych, najbardziej wytrzymałych pojemników, jakie zna natura, a zombie posiada właśnie taką. Skruszenie kości twarzoczaszki lub choćby doprowadzenie do ich pęknięcia  wymaga użycia znacznej siły. Niemniej jest to konieczne, a w dodatku należy tego dokonać jednym, precyzyjnie wycelowanym ciosem. Nietrafienie we właściwy punkt lub użycie niedostatecznej siły, by skruszyć kości czaszki, zwykle pozbawia człowieka walczącego z zombie jego jedynej szansy obrony.

Styliska, trzonki i inne drewniane maczugi mogą służyć jedynie do odganiania zombie lub odparcia samotnego napastnika. Drewnianym maczugom brakuje

masy i wytrzymałości niezbędnej do zadania śmiertelnego ciosu. Ołowiana rura doskonale sprawdzi się w walce z pojedynczym atakującym, ale jest zbyt ciężka, by posługiwać się nią do torowania sobie drogi przez tłum zombie. To samo zastrzeżenie budzi użycie młota kowalskiego lub kamieniarskiego, a w dodatku trafianie nimi w ruchome cele wymaga sporo wprawy i ukierunkowanego ćwiczenia. Aluminiowa pałka baseballowa jest lekka, poręczna i wystarczająco sztywna, by posłużyć się nią w jednym, najwyżej dwóch starciach, jednak praktyka dowodzi, że intensywne użytkowanie prowadzi do jej deformacji. Standardowy młotek ciesielski ma wystarczającą moc uderzenia, ale znacznie ograniczony zasięg rażenia. Krótki trzonek pozwala umarlakowi złapać nas za rękę i ugryźć ją. Policyjne pałki wykonane zazwyczaj z plastiku (zwykle są to octany) są twarde i wytrzymałe, ale ich mała masa uniemożliwia zadanie śmiertelnego ciosu, co wynika zresztą z założeń, jakie przyjęto przy ich konstruowaniu.

Najlepszą bronią obuchową jest bez wątpienia zagięty stalowy łom, tzw. „łapka". Jej niewielka (acz w pełni wystarczająca) masa i wytrzymała konstrukcja czynią z niej idealną broń do walki wręcz z żywymi trupami. Zagięta, zaostrzona główka umożliwia zadawanie pchnięć bezpośrednio do wnętrza komory mózgowej czaszki, przez oczodół. Wielu ocalałych ze starć z zombie może potwierdzić uśmiercenie umarlaka właśnie w ten sposób. Poza tym zastosowanie łomu nie ogranicza się jedynie do prowadzenia walki – stanowi on także użyteczne narzędzie do wyłamywania zamkniętych drzwi, przesuwania ciężkich obiektów i innych czynności, do których normalnie używa się łomu. Żadne z wymienionych powyżej narzędzi nie jest w stanie wykonać zadań, do których może służyć łom. Lżejsze, poręczniejsze i bardziej wytrzymałe od łomów stalowych są łomy z tytanu, docierające ostatnio na rynki zachodnioeuropejskie z postsowieckich krajów Europy Wschodniej i samej Rosji.

2. Broń sieczna i kłująca

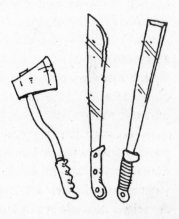

W porównaniu z obuchami broń biała ma zarówno zalety, jak i wady. Egzemplarze, którymi można rozłupać czaszkę, zwykle szybko się kruszą. Z tego powodu naturalnym przeznaczeniem broni białej powinno być cięcie, przede wszystkim dekapitacja. Ucięcie głowy może być równie skuteczne, co jej rozbicie, należy jednak pamiętać, że odcięta głowa zombie nadal może kąsać i powinna być traktowana jako zagrożenie.

Przewagą zadawania cięć nad użyciem broni obuchowej jest możliwość powstrzymania zombie bez jego uśmiercenia. W niektórych wypadkach do jego neutralizacji wystarczy odrąbanie kończyn lub przecięcie rdzenia kręgowego. Tu jednak należy przypomnieć, że kontakt z krwią umarlaka, trudny do uniknięcia przy obcinaniu masywnych kończyn, może być przyczyną zakażenia w wyniku przenikania wirusa przez skórę podobnie jak przy ukąszeniu.

Siekierą można z łatwością skruszyć czaszkę zombie, przebijając się przez kości i masę mózgową jednym ciosem. Równie łatwa jest dekapitacja toporem, dlatego był on przez stulecia ulubionym narzędziem wymiaru sprawiedliwości. Niestety, niecelny cios toporem może doprowadzić do utraty równowagi, ze wszystkimi tego niekorzystnymi następstwami.

Mniejszy, jednoręczny toporek doskonale nadaje się na broń ostatniej szansy. Jeśli zostaniemy zapędzeni do narożnika, gdzie większe narzędzia mogą się stać bezużyteczne, właściwie wycelowany i zadany cios toporkiem może rozstrzygnąć starcie na naszą korzyść.

Miecz jest idealną bronią białą, ale istnieją różne ich rodzaje i nie wszystkie są jednakowo skuteczne. Przydatność szpady, floretu, rapiera i temu podobnych broni sztychowych znacznie ogranicza fakt, że nadają się jedynie do zadawania pchnięć, a nie można nimi zadawać cięć. Ich jedynym skutecznym zastosowaniem jest opisywane już wyżej pchnięcie bezpośrednio do mózgu przez oczodół, po którym powinno nastąpić poszerzenie rany na boki przez ruchy nadgarstkiem. To bardzo trudna technika i jak do tej pory skutecznie zastosowana w tylko jednym odosobnionym przypadku, przez zawodowego szermierza. Amatorom zdecydowanie jej nie polecamy.

Szabla lub miecz jednoręczny pozwalają zadawać cięcia płatające, a jednocześnie zachować wolną rękę do wykonywania innych zadań – otwierania drzwi, osłaniania się tarczą itp. Zasadniczą wadą tego sposobu jest jednak ograniczona siła zadawanych cięć. Jedną ręką rzadko zdołamy przerąbać grubą tkankę łączną między kośćmi. Inną wadą walki mieczem jest notoryczna niecelność. Zadanie krwawiącej rany gdziekolwiek na ciele żywego przeciwnika (pojedynek „do pierwszej krwi") to bowiem jedno, a zdolność zadania silnego, precyzyjnie wymierzonego ciosu, którym można odrąbać głowę, to zupełnie co innego.

Spośród pozostałych mieczy do tego rodzaju walki najlepiej nadają się wszelkiego typu egzemplarze dwuręczne. Są one zwykle wytrzymałe, a wyprowadzanie ciosu oburącz pozwala osiągnąć siłę i precyzję konieczne do idealnej dekapitacji. Niewątpliwie najlepszym orężem spośród tego typu broni jest japoński miecz samurajski, *katana*. Jego masa (zwykle od 1,5 do 2,5 kg) sprawia, że doskonale sprawdza się w przedłużającej się walce, zaś konstrukcja ostrza pozwala przecinać bez wysiłku najbardziej wytrzymałe włókna organiczne.

Do walki w zwarciu poręczniejsze są jednak krótsze ostrza, jak rzymski *gladius*. Zdatne do boju repliki są jednak bardzo trudne do znalezienia. Japońskie *ninjite* mają dwuręczne rękojeści, a oryginały wykonane są ze słynnej japońskiej hartowanej stali skuwanej. Obie te cechy sprawiają, że *ninjite* są doskonałą bronią. Także zwykłe maczety z racji swoich rozmiarów, masy i szerokiej dostępności stanowią znakomity wybór. Jeśli to możliwe, najlepiej zaopatrzyć się w maczety typu wojskowego, zwykle dostępne w sklepach z demobilem. Ich głownie zazwyczaj wykonane są ze stali doskonałej jakości, a czernione ostrze nie zdradzi odblaskiem naszej kryjówki w nocy.

3. Inna broń biała

Włócznie, piki i trójzęby mogą być przydatne do zadawania pchnięć utrzymujących zombie na dystans, ale nie są go w stanie zneutralizować. Istnieje oczywiście szansa zadania pchnięcia do mózgu przez oczodół, ale jest to trudna technika dostępna jedynie specjalistom. Średniowieczna halabarda (kombinacja broni sztychowej i siecznej na długim drzewcu) może służyć do zadawania cięć płatających na odległość, ale jest to także wyspecjalizowana broń, której skuteczne użycie do na przykład odcięcia głowy zombie wymaga długotrwałego treningu i sporej wiedzy. Mniej wyszkolonym użytkownikom może służyć co najwyżej jako broń obuchowa lub sztychowa do utrzymywania dystansu, a więc nie jest zbyt przydatna.

Broń zamachowa, wszelkiego typu cepy bojowe, w rodzaju np. morgenszterna (kolczasta kula na łańcuchu zamocowanym do drzewca), skutecznością nie przerastają łomu, mimo że działają w znacznie bardziej widowiskowy sposób. Aby zadać cios, użytkownik musi najpierw wziąć spory zamach drzewcem, co wprawia w ruch umocowaną na końcu łańcucha kulę. Zamach musi być energiczny na tyle, by kula nabrała energii pozwalającej jej rozłupać czaszkę przeciwnika. Posługiwanie się tą bronią wymaga dużych umiejętności i wprawy, a w dodatku ciężko się nią posługiwać w zwarciu, dlatego nie jest to oręż zalecany do walki z zombie.

Wschodnioeuropejski buzdygan (buława) jest w walce porównywalny ze zwykłym młotkiem, ale w odróżnieniu od niego nie może stanowić użytecznego narzędzia. Nie da się nim podważyć okna, wyważyć drzwi, pobijać dłuta, a choćby i wbić gwoździa. Próba użycia buzdygana do tego ostatniego celu może się zakończyć wypadkiem i zranieniem. Jedynie brak jakiejkolwiek alternatywy może usprawiedliwić używanie tego typu broni.

Noże są bardzo użytecznymi narzędziami służącymi do bardzo wielu różnorodnych celów. W odróżnieniu od toporka, nożem można zabić zombie jedynie pchnięciem w mózg przez oczodół, skroń lub potylicę. Ponadto nóż jest krótszy, lżejszy i poręczniejszy od tomahawka, mniej obciąża w marszu. Wybierając nóż bojowy, należy pamiętać, by głownia miała nie więcej, niż 6 cali (15 cm) długości, a ostrze było proste i gładkie. Unikać należy ostrzy z jakimikolwiek wycięciami, zębami i piłami, spotykanych czasem w nożach survivalowych. Wszelkie nierówności krawędzi mogą prowadzić do utknięcia ostrza w kościach czaszki. Nietrudno sobie wyobrazić, do czego to może prowadzić: po zadaniu ciosu w skroń najbliższego zombie odwracamy się, by odeprzeć atak trzech pozostałych – i nie możemy użyć naszej broni...

Najlepszą kompaktową bronią białą do walki z zombie w zwarciu jest bez wątpienia sztylet okopowy, czyli kombinacja siedmiocalowego (17 cm) stalowego kolca z kastetem z brązu stanowiącym rękojeść. Sztylet ten powstał w trakcie I wojny światowej, stworzony przez żołnierzy oddziałów szturmowych prowadzących walkę wręcz w ciasnych okopach. Kolec został stworzony z myślą o zadawaniu pchnięć w czaszkę – pionowo w dół, na wylot przez hełm. Jeżeli był w stanie przebić hełm i czaszkę żywego człowieka, łatwo sobie wyobrazić jak skuteczny może być w walce z zombie. Niewielka powierzchnia przekroju poprzecznego i gładkie krawędzie sprawiają, że z łatwością przebija czaszkę i daje się szybko wycofać, pozwalając błyskawicznie zadać cios kolejnemu atakującemu zombie. A jeśli sytuacja nie pozwala unieść sztyletu odpowiednio wysoko, by zadać skuteczne pchnięcie w czaszkę, zawsze można zyskać trochę czasu, obalając umarlaka ciosem mosiężnego kastetu w twarz. Przy odrobinie szczęścia wstający zombie sam nadstawi czaszkę pod cios z góry. Oryginały sztyletów okopowych są niestety bardzo rzadkie, jako że była to broń w większości improwizowana, i dlatego w muzeach oraz kolekcjach prywatnych zachowały się bardzo nieliczne egzemplarze. Jeśli natomiast uda się znaleźć dokładne rysunki konstrukcyjne, warto mieć pod ręką jedną czy dwie repliki wykonane z materiałów doskonałej jakości i zawczasu odpowiednio przetestowane na wypadek ataku zombie. To wydatek, którego na pewno nie będziecie potem żałować.

Szpadel z Shaolin

Ten rodzaj broni przeciw zombie zasługuje na specjalną wzmiankę. Wyróżnia się niekonwencjonalnym wyglądem: półtorametrowe drzewce z dwoma płaskimi ostrzami – większym w kształcie dzwonu, na jednym z końców drzewca i mniejszym w kształcie półksiężyca, o ramionach skierowanych na zewnątrz, na drugim.

Broń ta pochodzi z czasów chińskiej dynastii Shang (1766–1122 p.n.e.) i wywodzi swój rodowód z podobnie ukształtowanego narzędzia rolniczego. Gdy buddyzm dotarł do Chin, mnisi z Shaolin przyjęli szpadel zarówno jako narzędzie pracy, jak i walki. W kilku udokumentowanych przypadkach okazał się bardzo skuteczny w walce z żywymi trupami. Energiczne pchnięcie jednym z ostrzy może skutkować natychmiastową dekapitacją, zaś długość drzewca zapewnia bezpieczeństwo użytkownikowi. Jednocześnie właśnie ta bezpieczna długość sprawia, że należy unikać posługiwania się nim w pomieszczeniach zamkniętych. Jednak na otwartej przestrzeni nic nie jest w stanie dorównać shaolińskiemu szpadlowi, łączącemu bezpieczeństwo zapewniane przez włócznię i zabójczą skuteczność samurajskiego miecza.

Świat pełen jest innych poręcznych i skutecznych przedmiotów mogących służyć jako broń w starciu z umarlakami. Skąpość dostępnego miejsca nie pozwala tu na szczegółowe omówienie wszystkich. Jeśli rozważasz przydatność jakiegoś przyrządu jako broni na zombie, zadaj sobie następujące pytania:

1. Czy może jednym ciosem rozłupać czaszkę?
2. Jeśli nie, to czy da się jednym ciosem odciąć głowę?
3. Czy tym przyrządem łatwo jest się posługiwać?
4. Czy jest lekki?
5. Czy ma wytrzymałą konstrukcję?

Waga odpowiedzi na pytania 3, 4 i 5 zależeć będzie od aktualnej sytuacji – bo jak się nie ma, co się lubi, to się lubi, co się ma. W każdym przypadku o przydatności danego przedmiotu przesądza odpowiedź na pytania 1 i 2.

4. Narzędzia mechaniczne

Scenariusze filmowe i tandetne powieści często korzystają z efektu grozy, jaką wywołuje brutalna siła piły łańcuchowej. Poruszające się z prędkością błyskawicy potężne, ostre jak brzytwa zęby mogą się w mgnieniu oka przegryźć przez ciało i kości, sprawiając, że wszelkie umiejętności posługiwania się bronią białą wydają się tracić na wartości. Jej warkot jest także ważnym czynnikiem psychologicznym – dodaje odwagi i pewności siebie posługującemu się nią „pilarzowi", czego nie można przecenić w trakcie walki. W ilu filmowych horrorach widzieliśmy w akcji owo narzędzie zagłady, siejące na lewo i prawo śmierć i zniszczenie? W rzeczywistości do zwalczania zombie, zarówno piły łańcuchowe, jak i inne tego typu przyrządy (piły tarczowe, szlifierki kątowe etc.) nadają się najgorzej jak to tylko możliwe, a to z paru powodów. Po pierwsze, z samej definicji narzędzia mechanicznego wynika, że jego funkcjonowanie zależy od napędu,

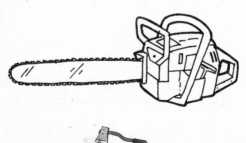

a więc jakiegoś rodzaju paliwa. Kiedy się ono wyczerpie, maszyny te zapewniają ochronę na poziomie przenośnego radiomagnetofonu. Zaopatrzenie się w zapas paliwa lub baterii uwypukla kolejną wadę maszyn wyposażonych w ruchome ostrza – to wszystko waży. I to sporo. Masa przeciętnej piły łańcuchowej wynosi około 5 kilogramów. Maczeta rzadko waży więcej niż kilogram. Każdy dodatkowy ciężar, większa masa, zużywa siłę niezbędną do przenoszenia sprzętu. Po co ryzykować wyczerpanie sił, zanim jeszcze dojdzie do starcia? Poza tym istnieje jeszcze zagadnienie BHP. Jeden błędny ruch, jedno pośliźnięcie i te przerażające zęby zamiast czaszki wroga rozorają twoją nogę lub głowę. Jeszcze jednym problemem jest hałas. Piła wydaje charakterystyczny dźwięk, nawet jeśli uruchomi się ją zaledwie na kilka sekund. Lecz nawet te parę chwil wystarczy, by każdy zombie w zasięgu słyszalności odebrał wiadomość: „Podano do stołu!".

BROŃ NEUROBALISTYCZNA

Tym terminem określa się broń zdolną miotać pociski bez użycia prochu strzelniczego, a więc broń cięciwową (łuki, kusze) i wszelkiego rodzaju proce. W naszym

stechnicyzowanym świecie przyjęło się uważać, że skoro
mamy broń palną, to miotanie pocisków przy użyciu siły
ludzkich mięśni jest jedynie stratą czasu, a co najwyżej
nieszkodliwym hobby. No cóż, w większości przypadków
to niestety prawda. Szeroko dostępne „indiańskie" łuki
i proce z gumki do majtek rzeczywiście mogą jedynie
przynieść szkody materialne i stratę czasu. Nie wolno jednak zapominać, że były to kiedyś narzędzia walki i instru-
menty myśliwskie, za pomocą których prowadzono wielkie wojny i żywiono olbrzymie masy ludzkie. Dobry łuk
czy proca w rękach świetnie wyszkolonego użytkownika
to groźna broń, zdolna zabić na dużą odległość, w dodatku bezszelestnie lub bardzo cicho. Wyobraź sobie taką
sytuację: próbujesz uciec z terenu zajętego przez zombie,
skręcasz za róg i widzisz pojedynczego umarlaka bloku-
jącego twoją jedyną drogę ucieczki. Za daleko na użycie
łomu. Zanim podejdziesz, zombie podniesie alarm i jego
jęki ściągną ci na głowę gromadę żywych trupów. Strzał
z broni palnej w ogóle nie wchodzi w rachubę, bo huk
rozniesie się znacznie dalej. I co teraz? W takich przypadkach cicha broń neurobalistyczna jest niezastąpiona.

1. Proca rzymska

Ta broń, rozsławiona przez biblijny pojedynek Dawida
z Goliatem, była częścią prehistorii rodzaju ludzkiego i towarzyszy mu od czasu jaskiniowców. Najlepsze rezultaty
osiąga się, używając płaskiego gładkiego kamienia, który
umieszcza się w środku skórki łączącej dwa rzemienie
procy. Dłuższy koniec mocuje się do nadgarstka, drugi

trzyma w palcach, po czym ręka z procą nadaje broni ruch obrotowy. Po rozkręceniu procy puszcza się trzymany w palcach rzemień, a kamień, zachowując energię nadaną mu przez ruch obrotowy, wylatuje w kierunku celu. Teoretycznie umiejętnie wystrzelony w ten sposób kamień może cicho zabić zombie, krusząc jego czaszkę z odległości do 30 kroków. W rzeczywistości nawet nieprzerwane miesiące ćwiczeń nie dają większej niż 10% gwarancji precyzyjnego trafienia w niewielki ruchomy cel. Człowiek zmuszony użyć tej broni w sytuacji całkowitego zaskoczenia atakiem zombie nie ma najmniejszych szans na oddanie tak precyzyjnego strzału.

2. Proca gumowa

Ultranowoczesny gadżet, bezpośrednia następczyni procy rzymskiej, co najmniej dziesięciokrotnie celniejsza od swojej poprzedniczki. Niestety, za tę przewagę płaci znikomą energią pocisku. Nawet twarde i skuteczne kulki od łożysk nie są w stanie przebić kości czaszki zombie choćby z minimalnej odległości. Może się okazać, że wbrew twoim intencjom jedynym skutkiem użycia tej broni jest zaalarmowanie zombie o obecności człowieka.

3. Dmuchawka

Ponieważ zombie nie posiadają krwioobiegu, który mógłby roznosić truciznę, tę broń należy całkowicie skreślić z listy oręża używanego przeciwko umarlakom.

4. Shuriken

Tych małych, najeżonych ostrzami gwiazdek do rzucania używano w feudalnej Japonii do przebijania zbroi
i czaszek przeciwnika. Przypominają stalową, płaską,
zwykle czteroramienną gwiazdę, stąd ich zachodnia
nazwa „gwiazdka do rzucania". Mogą posłużyć do zabicia zombie jednym uderzeniem, ale tak skuteczne są
tylko w rękach eksperta. Efektywne posługiwanie się
nimi wymaga doświadczenia i długotrwałego treningu.
Jeśli nie jesteś jednym z nielicznych mistrzów tej sztuki
walki (a mało kto w dzisiejszych czasach może preten-
dować do tego miana), lepiej trzymaj się z daleka od tak
egzotycznych narzędzi.

5. Noże do miotania

Podobnie jak w przypadku *shurikena*, skuteczne używanie tej broni wymaga wielkiego doświadczenia i umiejętności. Potrzeba miesięcy nieprzerwanych treningów,
by nauczyć się niezawodnie trafiać raz za razem w cel
wielkości ludzkiego ciała. Opanowanie tej sztuki na tyle,
by ryzykować trafienie w cel tak mały, jak głowa zombie
wymaga już nie miesięcy, a lat ciężkiej pracy. Lepiej spo-
żytkować ten czas i wysiłek na opanowanie jakiejś bardziej konwencjonalnej, a zarazem skuteczniejszej broni.
Pamiętaj, że przeżycie ataku zombie wymaga opanowania
broni i ciągłego trenowania wielu innych umiejętności,
a czas, który możesz na to poświęcić, jest ograniczony. Nie
trać go na to, by stać się mistrzem trzeciorzędnej broni!

6. Łuk długi lub bloczkowy

Mówiąc bez owijania w bawełnę, trafienie umarlaka strzałą w głowę to bardzo trudna sztuka. Nawet przy użyciu współczesnego łuku bloczkowego z nowoczesnym celownikiem tylko doświadczeni łucznicy mają szansę uzyskać

takie trafienie. Jedynym naprawdę wartym zachodu sposobem użytkowania tej broni jest miotanie strzał zapalających. Nic innego nie przenosi pocisków zapalających na porównywalne odległości równie sprawnie, celnie i bezgłośnie. Zdarzało się, że w ten sposób udało się zapalić zombie, który, nie odczuwając bólu i nie łącząc widoku ognia z zagrożeniem, podpalał inne żywe trupy, z którymi się stykał. (Inne sposoby walki ogniem z umarlakami – patrz rozdział „Ogień", strony 95–99).

7. Kusza

Siła współczesnej kuszy i jej celność wystarczają, by przebić czaszkę zombie przez bełt (strzałę do kuszy) na odległość do 400 metrów. Nic dziwnego, że broń tę nazwano „idealnym cichym zabójcą". Osiągnięcie takich rezultatów zależy oczywiście od naszych umiejętności strzeleckich, ale nie bardziej, niż przy używaniu karabinu. Przeładowanie kuszy wymaga czasu i znacznej siły fizycznej, ale jest to broń snajperska, a nie do koszenia tłumów. Należy jej używać tylko w walce jeden na jeden, gdyż w innym przypadku można zostać rozerwanym na sztuki i zjedzonym przed załadowaniem kolejnego bełtu.

Jeśli chodzi o dobór bełtów, sprawdzają się zarówno te z grotami o przekroju trójkątnym, jak i kołowym (opływowe). Użycie celownika optycznego znacznie poprawia celność przy strzałach na duże odległości. Niestety, masa i rozmiary kuszy sprawiają, że może być ona jedynie bronią zasadniczą, a nie zapasową. Z tego powodu należy decydować się na jej wybór rozważnie, tylko jeśli sytuacja na to pozwala lub nie mamy innego wyjścia (podróż w większej, dobrze uzbrojonej grupie, obrona domu i brak wytłumionej broni palnej).

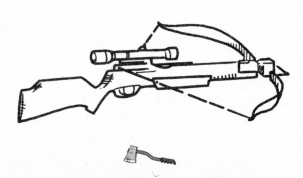

8. Minikusza

Mniejsze kusze naręczne mogą służyć jako broń pomocnicza – cichy, kompaktowy oręż do eliminacji pojedynczych zombie. Należy jednak pamiętać, że w porównaniu do dużej kuszy jej miniaturowa wersja ma mniejszy zasięg, jest mniej celna i mniej skuteczna. Aby jej użyć, trzeba skrócić dystans, a to nie tylko zwiększa niebezpieczeństwo, ale grozi także przedwczesnym wykryciem, co w ogóle neguje sens użycia cichej broni cięciwowej. Kusz naręcznych należy używać ostrożnie i rozważnie.

Broń palna

Ze wszystkich rodzajów broni, o których jest mowa w tej książce, żadna nie jest tak ważna, jak twoja podstawowa osobista broń palna. Dbaj o nią, utrzymuj w czystości, smaruj, przechowuj gotową do użytku i pod ręką. Spokój, pewna ręka i odpowiedni zapas amunicji mogą sprawić, że jeden człowiek może z powodzeniem stawić czoło nawet całej armii zombie.

Wybór odpowiedniej broni musi być wynikiem dojrzałego namysłu, a w rozważaniach należy brać pod uwagę wiele czynników. Jaki jest główny cel użycia broni: obrona, atak czy osłona ucieczki? Z jakim typem ataku zombie ma się do czynienia? Jak wielu ludzi będzie towarzyszyło użytkownikowi broni? W jakim otoczeniu będzie się toczyła walka? Różne rodzaje broni służą różnym celom. Bardzo rzadko trafiają się typy naprawdę uniwersalne. Wybór doskonałego narzędzia do walki w tych warunkach często oznacza konieczność odrzucenia konwencjonalnych doktryn taktycznych, które tak dobrze sprawdzały się przeciw żywym ludziom. Przez lata nauczyliśmy się zabijać bliźnich aż za dobrze, ale eliminowanie zombie to zupełnie inna historia.

1. Karabin maszynowy

Od pierwszej wojny światowej broń maszynowa zrewolucjonizowała sposób prowadzenia walki, pozwalając w ciągu zaledwie paru sekund postawić „ścianę ołowiu". Niestety, cała rozwijana przez lata taktyka użycia broni maszynowej w walce z żywymi trupami sprowadza się jedynie do rozrzutnego marnowania masy amunicji. W tej walce liczy się, co przypominam do znudzenia, tylko trafienie w głowę. Jednym, celnym pociskiem. Karabin maszynowy jest bronią służącą do pokrywania ogniem całego rejonu celu i nie nadaje się do strzelań precyzyjnych. Trafienie niewielkiego celu z karabinu maszynowego może wymagać oddania setek, a nawet tysięcy strzałów. Można oczywiście strzelać z karabinu maszynowego z ramienia, jak ze zwykłego karabinu (tego sposobu imali się czasem żołnierze amerykańskich Sił Specjalnych) i próbować w ten sposób zwalczać zombie, ale to bez sensu. Po co się męczyć i próbować trafić umarlaka w głowę celną pięciostrzałową serią z broni maszynowej, skoro można to samo osiągnąć jednym strzałem ze znacznie lżejszego i bardziej precyzyjnego karabinu? W latach 70. popularna była „teoria kosy", według której umiejscowienie broni maszynowej na poziomie głów nadciągającej fali zombie umożliwia „koszenie" długimi seriami szeregów żywych trupów, zwiększając szansę trafienia w czaszkę. Ta teoria dawno już została obalona, jako że umarlaki, podobnie jak żywi ludzie, są różnego wzrostu. Jeżeli nawet uda się skosić połowę, reszta i tak dotrze do twojego stanowiska ogniowego.

Fragmentem popularnego wyobrażenia o broni maszynowej jest przekonanie o strasznych w skutkach trafieniach serią pocisków w ludzkie ciało. Czyż seria z cekaemu nie jest w stanie przeciąć na pół nacierającego zombie, eliminując potrzebę trafienia w głowę? I tak, i nie. Seria ze standardowego karabinu maszynowego piechoty, takiego jak na przykład amerykański M249 kalibru 5,56 mm, może przerwać kręgosłup, oderwać kończynę, a nawet przeciąć zombie na pół. To jednak nie znaczy, że obejdzie się bez trafienia w głowę. Po pierwsze, szansa na przecięcie zombie jest dość niska i nie można na niej budować strategii obrony, tym bardziej, że wymaga to zużycia wielkich ilości amunicji. Po drugie, to nic nie daje. Bez zniszczenia mózgu zagrożenie ze strony zombie nie ustaje. Nawet okaleczony i unieruchomiony umarlak pozostaje żywy i niebezpieczny. Po co robić sobie samemu kłopot i zmuszać się do wyjścia z bezpiecznego ukrycia, żeby dobijać drgające i potencjalnie wciąż niebezpieczne żywe trupy?

2. Pistolet maszynowy

Problem z tą bronią jest podobny, jak z karabinem maszynowym: nieproporcjonalne zużycie amunicji w przeliczeniu na liczbę zabitych zombie. Pistolet maszynowy jest jednak bronią znacznie mniejszych rozmiarów i masy, co sprawia, że istnieje nisza taktyczna, w której może się doskonale sprawdzić– walka w pomieszczeniach. Krótka lufa sprawia, że jest bardziej poręczny od karabinu, zaś kolba daje lepszą stabilizację broni niż w przypadku zwykłego pistoletu. Warunkiem skutecznego użycia pistoletu maszynowego jest ustawienie przełącznika na ogień pojedynczy. Strzelanie seriami sprowadza się do marnotrawienia amunicji. Modne w filmach strzelanie z biodra daje dużo hałasu i dziur w ścianach, zamiast w czaszkach umarlaków. Celuj, zawsze opierając kolbę na ramieniu. Słaby nabój pistoletowy sprawia, że peem jest nieskuteczny na większe odległości (przede wszystkim w terenie otwartym). Broń tego rodzaju konstruowano z myślą o prowadzeniu walki na niewielkie odległości, więc skuteczne prowadzenie ognia będzie wymagało podejścia do zombie znacznie bliżej, niż w przypadku karabinu. Jak wszystkie rodzaje broni automatycznej, pistolet maszynowy – a także broń maszynowa i pistolet samopowtarzalny – mogą ulec zacięciu w najmniej pożądanym momencie. Przy niewielkiej odległości strzelania może to oznaczać niepotrzebne narażanie się na niebezpieczeństwo. I to właściwie jedyny powód, dla którego pistoletu maszynowego należy unikać jako broni do walki z zombie.

3. Karabin automatyczny

Ten rodzaj broni powstał z myślą o wypełnieniu luki pomiędzy karabinami maszynowymi i pistoletami maszynowymi, łącząc daleki zasięg strzału z szybkostrzelnością. Czy te cechy sprawiają, że staje się idealną bronią do walki z zombie? Nie do końca. Zasięg i celność są w tym rodzaju działań bardzo przydatne, lecz szybkostrzelność – jak już wspomnieliśmy powyżej – ani trochę. Chociaż każdy karabin automatyczny wyposażony jest – podobnie jak większość pistoletów maszynowych – w przełącznik rodzaju ognia i można z niego strzelać pojedynczymi pociskami, pokusa prowadzenia ognia ciągłego jest zbyt wielka. W walce o życie zbyt łatwo przestawić dźwignię i dodawać sobie animuszu długimi seriami, nawet wiedząc, że to bezużyteczne marnotrawstwo. Jeśli mimo to zdecydujesz się na wybór karabinu automatycznego jako głównej broni, pamiętaj o podstawowych kryteriach: Jaki jest zasięg strzału? Na ile ta broń jest celna? Czy amunicja jest powszechnie dostępna? Jak łatwo utrzymywać daną broń w czystości i sprawności?

Jako przykład doboru broni pod kątem odpowiedzi na te pytania, rozważmy dwa skrajne modele karabinów

automatycznych. Amerykański 5,56 mm M16A1 jest przez wielu ekspertów uważany za najgorszy karabin automatyczny świata. Jego mechanizmy są nadmiernie skomplikowane, co sprawia, że bardzo trudno je utrzymać w czystości, co zwiększa podatność na zacięcia i uszkodzenia. Regulacji celownika, koniecznej za każdym razem, gdy zmienia się odległość do celu, można dokonać jedynie przy użyciu jakiegoś szpiczastego narzędzia – długopisu, pocisku, gwoździa czy czegoś w tym rodzaju. A co w sytuacji, gdy nie ma niczego takiego pod ręką, albo się miało, ale straciło w czasie odwrotu z poprzedniego stanowiska ogniowego, a zombie napierają fala za falą? Delikatna plastikowa kolba M16A1, kryjąca w środku sprężynę powrotną, zmusza do użycia w walce wręcz bagnetu, bo jej połamanie sprawi, że karabin będzie całkowicie bezużyteczny. Z tego powodu zupełnie nie nadaje się do walki z zombie. Jeśli w starciu z wieloma umarlakami zużyjesz amunicję lub twój M16A1 się zatnie, nie będziesz mógł skorzystać z karabinu jako broni ostatniej szansy do walki wręcz. Tę broń (oznaczenie fabryczne AR-15, M16 to nazwa nadana po przyjęciu do uzbrojenia) stworzono w latach 60. z myślą o wartownikach baz Sił Powietrznych. Z powodów natury politycznej, typowych dla lobby militarno-przemysłowego („kup ode mnie tę broń, to na ciebie zagłosuję i wpłacę na fundusz wyborczy") przyjęto go jako podstawowy karabin US Army, do czego się nie nadawał. Zaraz potem trafił na pole walki w Wietnamie, gdzie cieszył się tak złą sławą, że nawet wietnamscy partyzanci nie chcieli ich zabierać poległym Amerykanom. Jego następca, M16A2, do dziś stanowiący podstawę uzbrojenia amerykańskiej armii, został nieco ulepszony, ale bez tych wszystkich elektronicznych świecidełek, którymi się go obwiesza, nadal stanowi broń w najlepszym razie drugorzędną. Bierz przykład z Wietkongu i omijaj M16 szerokim łukiem.

W przeciwieństwie do M16, radziecki AK-47 jest zapewne najlepszym karabinem automatycznym, jaki do tej pory powstał. Jest wprawdzie cięższy od swego amerykańskiego odpowiednika (z pełnym magazynkiem 4,3 kg wobec 3,1 kg), ma większy odrzut i podrzut, ale za to jego niezawodność i wytrzymałość konstrukcji stanowią niedościgniony wzorzec dla wszystkich innych karabinów automatycznych. Wewnątrz przepastnej komory zamkowej zmieści się nawet cała Sahara, lecz nie hamuje to mechanizmów i nie powoduje zacięć. W walce wręcz masywna drewniana kolba aż się prosi o rozbijanie głów zombie, a na drugim końcu broni mamy bagnet, którym można próbować pchnięć przez oczodół. Nadaje się do tego zwłaszcza wersja chińska, Typ 56, zaopatrzona w integralny, odchylany na zawiasie trójgraniasty bagnet kłujący. Pozostałe karabiny mają bagnety nożowe, bardziej skuteczne w walce, ale w przeciwieństwie do nich bagnetu Typ 56 nie sposób zgubić, a przy boku i tak zawsze warto mieć dobry nóż. Skoro, jak powiadają, „naśladownictwo jest najszczerszym komplementem", to AK-47 należy do najobficiej komplementowanych (ponad 100 MILIONÓW wyprodukowanych egzemplarzy i wciąż powstają nowe) karabinów świata. Nadal uważam, że karabin automatyczny nie jest idealną bronią do walki z armią zombie, ale jeśli już macie jakiś wybierać, to z rodziny AK.

4. Karabin powtarzalny

Ta broń jako produkt technologii połowy XIX wieku, jest często niedoceniana. Po co komu sztucer, jeśli można mieć do dyspozycji siłę ognia pistoletu maszynowego? Takie aroganckie uwagi są absolutnie nieuzasadnionym przejawem technoszowinizmu i braku praktycznego doświadczenia. Umiejętnie użyty karabin powtarzalny dobrej jakości może zapewnić taką samą, a częściej znacznie skuteczniejszą obronę przed zombie, niż najnowsze wytwory techniki wojskowej. To, że karabin strzela pojedynczymi, ręcznie ładowanymi do lufy nabojami, zmusza do zastanowienia się, w jaki punkt chcemy posłać pocisk. Taka broń sprzyja oszczędzaniu amunicji, bo po prostu nie da się z niej strzelać seriami. Poza tym nieskomplikowana budowa tej broni sprzyja utrzymaniu jej w czystości i ułatwia opanowanie obsługi nawet nowicjuszom. To ważny czynnik. Sztucery, czyli karabiny myśliwskie, są produktem skierowanym na rynek cywilny. Ich producenci doskonale zdają sobie sprawę z tego, że jeśli broń będzie zbyt skomplikowana w obsłudze czy utrzymaniu, jej sprzedaż poleci na łeb na szyję. Ważna jest też jej kolejna, chyba najważniejsza zaleta: dostępność amunicji. W Ameryce (bo gdzie indziej bywa z tym różnie) jest znacznie więcej cywilnych sklepów z bronią niż wojskowych magazynów, co sprawia, że znacznie łatwiej, w razie potrzeby, znaleźć naboje do sztucera niż do karabinu maszynowego, automatycznego czy pistoletu maszynowego. To może zadecydować o przeżyciu, jeśli spełni się którykolwiek ze scenariuszy przedstawionych w dalszej części tej książki.

Wybierając karabin powtarzalny należy, w miarę możliwości, zwracać uwagę na stare, sprawdzone wzory wojskowe. To nie znaczy, że broń produkowana na rynek cywilny jest z założenia niższej jakości, ale broń wojskowa była konstruowana z myślą o użyciu jej w walce wręcz, wraz z kolbą i bagnetem. W czasie przygotowań nie żałuj czasu na studiowanie tego zagadnienia. Walka wręcz jest sztuką, którą należy opanować teoretycznie zanim zacznie się jej próbować w praktyce. Nieumiejętna próba zadania ciosu karabinem użytym jako pałka w większości przypadków skończy się uszkodzeniem broni – zarówno cywilnej, jak wojskowej. W bibliotekach jest dostępnych wiele podręczników i instrukcji wojskowych, uczących jak skutecznie i bez narażania się na utratę broni używać jej jako broni obuchowej. W zrozumieniu jak groźną bronią może być karabin z bagnetem, nawet jeśli się z niego nie odda ani jednego strzału, pomóc może choćby oglądanie starych filmów wojennych – zwłaszcza z czasów, gdy aktorzy przechodzili prawdziwe szkolenie wojskowe lub trafiali do filmu jako weterani wojenni i naprawdę wiedzieli, co robią przed kamerą. Przykładami udanych wojskowych karabinów powtarzalnych są amerykański Springfield, brytyjski Lee-Enfield, rosyjski Mosin i niemiecki Mauser 98. Produkowano je przez długie lata w milionach egzemplarzy, z których wiele jest nadal w obiegu i to w dobrym stanie technicznym. Przed dokonaniem wyboru warto jednak poświęcić chwilę na zorientowanie się, czy amunicja do danego modelu jest swobodnie dostępna. Posiadanie choćby najbardziej udanego i robiącego wrażenie karabinu wojskowego nie zda się na nic, jeśli w lokalnych sklepach sprzedawana jest tylko amunicja o kalibrach cywilnych.

5. Karabin samopowtarzalny

Od chwili swojego powstania broń ta wielokrotnie dowiodła, że jest bardzo skutecznym orężem przeciw zombie, ale jedynie w rękach doświadczonego użytkownika. Natura obsługi tej broni prowadzi prostą drogą do marnotrawstwa amunicji (strzał pada za każdym razem, gdy naciskamy spust), co sprawia, że wymagana jest spora doza samodyscypliny i opanowania. Ta sama cecha może być jednak ratunkiem w razie odpierania zmasowanego ataku. W jednym zanotowanym przypadku, osaczona kobieta wystrzelała sobie drogę na wolność, uśmiercając 15 atakujących żywych trupów w ciągu zaledwie 12 sekund! (patrz „Rok 1947, Jarvie, Kolumbia Brytyjska" str. 346–347). To doskonale ilustruje potencjał karabinu samopowtarzalnego. Do walki w zwarciu lub w czasie ucieczki kompaktowe karabiny i karabinki samopowtarzalne na naboje pośrednie, identyczne z użytkowanymi w wojskowych karabinach automatycznych, sprawdzają się równie dobrze, co modele na amunicję pełnej mocy. Zasięg skutecznego strzału skrócił się wprawdzie o połowę, ale za to broń jest mniejsza, lżejsza, a zapas amunicji

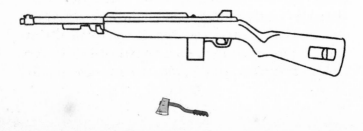

tej samej liczebności waży znacznie mniej. Zresztą zarówno broń na amunicję pełnej mocy, jak i naboje pośrednie będzie się sprawdzać równie skutecznie, w zależności od sytuacji. Doskonałym wyborem będą amerykański karabin M1 Garand na nabój pełnej mocy kalibru 7,62 mm i karabinek M1 na nabój pośredni tego samego kalibru, oba różnymi cechami górujące nad wieloma współczesnymi sobie konstrukcjami broni strzeleckiej. Może się to wydawać zaskakujące, ale w zamierzchłych czasach, gdy konstruowano tę broń, powstawała ona z myślą o wygraniu największej wojny w dziejach ludzkości. Zadanie to spełniła – i to tak dobrze, że Garand pozostał podstawową bronią amerykańskiej piechoty w czasie kolejnej wojny w Korei. Jego zmodernizowana (przez dodanie zupełnie niepotrzebnej i bezużytecznej możliwości strzelania seriami) wersja M14 była wykorzystywana jeszcze w Wietnamie, nieraz u boku jednostek uzbrojonych w M16. To broń wojskowa z czasów, gdy elektronika na polu walki oznaczała co najwyżej przenośną radiostację, powstała z myślą o prowadzeniu walki wręcz (w czasie II wojny światowej bagnet stanowił podstawowe wyposażenie piechura i każdy żołnierz był szkolony w walce na bagnety). Chociaż już nie jest produkowany (poza niewielkimi partiami składanymi dla pasjonatów, z zalegających składnice milionów kompletów części zamiennych), powstało ich swego czasu tak wiele, że nadal są dostępne, a nabój, którym strzelał (30-06) jest wciąż jednym z najpowszechniej używanych nabojów myśliwskich na świecie. Karabinek M1 nadal jest bardzo popularny, dlatego kilka firm wznowiło jego produkcję. Niewielkie rozmiary i masa karabinka czynią z niego idealną broń do walki

w pomieszczeniach, a w dodatku jest łatwy do przenoszenia w czasie dalekich podróży, zwłaszcza na piechotę.
Oprócz M1 na świecie dostępnych jest wiele modeli podobnej klasy: Ruger Mini-30, Ruger Mini-14, SKS i jego
liczne kopie, w tym chińska Typ 56 (nie mylić z chińskim
kałasznikowem tego samego wzoru). Jeżeli użytkownik
jest w stanie zachować dyscyplinę ogniową, trudno o lepszy wybór broni niż karabin samopowtarzalny.

6. Strzelba

Przeciw ludzkim napastnikom ta broń nie ma sobie rów-
nych na bliski dystans, ale walka z umarlakami to zupełnie inna historia. Strzał ze śrutówki, zwłaszcza kalibru
12, może dosłownie urwać głowę każdemu przeciwni-
kowi, czy to człowiekowi, czy zombie. Problem w tym,
że wraz z odległością rośnie rozrzut śrutu i drastycznie
maleje możliwość penetracji czaszki. Strzał pociskiem
jednolitym, tzw. breneką, będzie miał skutek identyczny
z trafieniem z karabinu, nawet na dużą odległość (o ile
oczywiście lufa strzelby będzie miała odpowiednią długość, gwarantującą daleki zasięg strzału). Ale jeśli mamy
zamiar strzelać brenekami, to w czym strzelba jest lepsza
od karabinu? Sensem istnienia strzelby jest siła rażenia
obalającego na krótki dystans. Snop śrutu ze strzelby
działa na atakującego napastnika jak ściana, podczas
gdy pocisk karabinowy, o ile nie trafi w głowę, po prostu przeleci przez ciało umarlaka, albo w ogóle weń nie
trafi. Jeśli zapędzono cię do narożnika, musisz stamtąd
uciekać lub zyskać czas do przygotowania lepszej obro-

ny. Dobrze wycelowanym strzałem ze śrutówki można posłać na ziemię, choćby na chwilę, nawet kilku umarlaków. Wadą tej broni są przede wszystkim rozmiary i waga amunicji. Zapas nabojów kalibru 12 zabiera sporo miejsca, które można przeznaczyć na inne wyposażenie, i znacznie obciąża w marszu. Należy o tym pamiętać, planując dłuższe przemarsze.

7. Broń krótka

Amerykanie mają specjalny stosunek do rewolwerów i pistoletów. Można je zobaczyć wszędzie, w każdym filmie, serialu, komiksie. Nasi bohaterowie nigdy się z nimi nie rozstawali – czy to szeryfowie z Dzikiego Zachodu, czy zgorzkniali policjanci z wielkich metropolii. Gangsterzy rapują o spluwach, lewaccy politycy chcą ich zakazać, wierząc, że w ten sposób zbawią świat. Rodzice chronią przed nimi dzieci, a producenci zbijają na nich niewyobrażalne fortuny. „Klamka" jest symbolem Ameryki, chyba nawet bardziej niż samochód. Ale co jest warta ta ikona popkultury w starciu z bandą żywych trupów? Prawdę mówiąc, niewiele. Poza bohaterami naszej zbiorowej wyobraźni przeciętni ludzie mają spory problem z trafieniem z niej w cokolwiek, a już zwłaszcza coś tak małego, jak głowa zombie. Jeśli dodamy do tego stres nieodłącznie towarzyszący walce z umarlakami, strzelanie do nich z pistoletu zaczyna się wydawać niewiele sku-teczniejsze od prób dogadania się z nimi. Studia poszcze-gólnych przypadków dowiodły, że ze wszystkich trafień nieskutecznych, to jest takich, które nie zabiły zombie, aż 73% było wynikiem strzałów z pistoletów i rewolwerów. Modne ostatnio celowniki laserowe mogą pomóc w wy-celowaniu broni, ale nic nie poradzą na drżącą z emocji rękę. Swoje prawdziwe zalety pistolety i rewolwery poka-zują dopiero w walce w zwarciu, w ekstremalnych sytu-acjach. Jeśli zombie cię chwycił, pistolet może uratować ci życie. Nawet trzęsącą się ręką nie sposób spudłować z przystawienia, gdyż do tego nie trzeba być strzelec-kim mistrzem świata. Niewielkie rozmiary, mała masa i łatwość przenoszenia w kaburze sprawiają, że stają się one znakomitą bronią zapasową w każdej sytuacji. Jeśli zasadniczym uzbrojeniem jest karabinek na naboje pi-stoletowe lub rewolwerowe, użycie tej samej amunicji do obu broni upraszcza zaopatrzenie i zmniejsza niezbęd-ną do obu broni liczbę nabojów, zmniejszając obciążenie w marszu. Warto mieć ze sobą pistolet, jeśli spodziewa-my się konfrontacji z zombie, ale tylko jako broń zapa-sową. Nie zapominaj, że wiele ogryzionych szkieletów, znalezionych po atakach zombie, wciąż krzepko dzier-żyło w garści swoje „cudowne dziewiątki", z których nie zdążyło oddać ani jednego strzału.

8. Karabinek sportowy

Broń na małokalibrowe naboje bocznego zapłonu od lat niezasłużenie wegetuje na obrzeżach strzelectwa.

W porównaniu z nabojami karabinowymi nawet tego samego kalibru czy grubym nabojem rewolwerowym, używana w tej broni półtoracentymetrowa łuska średnicy równej kalibrowi pocisku rzeczywiście nie wygląda imponująco. Z tego powodu od lat spychana jest na margines: do sportu, nauki strzelania lub co najwyżej do polowania na drobne gryzonie. Jednak w razie ataku żywych trupów to maleństwo dorównuje największym swoim kuzynom, a wielu wręcz przewyższa. Niewielkie wymiary pocisków sprawiają, że można przenieść ich wielokrotnie więcej niż amunicji karabinowej, mimo zbliżonej objętości i masy. Sama broń jest także znacznie lżejsza, co błogosławią ci, których atak zombie zmusił do długich wędrówek. Amunicja jest łatwa w produkcji i rozpowszechniona na całym świecie, a nabój .22 LR jest jednym z nielicznych na świecie nabojów naprawdę standaryzowanych, co sprawia, że jest dostępny wszędzie i tanio. Jeżeli sklep sprzedaje jakąkolwiek amunicję, to na 99% będzie miał zapas dwudziestki dwójki. Oczywiście, nie ma róży bez kolców. Ta amunicja ma dwie poważne wady. Po pierwsze, nabój ten nie ma prawie wcale zdolności rażenia obalającego. Ludzie (w tym były prezydent USA Ronald Reagan) czasem nawet nie zauważają, że zostali nim trafieni. Zombie nietrafiony w głowę nawet nie zwolni, nie mówiąc o powaleniu go

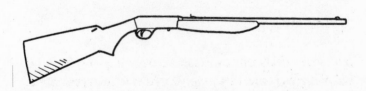

takim strzałem. Kolejnym problemem jest słaba zdolność przebijania czaszki na dalszych dystansach. To
nie jest broń do zwalczania zombie, do polowania na
nich. Żeby skutecznie użyć dwudziestki dwójki, trzeba
się znaleźć blisko zombie, co potęguje stres i możliwość
spudłowania, obniżając szanse na eliminację. Z drugiej
jednak strony, właśnie ten brak energii okazuje się być
zaletą małego naboiku przy strzale w głowę; po przebiciu
czaszki zmniejsza on prędkość na tyle, że traci stabilność
i zaczyna koziołkować, rykoszetując wewnątrz mózgoczaszki, co powoduje uszkodzenia równie wielkie, jak
trafienie z czterdziestki piątki. Wybierając uzbrojenie
do walki z zombie, nie należy więc zapominać o tym
małym, niemal zabawkowym, lecz bardzo poręcznym
i lekkim karabinku.

9. Akcesoria

Tłumiki dźwięku, o ile będą dostępne, mogą stanowić
bardzo ważny dodatek do każdej broni palnej. Ich zdolność wytłumienia huku wystrzału zwalnia z koniecz-
ści wyposażania się w cichą broń w rodzaju łuku, procy
czy broni białej. Pozwala to zmniejszać obciążenie, co jest
bardzo ważne, gdy ruszamy w daleką drogę.

Celownik optyczny w wydatny sposób poprawia celność prowadzonego ognia, zwłaszcza na dalsze odległości. Celowniki laserowe z pozoru mogą być bardzo pomocne w zwalczaniu zombie, bo cóż łatwiejszego,

Zasięg kontra celność

Praktyka wykazała, że im bliżej atakujących zombie znajdzie się człowiek w bitewnym stresie, tym większe jego zdenerwowanie i tym mniej celnie jest w stanie prowadzić ogień. Trenując ze swoją zasadniczą bronią, wyznacz maksymalny zasięg, na który jesteś w stanie powtarzalnie utrzymywać celność strzelania i trenuj strzelanie na tę odległość do celów ruchomych w warunkach idealnych (wolnych od stresu walki). Po wyznaczeniu tej odległości podziel ją przez dwa – to będzie twój realistyczny zasięg celnego ognia w prawdziwej walce. Pilnuj, żeby żaden zombie nie zbliżył się do ciebie bardziej, bo twoja celność się pogorszy. Jeśli atakuje grupa, dopilnuj, by jako pierwsze cele ostrzelać te zombie, które przeszły granicę strefy, a dopiero potem strzelaj do pozostałych. Nie lekceważ tej rady niezależnie od tego, jak doświadczonym jesteś strzelcem i czego cię życie dotąd nauczyło. W starciu z zombie polegli już i zostali zjedzeni nie tacy kozacy jak ty – doświadczeni policjanci z jednostek szturmowych, odznaczeni weterani wojenni, a nawet słynni z zimnej krwi zabójcy na zlecenie. Wszystkich ich zawiodło zbytnie zadufanie, wiara w siłę swoich nerwów, a nie w wartość wyszkolenia.

niż naprowadzić czerwoną kropkę na czoło umarlaka i nacisnąć spust? Problem w tym, że po wyczerpaniu baterii celownik ten stanie się całkiem bezużyteczny. To samo dotyczy innych celowników i przyrządów opto-elektronicznych, w tym noktowizorów. Pozwalają one wprawdzie celnie razić zombie na daleki dystans w nocy, ale po wyczerpaniu baterii stają się nieprzydatne. Konwencjonalne celowniki optyczne sprawdzają się znacznie lepiej. Może nie są tak bajeranckie, tak atrakcyjne, jak elektronika, ale nie zawodzą w potrzebie, a to się liczy najbardziej.

MATERIAŁY WYBUCHOWE

Pytanie: co osiągniemy, rzucając granat w masę nadciągających zombie? Odpowiedź: prawie nic. Wybuchowe środki walki są zaprojektowane do rażenia odłamkami (wyrzucanymi przez wybuch kawałkami metalu, zdolnymi podziurawić ważne dla życia człowieka organy), jak się to nazywa w wojsku, „siły żywej przeciwnika". Na zombie to za mało, bo umarlak nie ma, poza mózgiem, organów ważnych dla swego „życia", a szanse na trafienie odłamkiem w głowę są bardzo małe. Miny, granaty, bomby i inne wybuchowe środki walki są całkowicie bezużyteczne w walce z zombie.

Oczywiście materiały wybuchowe mają na polu walki wiele innych zastosowań, do których mogą być przydatne – torowanie drogi przez zamknięte drzwi, ściany budynków, powodowanie zawałów w wąskich przejściach, barykadujących drogi, którymi zombie mogłyby się przedostać. Zresztą nawet jeśli trudno jest takim materiałem zabić zombie, eksplozje ładunków mogą przewracać nadciągające tłumy działaniem fali uderzeniowej.

OGIEŃ

Umarlaki nie obawiają się ognia. Ma-
chanie zombie przed nosem pochodnią nic nie da, a już na pewno nie
zatrzyma go, nawet nie zwolni jego
kroku. Żywe trupy nie zauważają tra-
wiącego je ognia. Już zbyt wielu ludzi
zginęło, nie rozumiejąc, że ogień nie
odstrasza zombie.

Mimo to ogień jest najpotężniejszą bronią przeciw żywym trupom, jaką dysponuje człowiek. Spopielenie jest najskuteczniejszą metodą całkowitego unicestwienia umarlaka. Ogień nie tylko niszczy zainfekowane ciało, ale i wirusa *Solanum*. Nie łudź się jednak, że miotacz ognia czy parę butelek z benzyną to sposób na wszel-kie problemy z żywymi trupami. W prawdziwej walce ogień może być równie skutecznym sojusznikiem, co śmiertelnym wrogiem. Ciało ludzkie – zarówno żywe, jak i martwe – nie jest łatwopalne i potrzeba sporo czasu, by strawił je ogień. Zanim uszkodzenia ciała powstałe na skutek ognia powalą go, zombie będzie chodzącą pochodnią. Zanotowano kilka przypadków, w których płonący zombie powodowali znacznie większe szkody materialne i straty w ludziach, niż w normalnej walce.

Ogień nie zna pojęcia lojalności. Jeśli masz zamiar się nim posługiwać, bierz pod uwagę palność otaczających cię przedmiotów, zagrożenie zaczadzeniem, a także to, że wzniecony przez ciebie ogień może przyciągnąć więcej zombie. Ogień to potężna, ale nieprzewidywalna siła i stosować się ją powinno rozumnie i po dogłębnym rozpatrzeniu skutków jej użycia.

Z tych powodów ogień uważa się za broń zaczepną lub środek do utorowania drogi ucieczki, zaś bardzo rzadko jako środek walki stosowany w warunkach obrony statycznej.

1. Koktajl Mołotowa

Tą nazwą określa się wszelkiego typu pociski zapalające złożone z mieszaniny łatwopalnej w szklanym opakowaniu, zaopatrzone w urządzenie zapalające zawartość w chwili rozbicia pojemnika. To tani, bardzo skuteczny sposób, mogący wyeliminować kilku zombie za jednym razem. Jeśli sytuacja taktyczna na to pozwala – np. w przypadku ucieczki przed nadciągającą

hordą, oczyszczania ogniotrwałego pomieszczenia lub niszczenia łatwopalnej budowli z wieloma uwięzionymi wewnątrz zombie – ze wszech miar najlepszym rozwiązaniem będzie zgromadzić odpowiedni zapas tej broni i bombardować nią przeciwnika, aż pozostanie z niego jedynie kupka popiołu.

2. Oblewanie

Ta bardzo prosta technika polega na napełnieniu wiadra łatwopalnym płynem (benzyna, nafta itp.), wylaniu jego zawartości na zombie, po czym podpaleniu i szybkiej

ucieczce. Jeśli zapewnimy sobie drogę ewakuacyjną, a atak wykonywany jest w miejscu, w którym ogień nie spowoduje nadmiernych zniszczeń, jedyną wadą tej metody jest konieczność bardzo bliskiego podejścia niezbędnego do gruntownego polania celu – odległość ataku wyznacza zasięg strumienia płynu wylewanego z wiadra.

3. Lutlampa

Monterska lutlampa składająca się ze zbiornika gazu palnego i dyszy nie wytwarza dość wysokiej temperatury, ani nie ma na tyle dużego zapasu paliwa, by przepalić czaszkę zombie. Jeśli natomiast połączymy atak

lutlampą z wyżej opisywaną techniką ataku przez oblanie łatwopalną cieczą, to wzniecenie pożaru nie nastrę-
czy nam większych problemów.

4. Miotacz ognia

Wielu ludziom wydaje się, że miotacz ognia to najsku-
teczniejsze w świecie narzędzie do eliminacji zombie.
Strumień płynnego ognia płonącego na bazie żelowanej
benzyny, wyrzucany jest na kilkadziesiąt metrów z dyszy miotacza i teoretycznie powinien zamienić atakującą hordę umarlaków w samobieżny stos pogrzebowy.
Dlaczego więc nie sprawić sobie czegoś takiego? Może
nawet zastąpić wszystkie inne narzędzia i rodzaje broni
tą stworzoną przez człowieka imitacją ziejącego ogniem
smoka? Odpowiedzi na to pytanie jest wiele i wszystkie negatywne. Miotacz
ognia powstał jako broń
ściśle wojskowa, ale jej
czas minął i dziś kla-
sycznych miotaczy nie
ma ani w uzbrojeniu re-
gularnej armii, ani pie-
choty morskiej. Ciężko
będzie znaleźć jakikol-
wiek egzemplarz, a już
zwłaszcza właściwie
działający. Nawet jeśli
gdzieś na giełdzie ko-
lekcjonerskiej uda nam

się jakiś zdobyć i doprowadzić go do stanu używalności, znalezienie mieszanki paliwowej może się okazać jeszcze trudniejsze. Powiedzmy, że udało nam się uruchomić domową produkcję napalmu, ale pozostaje jeszcze sprawa jego praktycznej przydatności. Miotacz może się okazać zdatny do użytku, ale trzeba nosić na plecach ponad 30 kilogramów sprzętu! I po co, do spalenia tych paru pojedynczych zombie, których można bez problemu zastrzelić z ważącego niespełna 2 kilogramy karabinka? Ciężar miotacza spowalnia marsz i naraża podróżujących pieszo na dodatkowe niebezpieczeństwo. O ile nie broni się stałej pozycji lub nie ma dostępu do zmotoryzowanego transportu, wyczerpanie może się stać wrogiem równie groźnym, co żywe trupy. Zdrowy rozsądek podpowiada, że miotacz ognia byłby doskonałą bronią na polu bitwy, w obronie przed masami zombie, liczonymi w setkach, jeśli nie tysiącach. Jeżeli jednak, Boże uchowaj, pojawiłoby się zagrożenie na taką skalę, walką z nim powinny się zająć znacznie liczniejsze, doskonale wyposażone i wyszkolone agendy rządowe, a nie samotny obywatel ze swoim antycznym (i w większości stanów – nielegalnym) miotaczem ognia.

INNE BRONIE

Wyobraźnia i zdolność improwizacji to dwie najcenniejsze cechy, jakimi powinien się odznaczać człowiek stawiający czoło zombie. Każdy przedmiot znajdujący się w jego otoczeniu może – i powinien być – traktowany jako potencjalna broń. Aby jednak taki improwizowany oręż mógł być skuteczny, należy brać pod uwagę podstawy fizjologii żywych trupów i sposób działania każdej improwizowanej broni.

I. Kwas

Kwas siarkowy daje obok ognia największą pewność unicestwienia zombie. Problemem pozostaje tylko sposób użycia go jako broni. Jeśli jakimś przypadkiem masz możliwość zgromadzenia zapasu kwasu lub jego syntezy w warunkach domowych, pamiętaj, by traktować go z odpowiednią ostrożnością, podobnie jak w przypadku płynów zapalających. Ta substancja zagraża ci znacznie bardziej, niż zombie, a do rozpuszczenia ciała i kości żywego trupa potrzeba sporo czasu. Kwas należy traktować raczej jako środek do oczyszczania pobojowiska, niż broń służącą do walki.

2. Trucizny

Na świecie występuje tysiące substancji o właściwościach trujących, więc omówienie tu każdej z nich z osobna nie jest możliwe. Zamiast tego przypomnijmy sobie kilka podstawowych wiadomości z fizjologii zombie. Żywe trupy są niewrażliwe na działanie wszelkich środków uspokajających i drażniących, w rodzaju gazu łzawiącego czy sprayów pieprzowych. Nie zadziała na nie także żaden środek powodujący ustanie funkcji życiowych organizmu, umarlak nie potrzebuje ich bowiem do egzystencji. Nie uśmierci go zawał, paraliż nerwowy, duszność ani żadne inne następstwa użycia trucizny przeciw żywemu organizmowi.

3. Broń biologiczna

Ludzkie poczucie sprawiedliwości zapewne z radością przywitałoby możliwość uśmiercenia jednego wirusa jakimś drugim. Niestety, nic z tego. Wirusy atakują tylko żywe komórki i w żywych trupach się nie rozwijają. To samo dotyczy  bakterii. Kilkakrotnie podejmowano w warunkach laboratoryjnych próby wymutowania i hodowli dających się rozprzestrzeniać kultur bakterii nekrofagów, lecz próby na pojmanych zombie wypadały niezmiennie negatywnie. Trwają obecnie prace nad stworzeniem mikroorganizmów żywiących się jedynie martwymi tkankami, ale większość ekspertów podchodzi do tych eksperymentów sceptycznie. Inne próby mają na celu wyodrębnienie spośród wielu tysięcy mikroorganizmów biorących udział w normalnym procesie rozkładu ciała tych kultur, którym nie przeszkadza, że tkanki są zainfekowane. Jeśli udałoby się takie mikroby wyodrębnić i opanować ich hodowlę, a następnie opracować sposób dozowania niegroźny dla żywych organizmów, byłaby to pierwsza w dziejach ludzkości broń masowego rażenia chroniąca życie na ziemi przed inwazją żywych trupów.

4. Zwierzęta

Na świecie są setki padlinożerców, małych i dużych. Teoretycznie użycie tych zwierząt do zwalczania i zjadania „żywej padliny", zanim zje ona żywych ludzi, wydawałoby się idealnym rozwiązaniem. Niestety, wszystkie zwierzęta, od hieny poczynając, na mrówkach kończąc, instynktownie omijają zombie szerokim łukiem. Strach przed silnie toksyczną naturą tkanek skażonych wirusem zombizmu wydaje się być zakodowany w ich instynkcie samozachowawczym. Natura tej interakcji jest na razie nieznana, nie wiemy jaki sygnał ostrzegawczy emituje zarażony organizm – być może jakiś zapach, którego my, ludzie, oduczyliśmy się już wyczuwać. Cokolwiek powoduje tę reakcję, nie daje się wykryć w żaden znany ludziom sposób (patrz „Rok 1911, Vitre, Luizjana", str. 335–336).

5. Prąd elektryczny

Jako że system motoryczny zombie jest w zasadzie identyczny z ludzkim, elektryczność może przejściowo porazić lub sparaliżować ciało żywego trupa. Skuteczna eliminacja miała jednak miejsce jedynie w ekstremalnych przypadkach, na przykład, gdy podłączenie do linii

energetycznej poskutkowało
spaleniem mózgu. Wysokie
napięcie nie jest jednak jakąś cudowną bronią, mimo
że prąd jest w stanie spopie-
lić każdą tkankę organiczną,
żywą lub nie. Testy wykazały,
że do skutecznego porażenia
zombie prądem potrzebna jest
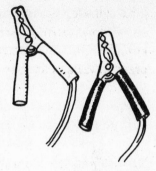
energia średnio dwukrotnie przewyższająca tę, która
wystarczy do obezwładnienia człowieka, dlatego popularne na rynku paralizatory elektryczne są całkowicie
nieskuteczne. Parokrotnie udawało się stworzyć skuteczne bariery przeciw zombie przez otaczanie schronienia
dla ludzi sadzawkami, do których doprowadzano prąd
elektryczny. Działanie prądu zwykle otumaniało zombie
na tyle, by dać człowiekowi szansę na użycie skutecznego
sposobu eliminacji umarlaków.

6. Promieniowanie

Trwają testy mające potwierdzić teorię
o zdolności mikrofal i innych typów
promieniowania elektromagnetycz-
nego do szybkiego tworzenia licznych,
rozległych i w ostatecznym wyniku
śmiertelnych guzów w substancji szarej

mózgów zombie. Badania te nadal znajdują się w począt-
kowym stadium, a wstępne wyniki nie są przekonywują-
ce. Jedyny jak dotąd potwierdzony przypadek kontaktu

żywych trupów z promieniowaniem gamma miał miejsce w czasie słynnego incydentu khotańskiego (patrz „Rok 1987, Khotan, Chiny", str. 363–364). Zombie okazały się nie tylko niewrażliwe na promieniowanie, które zabiło tak wielu ludzi, ale w dodatku stały się źródłem dodatkowego zagrożenia, roznosząc skażenie radioaktywne po całej prowincji. Po raz pierwszy świat stanął w obliczu jeszcze większego zagrożenia dla egzystencji ludzkiego gatunku: radioaktywnych zombie. To brzmi jak pomysł z kiepskich filmów science fiction z lat 50., ale owo potencjalnie bardzo niebezpieczne zdarzenie miało miejsce w rzeczywistości. Na ile można wierzyć skąpym relacjom napromieniowanie nie wpłynęło w żaden sposób na wytworzenie jakichś nadzwyczajnych cech czy magicznych umiejętności żywych trupów. Wzmożone zagrożenie wynikało z rozprzestrzeniania skażenia radioaktywnego na wszystkich i wszystko, z czym się zetknęły. Zanotowano nawet przypadki śmierci w wyniku choroby popromiennej ludzi, którzy napili się wody ze zbiornika, przez który przeszły skażone radioaktywnie zombie. Na szczęście atak zombie udało się odeprzeć przeważającymi siłami Chińskiej Armii Ludowo-Wyzwoleńczej, co pozwoliło nie tylko wyeliminować to nowe zagrożenie, ale również zapobiec nieuniknionej katastrofie pozostawionego bez nadzoru khotańskiego reaktora atomowego.

7. Broń genetyczna

Niektóre zgłaszane ostatnio propozycje podnoszą wartość manipulacji genetycznych jako broni w walce z umarlakami. Pierwszym krokiem na tej drodze powinno być wykonanie mapy genetycznej wirusa zombizmu. Kolejnym będzie odkrycie czynnika zdolnego zmutować kod genetyczny wirusa tak, by nakazać mu zaprzestanie atakowania ludzkich tkanek, skłonić do zwalczania niezmutowanych wirusów lub po prostu zaprogramować go na samolikwidację. Innymi słowy, skoro nie da się „przeprogramować" samego zombie, należy zmutować wirus, który kontroluje jego poczynania. Jeśli działania te przyniosą sukces, będzie to wielki przełom w walce z plagą żywych trupów. Być może dzięki inżynierii genetycznej uda się znaleźć skuteczne lekarstwo na zombizm. Niestety, droga do celu jest jeszcze daleka.

8. Nanoterapia

Nanotechnologia, czyli prace nad mikroskopijnymi urządzeniami, jest kolejną obiecującą, z punktu widzenia walki z zombie, lecz dopiero raczkującą dziedziną nauki. Mimo to już dziś jej postępy pozwalają tworzyć skomplikowane mikroprocesory wielkości pojedynczych molekuł! Któregoś niezbyt odległego dnia powstaną roboty tak małe, by mogły wykonywać prace wewnątrz ludzkiego ciała. Te nanoroboty, czy jakkolwiek będzie się je nazywało, będą kiedyś zdolne wykryć, oznakować i zniszczyć pojedyncze komórki nowotworowe, naprawić uszkodzenia tkanek, a nawet zwalczać infekcje. Teoretycznie, kiedy już powstaną, nic nie będzie stało na przeszkodzie temu, by wszczepić miliardy takich robotów ludziom podejrzewanym o infekcję wirusem *Solanum*

i zwalczyć groźną infekcję, zanim ta doprowadzi do nie-
odwracalnych skutków. Pozostaje jedynie niepewność,
kiedy takie urządzenia powstaną, kiedy wprowadzi się
je do powszechnego użytku jako zatwierdzoną i przeba-
daną metodę kuracji, oraz czy okaże się ona naprawdę
skuteczna przeciw wirusowi zombizmu? Odpowiedzi na
te pytania może przynieść tylko czas.

UZBROJENIE OCHRONNE

Szybkość i ruchliwość są najważniejszymi środkami
obrony przeciw żywym trupom. Noszenie ochron indywidualnych jakiegokolwiek typu nie tylko ograniczy
jedyną przewagę, jaką ma żywy człowiek nad zombie, ale
może także zużyć zapas sił potrzebnych do przedłużającej
się walki. Do tego dochodzi dodatkowe zagrożenie odwodnieniem. Kolejna, nie mniej ważna wada pancerza, to
nadmierna pewność siebie jego użytkownika. Człowiek
chroniony pancerzem nabywa złudnego przeświadczenia
o własnym bezpieczeństwie i porywa się na działania
znacznie bardziej ryzykowne, niż osobnik mający na sobie jedynie ubranie. Efektem tego przekonania było już
zbyt wiele bezsensownych śmierci. Ujmując rzecz najpro-
ściej, dystans najlepiej chroni przed ukąszeniem przez
zombie. Jeżeli jednak z jakichś względów decydujesz się
na użycie pancerza, poniższe uwagi powinny pomóc
w świadomym wyborze takiego jego rodzaju, który jest
najlepiej dostosowany do twoich potrzeb.

1. Zbroja płytowa

Klasyczna „lśniąca zbroja", jak z bajki o królewnie zamkniętej w wieży. Od razu nasuwają się obrazy niezwyciężonych rycerzy i królów od stóp do głów zakutych w stalową blachę. Może się wydawać, że w takiej osłonie można nawet bezpiecznie brodzić wśród hordy żywych trupów, rozpłatując im czaszki bez jakiegokolwiek zagrożenia z ich strony. W rzeczywistości średniowieczni rycerze byli daleko bardziej podatni na wszelkie ataki w swoich zbrojach, niż nam się dziś pod wpływem kostiumowych filmów wydaje. Metalowe lub skórzane elementy łączące poszczególne fragmenty zbroi może pozrywać nawet jeden zdeterminowany osobnik, a co dopiero ich horda. Metalowa zbroja płytowa jest ekstremalnie niewygodna i ciężka, dusi i odwadnia użytkownika. Nie dość, że ten stos metalu skutecznie ogranicza ruchy, to jeszcze dzwoniące o siebie blachy powiadamiają każdego w okolicy o naszej obecności. Jeśli to możliwe, wypróbuj rzeczywistą wytrzymałość zbroi w pozorowanej walce z choćby jednym atakującym. Przekonasz się, jak niewygodnie się w niej walczy i jak męczy taka walka. I to tylko z jednym

przeciwnikiem – a wyobraź sobie, że jest ich kilku, kil-
kunastu czy kilkudziesięciu, nadchodzą ze wszystkich
stron naraz, szarpią za płyty zbroi na wszystkie strony...
Pozbawiając się szybkości, ruchliwości i orientacji na polu
walki zapewniasz sobie los nie lepszy od tego, jaki czeka
puszkę konserwy mięsnej.

2. Zbroja kolcza

Kolczuga chroniąca całe ciało od stóp do głów daje pewne
zabezpieczenie przed ukąszeniami zombie. Zęby nie są
w stanie przegryźć kółek ze stalowego drutu, zapewniając
ochronę przed infekcją. Jednocześnie kolczuga jest ela-
styczna, pozwalając na w miarę swobodne ruchy, a nawet
bieganie. Brak przyłbicy pozwala zachować widoczność.
Budowa zbroi kolczej splecionej z rodzaju stalowej dzia-
niny pozwala skórze oddychać, zabezpieczając organizm

przed odwodnieniem i przegrza-
niem. Mimo to zbroja kolcza ma
wiele wad. O ile nie trenujesz latami
walki w kolczudze, twoja sprawność
bojowa zostanie bez wątpienia ograniczona. Jej masa zwiększy wysiłek,
szybciej opadniesz z sił. Ograniczenie elastyczności i utykanie włosów
na ciele między kółkami powoduje
niewygodę, która rozprasza umysł
skoncentrowany na walce. Z drugiej strony, elastyczność kolczugi
powoduje, że choć chroni ona przed

przebiciem skóry i infekcją, to nie zabezpiecza przed skutkami nacisku szczęk, takimi jak złamania kości, naderwania mięśni czy wewnętrzne uszkodzenia tkanek. Druciane kółka nie dzwonią może tak donośnie jak płyty zbroi, ale człowiek poruszający się w kolczudze wydaje charakterystyczny chrzęszczący odgłos, który przyciąga zombie. Jeśli nie chcesz ogłaszać swego przybycia, lepiej po prostu z niej zrezygnuj. I jeszcze jedna uwaga natury praktycznej. Kupując kolczugę, upewnij się, czy to sprzęt naprawdę wytrzymały na trudy pola walki, czy tylko niewiele warta dekoracyjna makieta. Większość produkowanych dziś kopii średniowiecznego uzbrojenia ochronnego nadaje się najwyżej do celów wystawienniczych lub rekonstrukcji historycznej, gdyż dla zmniejszenia masy i potanienia produkcji wykorzystuje się do ich wytwarzania lżejsze, mniej wytrzymałe materiały. Decydując się na kolczugę, upewnij się chociaż, czy będzie ona w stanie wytrzymać ukąszenie zombie.

3. Kombinezon rekinoodporny

Kombinezony dla nurków zaprojektowane do ochrony przed ugryzieniem przez rekiny, rodzaj współczesnej, okrywającej całe ciało kolczugi, zabezpieczają przed nawet najsilniejszymi szczękami umarlaków. Wykonany z wysokowytrzymałych stali lub tytanu, kombinezon taki zapewnia ochronę dwukrotnie większą niż średniowieczna kolczuga, przy o połowę mniejszej masie. Mimo tych wszystkich zalet nadal jednak hałasuje, jest niewygodny, ogranicza prędkość i swobodę poruszania. Kombinezony ochronne są niezastąpione przy oczyszczaniu den akwenów wodnych z kryjących się tam zombie (patrz „Walki podwodne", str. 234–245).

4. Hełmy

Ten rodzaj uzbrojenia ochronnego byłby idealny dla żywych trupów, o ile tylko miałyby tyle rozumu, żeby je nosić. Człowiekowi stającemu do walki z umarlakami co najwyżej ograniczają widoczność. O ile walka nie odbywa się na terenie zakładu pracy, gdzie mogą grozić obrażenia od spadających przedmiotów, należy ich unikać, gdyż są nieprzydatne, a zajmują wiele miejsca potrzebnego do transportu bardziej użytecznego wyposażenia.

5. Osłony balistyczne

Tak zwane kamizelki kuloodporne chroniące jedynie tors i kark, są zupełnie nieprzydatne na polu walki z zombie, gdzie na największe zagrożenie ukąszeniem wystawione są właśnie wystające poza tułów kończyny i głowa. Jedyną sytuacją, w której mogą się naprawdę przydać, jest totalny chaos w terenie zurbanizowanym, kiedy mogą pomóc uniknąć śmierci od kul innych ludzi, w panice strzelających do wszystkiego, co się porusza.

Jednak nawet wówczas nic nie pomogą, jeśli strzelec celuje w głowę...

6. Panele kewlarowe

W ostatnich latach coraz więcej instytucji ochrony porządku publicznego wyposaża funkcjonariuszy w ochrony indywidualne wykonane z tej lekkiej i superwytrzymałej tkaniny. Grubsze, bardziej sztywne panele stosuje się w kamizelkach kuloodpornych, które są w stanie zatrzymać lecący pocisk. Cieńsze elementy wszywa się w rękawy i nogawki, by chroniły przed ciosami ostrymi narzędziami i pokąsaniem przez psy. Kombinezon z takimi wstawkami może chronić kończyny przed ukąszeniami zombie w trakcie walki wręcz. Jeśli zdecydujesz się na taki zakup, używaj tego kombinezonu jedynie w walce, starając się zachować trzeźwą ocenę sytuacji. Wielu ludzi zbytnio zaufało właściwościom kewlaru i innych materiałów, z których wykonywano osłony, uważając to za przepustkę do świata nadludzkich czynów, zapewniającą im całkowitą bezkarność mimo podejmowania nawet największego ryzyka. Niestety, człowiek wymyślił już pancerze chroniące przed wszystkim, poza jednym największym zagrożeniem na polu walki – nikt do tej pory nie stworzył pancerza chroniącego przed ludzką głupotą, bezmyślnością i brawurą. Celem każdego człowieka w konfrontacji z zombie powinno być przeżycie, tylko i wyłącznie przeżycie, a nie dokonywanie bohaterskich czynów. Brawura na polu walki jest zagrożeniem dla ciebie i wszystkich twoich towarzyszy!

7. Obcisłe ubrania i krótkie fryzury

Chłodna analiza danych dowodzi, że w historii konfrontacji ludzi z żywymi trupami nic nie uratowało życia tak wielu ludziom, jak proste, przylegające do figury ubranie i krótko obcięte włosy. Wynika to z najczęstszej taktyki ataku zombie: chwytają one ludzi od tyłu, przyciągają do siebie i wówczas kąsają. Logika podpowiada, że im mniej punktów zaczepienia oferuje noszone ubranie, tym większe szanse na wyrwanie się i udaną ucieczkę. Workowate ubrania z wielką ilością kieszeni, pasków, troków i w ogóle wszystkim, co z nich zwisa, dają zombie wielką ilość uchwytów dla ich chwytnych i silnych rąk. Każdy, kto pracował przy jakichś potężnych maszynach lub przechodził kiedykolwiek kurs BHP, powie wam, jak ważne jest, by nigdy się nie zbliżać do pracującej maszyny z czymkolwiek luźno zwisającym. Opięte – oczywiście na tyle, by pozwalało na wygodę ruchów – ubranie pozwala uniknąć zagrożenia. Podobne niebezpieczeństwo wiąże się z fryzurą. Wielokrotnie dochodziło do łapania i ciągnięcia ofiar za włosy, zwykle z najgorszymi konsekwencjami. Wiązanie włosów z tyłu przed walką może pomóc jedynie chwilowo. W walce wręcz najlepiej sprawdzają się krótko (poniżej 2 cm) obcięte włosy.

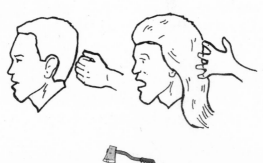

3 OBRONA

Opowieść Yahyi Beya, imigranta z Turcji do Wielkiej Brytanii, to relacja z ataku na jego rodzimą wioskę Oltu. Według Beya, horda zombie zeszła z otaczających wioskę wzgórz w środku nocy. Ci, którzy nie zostali pożarci, szukali schronienia we własnych domach, w meczecie i na komisariacie. Kilka osób zginęło stratowanych przez innych szukających pomocy na posterunku, a ci, którzy się tam zabarykadowali, zginęli, gdy wybuchł przypadkowy pożar. Komu nie starczyło czasu i materiału, by zabarykadować się w domu, ten zginął jako pierwszy. Pokąsani szukali ratunku u miejscowego lekarza. Gdy ten niósł im pomoc, część poumierała, a następnie uległa reanimacji. Bey, wówczas sześcioletni smyk, wdrapał się na dach domu i stamtąd przerażony przez resztę nocy obserwował przebieg wypadków. Rankiem, skacząc z dachu na dach, przedostał się na otwarty obszar, a stamtąd pobiegł po pomoc do sąsiedniej wsi. Z początku nikt nie uwierzył w jego opowieść, lecz gdy próby nawiązania łączności z komisariatem nie przyniosły rezultatu, wysłano grupę, która miała rozpoznać sytuację w Oltu. Zwiadowcy przynieśli przerażające wieści. We wsi zastano ruiny i zgliszcza, wszystkie domostwa spłonęły w pożarze. Płomienie oszczędziły jedynie stojący oddzielnie meczet, lecz i on nie uniknął zniszczenia. Wymarłe ulice zaściełały na wpół ogryzione zwłoki. Ślady powłóczących stóp w ilości sugerującej grupę o poważnej liczbie podążały za śladami szybkich kroków pozostawianych przez ocalałych mieszkańców uciekających w kierunku gór. Żadnej z tych dwóch grup nigdy później nie odnaleziono.

Czy istnieje jakiś cudowny środek doskonale zabezpieczający przed atakiem żywych trupów? Niestety, jak dotąd o czymś takim nie wiadomo. Obrona przed atakiem nie ogranicza się do zapewnienia sobie fizycznych środków bezpieczeństwa. Przypuśćmy, że uda się znaleźć, zbudować czy zmodyfikować umocnienia zdolne utrzymać wszelkie zagrożenia zewnętrzne na dystans – i co dalej? Zombie się nie rozmyślą. Nie odejdą, póki czują żer, a nie wiadomo jak długo potrwa, zanim nadejdzie pomoc. Jak przetrwać w takim przypadku? Głód, pragnienie, choroby i inne czynniki mogą spowodować ofiary równie liczne, jak atak żywych trupów. To będzie oblężenie przez zombie w średniowiecznym stylu, takie samo, jakie przeżywali nasi przodkowie w swoich zamkach czy umocnionych wioskach obleganych przez wroga. Bezpieczeństwo fizyczne to zaledwie jeden z czynników skutecznej obrony. Aby się w pełni przygotować, należy do perfekcji opanować sztukę samowystarczającego przeżycia w warunkach obrony stałej, dawno zapomnianą we współczesnym świecie współzależności. Rozejrzyj się dookoła swojego domu. Jak wiele przedmiotów go zapełniających powstało w promieniu 10, 50 czy 100 kilometrów? Egzystencja najbogatszych, najbardziej zindustrializowanych narodów świata całkowicie zależy od sprawnego funkcjonowania delikatnej sieci transportu i łączności. Wystarczy nawet nie zlikwidować, a jedynie zakłócić tę sieć i już po nas – spadamy do poziomu życia średniowiecznej Europy. Szansę na przeżycie w nim mają tylko ci, którzy zawczasu się na tę zmianę przygotują i wezmą ją pod uwagę w planowaniu strategii przetrwania. Ten rozdział nauczy was, jak zbudować twierdzę i żyć w jej obrębie.

Mój dom moją twierdzą

W razie lokalnego wybuchu epidemii klasy I większość zwykłych domostw zapewnia wystarczające zabezpieczenie. Nie ma potrzeby uciekać z miasta na pierwszą wieść o pojawieniu się zombie. Co więcej, ucieczka w tak wczesnym stadium jest niewskazana. W pierwszych godzinach po wybuchu epidemii większość mieszkańców będzie próbowała uciekać, co doprowadzi do zakorkowania dróg przez samochody pełne spanikowanych ludzi. To sytuacja bardzo podatna na spontaniczne akty przemocy. Próby ucieczki przed wyjaśnieniem sprawy – to znaczy zanim ludzie pokonają umarlaków, albo vice versa – zwiększają tylko chaos i anarchię. Zamiast uciekać lepiej załaduj broń i przygotuj się do walki, ale zostań w domu i czekaj, zachowując czujność. Czy jest lepsze

miejsce, by w spokoju i wygodzie przygotować się do walki, niż własny dom?

I. Przygotowania część 1: dom

Zanim powstaną martwi i zacznie się chaos i zniszczenie, właściciele niektórych domów mogą zadbać o to, by ich siedziby były bezpieczniejsze na wypadek ataku zombie od domów sąsiadów. Wprawdzie żaden dom nie powstawał z myślą o „zombieodporności", ale niektóre projekty pomagają w jego obronie. Jeśli twój dom nie należy do tej grupy, możesz również podjąć przygotowania, które pomogą go ufortyfikować.

A. Wyjątki

Domy na palach, często budowane wzdłuż plaż lub dużych rzek, powstawały głównie z myślą o ochronie przed powodzią, ale wysokość podpór zwykle uniemożliwia umarlakom dokonanie konwencjonalnego ataku. W tego typu domach można nawet zrezygnować z barykadowania okien i drzwi. Główne wejście i zewnętrzne klatki schodowe można po rozpoczęciu epidemii zabarykadować lub zniszczyć. Wysokie słupy zapewniają właścicielom bezpieczeństwo, a przetrwanie jest tylko kwestią wielkości zapasów zgromadzonych przez właściciela.

Drugim rodzajem domostwa, które także powstawało z myślą o obronie przed żywiołami, ale równie dobrze sprawdzi się w obronie przeciw zombie, są tzw. domy tornadoodporne, budowane wzdłuż amerykańskiej „Alei Tornad". Ich mocna konstrukcja jest w stanie stawić czoło słabszym i średnim trąbom powietrznym, a betonowe ściany, wzmocnione stalowe drzwi i zasłaniane stalowymi żaluzjami okna wystarczą, by bez dalszych przygotowań zapewnić bezpieczeństwo domownikom na wypadek wybuchu epidemii klas I i II.

B. Modyfikacje

Przygotowanie domu do obrony przed zombie nie różni się od zabezpieczania go na wypadek ataku żywych ludzi. Jedyną różnicą jest całkowita bezużyteczność systemów alarmowych. Wielu ludzi śpi słodko, ufnych w najprzeróżniejszego typu alarmy włamaniowe. Lecz co tak naprawdę jest w stanie zdziałać to urządzenie, któremu tak lekkomyślnie powierzamy swoje bezpieczeństwo? Najczęściej robi tylko hałas i w najlepszym wypadku powiadamia radiowo, bądź przewodowo, policję lub agencję ochrony. A co w takiej sytuacji, gdy nie będzie komu odebrać powiadomienia? Gdy nikt nie przyjedzie

na wezwanie? Gdy ci, którzy powinni przyjechać, będą zajęci innymi alarmami? A jeśli ktoś uzna, że powinni zignorować sygnał twojego alarmu, koncentrując się na obronie innego, ważniejszego obszaru? A co wreszcie, gdy ci, którzy mieli ci pomóc, sami już zniknęli w żołądkach zombie? W takich przypadkach przychodzi kolej na środki obrony bezpośredniej.

Kraty w oknach i drzwiach zatrzymają grupę zdeterminowanych umarlaków jedynie na ograniczony czas. Doświadczenie wykazuje, że wystarczą trzy zombie, by poradziły sobie z takim zabezpieczeniem w ciągu co najwyżej doby.

Szyby pancerne nie dają się rozbić, ale odpowiednio silne uderzenie może je wypchnąć z ramy. Można temu zapobiec, instalując je w betonowych lub stalowych ramach. Koszt takiego zabezpieczenia w większości wypadków wystarczyłby na budowę jednego z dwóch typów omawianych budynków bezpiecznych – domu na palach lub tornadoodpornego.

Zwykły trzymetrowy płot z drucianej siatki potrafi zabezpieczyć dom przed atakiem tuzina lub więcej umarlaków przez tygodnie, a nawet miesiące ataku epidemii klasy I. Trzymetrowy parkan z bloczków gazobetonowych wypełnionych betonem i wzmocnionych prętami stalowymi, jest najbezpieczniejszą barierą obronną na wypadek wybuchu epidemii klasy I i II. W większości okolic plany zagospodarowania przestrzennego nie pozwolą stawiać tak wysokich parkanów (przed postawieniem parkanu trzeba postarać się o zezwolenie w lokalnej administracji), ale nie należy się zniechęcać. Nawet niższy parkan spełni większość zadań skutecznej ochrony przed zombie. Istnieją relacje o zombie zdolnych wspiąć się na przeszkodę wysokości 1,8 m, ale są to odosobnione przypadki. Nieustanne patrolowanie wnętrza ogrodzonego terenu przez dobrze uzbrojonych i wyposażonych w środki łączności obrońców pozwoli utrzymać obronę obiektu ogrodzonego parkanem wysokości 1,8 m przez okres ograniczony jedynie ich wytrzymałością.

Brama powinna być stalowa: pełna lub (w ostateczności) ażurowa o małej średnicy otworów. Najlepiej, żeby była to brama przesuwna, a nie odchylana. Umocnienie takiej bramy jest bardzo proste – wystarczy zaparkować za nią samochód. Zdalne otwieranie silnikami elektrycznymi jest bardzo wygodne, ale w razie odcięcia dopływu prądu może zablokować drogę na zewnątrz.

Parkan i brama zapewnią bezpieczeństwo jedynie w przypadku epidemii klasy I i II. W razie masowego wybuchu klasy III, zwał zombie leżących pod parkanem może w końcu uformować rampę, po której kolejne umarlaki wtargną do wnętrza bronionego obiektu.

C. Mieszkania

Mieszkania i kamienice różnią się wielkością i rozkładem, co wpływa na różny stopień przydatności obronnej. Mimo to pewne podstawowe zasady są wspólne zarówno dla obdrapanych piętrowych czynszówek w centrum Los Angeles, jak i lśniących szklano-betonowych wież Nowego Jorku.

Największe zagrożenie stanowią mieszkania na parterze i sutereny z uwagi na łatwy dostęp do tych pomieszczeń. Mieszkania nad poziomem gruntu już z tej racji są łatwiejsze do obrony, niezależnie od konstrukcji budynku. Zniszczenie klatki schodowej skutecznie izoluje wyższe piętra od otoczenia. Bez klatki schodowej i windy dostęp na wyższe piętra jest możliwy jedynie przez schody pożarowe, które z kolei zawieszone są (zgodnie ze ściśle przestrzeganymi przepisami federalnymi) na wysokości niedostępnej dla zombie. Kamienica staje się schronieniem przed żywymi trupami.

Kolejną zaletą bloków mieszkalnych jest znaczna populacja mieszkańców. Właściciel prywatnego domu będzie się musiał bronić sam, natomiast w bloku mieszkalnym można wyznaczyć dyżury. Poza tym w znacznej zbiorowości rośnie szansa znalezienia specjalistów, których umiejętności mogą być przydatne do obrony: cieśli, elektryków, ratowników medycznych, a nawet rezerwistów wojskowych. Nagromadzenie ludzi niesie jednak ze sobą ryzyko konfliktów osobowości. W obliczu wspólnego zagrożenia nie powinno to jednak stanowić problemu na tyle wielkiego, by uzasadniać przenosiny do domu jednorodzinnego. Jeśli masz wybór, pozostań w bloku.

Uwaga!
Strzeżcie się tandetnych podręczników przetrwania!

Choć w niemal każdym rozdziale tej książki można znaleźć odnośniki do wiedzy, którą należy przyswoić z innych podręczników (obsługa broni, taktyka, umiejętność przetrwania w terenie itp.), nie polecam czerpania wiedzy z podręczników poświęconych obronie domostwa. Tego rodzaju poradniki pisane są z myślą o obronie przed żywym przeciwnikiem, rozporządzającym inteligencją i umiejętnościami właściwymi żywym ludziom. Wiele z taktyk i strategii obronnych tam omawianych, jak zakładanie systemów alarmowych z monitoringiem, konstrukcja barier inżynieryjnych w rodzaju pól minowych, czy stosowanie technik niezabijających, lecz dotkliwie oddziałujących na napastnika (jak choćby gwoździe pod dywanem i miotacze gazu pieprzowego) będzie kompletnie bezużyteczna przeciw żywemu trupowi.

2. Przygotowania część II: zapasy

Po zakończeniu fortyfikowania miejsca zamieszkania należy się zająć zgromadzeniem zapasów na okres oblężenia. Nie wiadomo jak długo potrwa, zanim nadejdzie pomoc. Nie wiadomo nawet, czy w ogóle nadejdzie. Zawsze bądź przygotowany na długie oblężenie i nigdy nie zakładaj, że pomoc nadejdzie szybko.

A. Uzbrojenie

W podróży trzeba ograniczyć wyposażenie do niezbędnego i łatwego do przenoszenia minimum przedmiotów, ale przy planowaniu obrony stałej można sobie pozwolić na luksus zgromadzenia zróżnicowanego uzbrojenia i zapasów. Różnorodność nie oznacza jednak dowolności w wyborze „narzędzi zniszczenia" wedle własnych kaprysów. Istnieje pewne minimum, które każdy domowy arsenał powinien zawierać:

- karabin i 500 nabojów
- strzelba kalibru 12 i 250 nabojów
- pistolet kalibru 45 i 250 nabojów
- tłumik (do karabinu)
- tłumik (do pistoletu)
- kusza dużej mocy (o ile tłumiki są niedostępne) i 150 bełtów
- celownik optyczny (do karabinu)
- celownik noktowizyjny (do karabinu)
- celownik laserowy (do karabinu)

- celownik laserowy (do pistoletu)
- miecz pełnych rozmiarów (*katana*)
- miecz kompaktowy (*wakizashi* lub inny tego rodzaju)
- dwa noże z prostym ostrzem, głownia długości 6–8 cali (152–203 mm)
- toporek

UWAGA: Powyższa lista zawiera zapas uzbrojenia dla jednej osoby. Ilości poszczególnych przedmiotów powinno się dostosować do liczebności grupy.

B. Wyposażenie

Uporawszy się z zagadnieniem uzbrojenia, zastanów się, jakiego sprzętu potrzebujesz do prowadzenia napraw i przeżycia oblężenia. Na krótką metę w razie wybuchu epidemii klasy I wystarczy zwykły zestaw awaryjny na wypadek klęski żywiołowej. Jeśli sytuacja będzie się przedłużać, przydadzą się przedmioty wymienione w poniższej liście:

- woda – trzy litry dziennie, do picia, gotowania i mycia
- filtr przepływowy do wody z ręczną pompą
- cztery wymienne wkłady do filtra
- zbiornik do łapania i przechowywania deszczówki
- tabletki do oczyszczania wody – jodyna lub inne substancje
- zapas pożywienia w puszkach, trzy konserwy dziennie (lepsze od suszonego pożywienia, gdyż zawierają wodę i nie uszczuplają zapasu)

- dwie przenośne kuchenki elektryczne
- zestaw medyczny (zaawansowany, z antybiotykami i narzędziami chirurgicznymi)
- dynamo rowerowe
- generator spalinowy (do użytku jedynie w sytuacjach awaryjnych)
- sto litrów benzyny
- radiostacja krótkofalowa zasilana z akumulatora
- dwie latarki zasilane akumulatorami
- dwie przenośne lampy elektryczne zasilane akumulatorowo
- zapas materiałów budowlanych (cegły, belki, zaprawa murarska itp.)
- rozszerzony zestaw narzędzi zawierający młot kowalski, siekierę, piłę ręczną itp.
- zapas wapna lub wybielacza wystarczający do długotrwałego użycia polowej latryny
- luneta obserwacyjna lub mały teleskop (powiększenie 80–100x) z zapasowymi szkłami i zapasem materiałów do czyszczenia
- piętnaście flar awaryjnych
- trzydzieści pięć prętowych świateł fluorescencyjnych
- pięć gaśnic
- dwa komplety zatyczek do uszu
- części zapasowe i instrukcje obsługi oraz naprawcze do wymienionych powyżej urządzeń
- biblioteka podręczników i instrukcji, w tym dobry podręcznik przeżycia na wypadek katastrof i klęsk żywiołowych

UWAGA: podobnie jak w przypadku uzbrojenia, zapasy żywności, wody i środków medycznych zostały skalkulowane dla jednej osoby i powinny być pomnożone przez liczbę osób w grupie.

3. Przeżyć atak

Rozpoczęło się oblężenie. Wokół płotu gromadzą się hordy zombie bezustannie próbujących wedrzeć się do środka. Płot na razie je powstrzymuje, ale to nie znaczy, że niebezpieczeństwo minęło. Przetrwanie oblężenia nie oznacza bierności. Przeżycie w zamknięciu wymaga wielokrotnego powtarzania pewnych czynności w ograniczonej przestrzeni domu.

 A. W jednym z rogów podwórza należy wyznaczyć i zbudować latrynę. Szczegóły można znaleźć w większości podręczników przetrwania.

 B. Jeśli gleba i warunki naturalne (deszcze) pozwolą, należy założyć ogród warzywny. W miarę możliwości

hodowane w nim rośliny powinny być zjadane w pierwszej kolejności, by zapas żywności konserwowanej pozostawić na sytuacje awaryjne. Ogród powinien być możliwie oddalony od latryny, by uchronić rośliny od skażenia (nie nawozem, ale środkami chemicznymi używanymi do neutralizacji odchodów).

C. Energię elektryczną należy czerpać wyłącznie z prądnicy rowerowej. Każde użycie generatora spalinowego wyczerpuje ograniczony zapas paliwa i jest niebezpieczne – generator jest hałaśliwy i ściąga zombie. Należy go używać jedynie w przypadkach skrajnej konieczności – zwłaszcza przy odpieraniu nocnych ataków, gdy osoba obsługująca dynamo uczestniczy w walce.

D. Parkan powinien być nieustannie patrolowany. Jeśli jesteś oblężony z grupą, należy wyznaczyć warty pilnujące obwodu płotu w ciągu całej doby. Zawsze należy zachować czujność na wypadek możliwego, choć mało prawdopodobnego wtargnięcia zombie. Jeśli jesteś sam, ogranicz patrolowanie do dnia. W nocy barykaduj drzwi (okna powinny być zabarykadowane stale). Śpij z latarką i bronią na podorędziu. Śpij czujnie.

E. Staraj się maskować swój pobyt. Jeśli masz piwnicę, gotuj tam posiłki, wytwarzaj elektryczność i dokonuj wszelkich napraw. Nasłuch radiowy, który powinno się prowadzić codziennie, wykonuj w słuchawkach. Zasłony zaciemniające powinny zakrywać wszystkie okna – szczególnie w nocy.

F. Usuwaj niezwłocznie wszelkie zwłoki. Zwłoki to zwłoki – ludzkie czy umarlaka. Rozwijają się w nich bakterie, które mogą wywołać poważne zagrożenia dla zdrowia. Wszelkie zwłoki na bronionym terenie powinny zostać jak najszybciej pochowane lub spalone. Wszelkie zwłoki na zewnątrz ogrodzenia należy regularnie palić. Unikaj wychodzenia poza ogrodzenie! Przystaw drabinę od swojej strony płotu i z jej szczytu polewaj zwłoki świeżo zabitych umarlaków benzyną, po czym podpalaj je i wycofuj się do domu. Palenie zwłok stwarza ryzyko zwabienia kolejnych zombie, ale jest niezbędne z uwagi na zagrożenie sanitarne.

G. Codziennie ćwicz swoje ciało. Używaj regularnie dynama rowerowego lub roweru stacjonarnego, wykonuj klasyczne statyczne i dynamiczne ćwiczenia gimnastyczne oraz ćwiczenia izometryczne. Dbaj o utrzymanie ciała w gotowości do walki i o nabywanie sił do jej prowadzenia. Dbaj jednak o to, by ćwiczenia wykonywać w ciszy i możliwie w pomieszczeniach. Jeśli nie masz piwnicy, używaj pokoju w środku domu. Wytłumienie ścian materacami i kocami pomoże tłumić hałasy.

H. Zwalczaj nudę i dbaj o rozrywki. Utrzymywanie czujności jest konieczne, ale potrzeba odpoczynku jest równie ważna. Zgromadź spory zapas książek, gier planszowych, zręcznościowych itp. Gry elektroniczne są zbyt hałaśliwe i zużywają energię. W czasie długiego oblężenia bez widoków na szybkie zakończenie, nuda może powodować paranoję, omamy i utratę nadziei. Utrzymywanie ciała i ducha w równie dobrym stanie ma decydujące znaczenie dla przetrwania.

I. Miej zawsze na podorędziu parę zatyczek do uszu i często ich używaj. Nieustanny zbiorowy skowyt i jęki dobiegające zza ogrodzenia przez całą dobę mają potwierdzony w wielu relacjach zgubny wpływ na morale obrońców. Znane są przypadki, gdy obrońcy suto zaopatrzonych i dobrze przygotowanych do obrony domów popełniali samobójstwo lub popadali w obłęd pod wpływem bezustannego zawodzenia.

J. Zadbaj zawczasu o zaplanowanie drogi ucieczki i przygotowanie ekwipunku. We wciąż zmieniającej się sytuacji pola bitwy opuszczenie domu i ucieczka mogą się okazać niezbędne w każdej chwili. Może dojść do zawalenia ogrodzenia, może wybuchnąć pożar, odsiecz może nadejść, ale nie być w stanie dotrzeć bezpośrednio do twojego domu. Spakuj zawczasu ekwipunek potrzebny do przetrwania w drodze i ustaw plecak w pobliżu drzwi wraz z bronią, którą masz zamiar zabrać w drogę – nie zapomnij o zapakowaniu zapasu amunicji i wyposażenia do obsługi broni.

4. Obrona bezpośrednia

Umarli powstali. Czujesz dym, słyszysz syreny alarmowe, strzały i krzyki wypełniają powietrze. Nie chciałeś lub nie byłeś w stanie odpowiednio przygotować domu do obrony – co teraz? Sytuacja nie rysuje się zbyt optymistycznie, ale to jeszcze nie koniec świata. Podejmując właściwe decyzje we właściwym czasie, możesz mimo wszystko ocalić siebie i swoją rodzinę od zasilenia szeregów żywych trupów.

A. Obrona domu piętrowego

1. Zamknij i zablokuj wszystkie drzwi i okna. Tafla szkła nie zatrzyma zombie, ale będzie najlepszym ostrzeżeniem o próbie wtargnięcia, na jakie możesz liczyć.

2. Biegnij na piętro i napełnij wannę wodą. To może nie wyglądać najmądrzej, ale nigdy nie wiadomo, jak długo będą działać wodociągi. Po kilku dniach pragnienie będzie twoim najgorszym wrogiem.

3. Zaopatrz się w najlepszą z dostępnych w takich okolicznościach broń (patrz poprzedni rozdział). Powinna być lekka i o ile to możliwe powinno się ją dać przytroczyć do ciała tak, by mieć ją przy sobie, a jednocześnie zachować wolne ręce. W najbliższych godzinach będziesz miał mnóstwo pracy.

4. Zacznij gromadzić zapasy na piętrze. Użyj list z podrozdziału „Przygotowania, cz.1 dom" jako wskazówki. W większości domostw można zawsze znaleźć co najmniej połowę wymienionych tam przedmiotów.

Sporządź spis tego, co znajdziesz. Nie zabieraj na górę wszystkiego, a tylko najpotrzebniejsze przedmioty: broń, trochę żywności (masz już całą wannę wody), latarkę, radio. Większość rodzin trzyma apteczki w łazience na górze, więc i tak wszystko, czym dysponujesz z zapasów medycznych i tak już tam jest. Pamiętaj: możesz nie mieć czasu na długotrwałe przygotowania, więc nie trać go, bo najważniejsze zadania jeszcze są przed tobą.

5. Zburz klatkę schodową! Zombie nie potrafią się wspinać, więc powinno ci to zapewnić bezpieczeństwo. Wiele osób twierdzi, że wystarczy zabarykadować okna i drzwi. To najlepsza metoda na zasilenie armii zombie – pamiętaj, że one są niezmordowane, a ty dysponujesz tylko improwizowanymi środkami do umocnienia parteru. Nie jesteś w stanie wznieść z nich zapór, których one nie pokonają! Zburzenie schodów zajmie sporo czasu i pochłonie wiele energii, ale to konieczne. Zależy od tego życie twojej rodziny i twoje własne! Pod żadnym pozorem nie próbuj spalić schodów w nadziei na to, że

będziesz w stanie opanować pożar. Wielu ludzi próbowało sobie w ten sposób oszczędzić wysiłku i skończyło się to śmiercią w płomieniach lub całkowitym zniszczeniem budynku. Budulec z rozebranej klatki schodowej może pomóc przy stawianiu zapór na dole i barykadować okna na piętrze, więc nie należy go bezmyślnie niszczyć!

6. Jeśli masz drabinę, używaj jej do dalszego zasilania swego schronienia na piętrze. Jeśli nie, sporządź spis zapasów, napełnij wodą wszystkie naczynia, umywalki i zbiorniki na piętrze i przygotuj się na długie oczekiwanie.

7. Nie afiszuj się. Radia słuchaj na minimalnej głośności. Po zmroku nie zapalaj światła. Nie pokazuj się w oknach. Spróbuj stworzyć wrażenie, że dom jest opuszczony. To może nie powstrzymać pojedynczych myszkujących zombie, ale horda może ominąć twój dom, szukając lepszej zdobyczy.

8. Nie używaj telefonu. Jak przy każdej klęsce żywiołowej linie i tak będą zajęte. Twoje połączenie jedynie przyczyni się do wzmożenia chaosu i zatoru na linii. Ścisz dzwonek do minimum. Jeśli telefon zadzwoni, to odbierz, ale staraj się rozmawiać jak najciszej.

9. Zaplanuj drogę ucieczki. Przygotowując dom do obrony, możesz się zabezpieczyć przed zombie, ale nie przed ogniem. Mogą wybuchnąć pożary, jakiś idiota przesadzi z użyciem koktajli Mołotowa i w każdej chwili możesz zostać zmuszony do porzucenia swojej twierdzy. Zapakuj torbę lub inny poręczny bagaż niezbędnymi przedmiotami (patrz listy z rozdziału „Ucieczka") i trzymaj ją w pobliżu drzwi gotową do zabrania w drogę.

B. Obrona domu parterowego

Jeśli nie mieszkasz w domu piętrowym, strych będzie mniej wygodnym, ale równie bezpiecznym schronieniem. Większość z nich można zabezpieczyć przed wtargnięciem przez wciągnięcie schodów lub drabiny. Zombie są pozbawione możliwości logicznego działania i nie będą w stanie zbudować własnej drabiny. Jeśli zachowacie ciszę, mogą nawet nie zauważyć, że ktoś jeszcze jest na górze.

NIGDY nie używaj piwnicy jako schronienia przed zombie. Popularne filmy grozy wielokrotnie pokazywały rodziny, które uratowały się przed atakiem żywych trupów w piwnicach. To bardzo niebezpieczny mit. Być może zablokowanie wejścia do piwnicy rzeczywiście zagrodzi im wstęp, ale wtedy należy się liczyć z niebezpieczeństwem pożarowym, uduszeniem lub po prostu śmiercią z głodu w odciętej piwnicy. Setki ludzi na przestrzeni wieków zginęło tą straszną śmiercią.

Jeśli atak zaskoczył cię w parterowym domu bez strychu, zabierz broń oraz zapasy i uciekaj na dach. Jeśli nie ma innego wyjścia na dach (klapa, okno sufitowe), to po zdjęciu drabiny zombie nie będą w stanie do ciebie

dotrzeć. Siedź cicho i nie ruszaj się, by uniknąć wykrycia. Zombie mogą się wedrzeć do domu, przeszukać go w poszukiwaniu żeru i pójść dalej. Dla pewności pozostań na dachu jak długo możesz, do wyczerpania zapasów lub przybycia odsieczy. Może ci nie być wygodnie, ale dach daje szansę przetrwania. Na dłuższą metę nie nadaje się jednak na schronienie i wtedy przyjdzie czas na opuszczenie domu (patrz rozdział „Ucieczka").

Budynki publiczne

Schronienia przed atakami zombie można szukać także w budynkach publicznych. W niektórych przypadkach ich rozmiary i konstrukcja mogą zapewnić znacznie lepsze zabezpieczenie przed atakiem niż nawet najlepiej umocnione domy prywatne. Ponieważ sposób przygotowania takich budynków do obrony nie różni się niczym – poza skalą, wynikającą z rozmiarów – od przygotowań domów prywatnych, skoncentrujemy się tu jedynie na selekcji najlepszego budynku publicznego nadającego się do obrony, przedstawiając przykłady właściwego i błędnego wyboru.

1. Biurowce administracyjne

Obrona biurowca rządzi się tymi samymi zasadami, co wielorodzinnego budynku mieszkalnego. Po opuszczeniu parteru, zniszczeniu schodów i wyłączeniu wind biurowiec może zostać przekształcony w obronny donżon.

2. SZKOŁY

Ponieważ szkoły nie są budowane według standardowego wzorca, wybór właściwej szkoły publicznej do obrony może stanowić problem. Należy kierować się ogólnymi wskazówkami zawartymi w części „Zasady ogólne" tego rozdziału. Niefortunny kierunek rozwoju naszego społeczeństwa sprawił, że w wielu okolicach wielkomiejskich szkoły nabrały ufortyfikowanego charakteru, co czyni z podstawówek i gimnazjów w dzielnicach biedoty i gettach mniejszości rasowych doskonałe punkty obrony przed epidemią zombizmu. Te budynki są w stanie przetrwać najazd żywych wandali w czasie cyklicznych rozruchów na tle ekonomicznym lub rasowym, a co dopiero atak watahy zombie. Ich tereny otaczają wysokie płoty z siatki drucianej, co sprawia, że nabierają wyglądu – a w przypadku ataku umarlaków na szczęście także charakteru – obozów warownych. Na miejscu są zazwyczaj stołówki z zapasem pożywienia i dobrze wyposażony gabinet lekarski, zaś tutejsze pielęgniarki mają odpowiednie doświadczenie, wiedzę i sprzęt niezbędny do szycia ran ciętych i opatrywania postrzałów. Sala gimnastyczna zapewni miejsce i sprzęt do ćwiczeń dla obrońców. Tego typu szkoła daje największe szanse – może nie na edukację najwyższej klasy, ale na pewno na przeżycie w razie ataku zombie.

3. Szpitale

Placówki medyczne mogą się wydawać najbardziej logicznym i najbezpieczniejszym miejscem poszukiwania pomocy w razie epidemii. W rzeczywistości stanowią jednak najbardziej niebezpieczne miejsca, których należy się wystrzegać za wszelką cenę. Owszem, szpitale mają awaryjne zapasy środków medycznych i pożywienia, fachowy personel lekarski i pielęgniarski. Owszem, budynki są zazwyczaj solidne i można ich bronić po odcięciu parteru jak każdego biurowca czy bloku mieszkalnego, a w dodatku mają własne służby ochrony lub posterunek policji. To wszystko sprawia, że w przypadku jakiejkolwiek innej klęski żywiołowej powinny zasłużenie cieszyć się numerem pierwszym na liście celów ucieczki z zagrożonych rejonów. Wszystkich – ale nie ataku umarlaków. Nawet mimo rosnącej świadomości zagrożenia zombizmem infekcje są bardzo często diagnozowane błędnie. Ludzie pokąsani przez zombie lub świeżo zmarli w wyniku zakażenia są rutynowo przywożeni do szpitali, jak ofiary byle wypadków. Aż do 90% przypadków pierwotnych, rozpoczynających wybuch epidemii, stanowi personel medyczny lub zakładów komunalnych, zajmujących się zbieraniem zwłok. W większości zanotowanych wybuchów epidemii ich pierwszym ogniskiem były właśnie szpitale.

4. Posterunki policji

W odróżnieniu od wad szpitala jako ośrodka schronienia na wypadek ataku zombie, komisariat nie nadaje się na

nie z powodów związanych bardziej z czynnikiem ludzkim niż epidemiologicznym. W razie wybuchu epidemii
wszyscy będą tam bowiem szukać schronienia, powodując chaos, może polać się krew, prawdopodobnie pojawią
się ofiary śmiertelne. Wyobraź sobie bezładny, ogarnięty
paniką, histeryczny tłum oblegający posterunek, czyli
niewielki budynek symbolizujący poczucie bezpieczeństwa. Jest zbyt wielu ludzi pragnących się tam dostać za
wszelką cenę, by dało się nad nimi zapanować. Nie trzeba
nawet zgrai kłapiących zębami zombie, gdyż ludzie sami
będą się tratować, dusić, krajać nożami i strzelać. Gdy
trupy ożyją, trzymaj się z dala od posterunków policji,
jeśli ci życie miłe.

5. Sklepy

Po wybuchu epidemii klasy I wiele lokali handlowych
może zapewnić wystarczające schronienie. Opuszczane
rolety antywłamaniowe mogą powstrzymać tuzin zombie przez kilka dni. Jeśli jednak oblężenie ma się przedłu-
żyć lub liczba napastników wzrośnie, sytuacja może się
zmienić diametralnie. Nawet gnijące ciała mogą w końcu
uformować masę na tyle dużą, by wyważyć bramę czy
szybę wystawienniczą, choćby wykonaną z pancernego
szkła. Decydując się na obronę w sklepie, należy zawsze
przygotować drogę ucieczki na wypadek przełamania
zapór. Bez opartego na solidnych podstawach „planu B"
porzuć z góry myśl o schronieniu się w takim miejscu.
Sklep bez krat czy opuszczanych stalowych rolet w ogó-

le nie nadaje się na miejsce schronienia. Odkryte okna wystawowe zachęcają zombie atrakcyjną ofertą żywych ludzi w środku.

6. Supermarkety

Supermarkety, choć zawierają zapas żywności mogący wystarczyć na lata, stanowią bardzo zawodne schronienie. Olbrzymie szklane okna, nawet jeśli są wyposażone w rolety czy kraty, dają słabą ochronę. Także umocnienie bram wjazdowych będzie utrudnione. W normalnych czasach supermarket to jedna wielka, przeszklona wystawa dostępnej w środku świeżej, smacznej żywności. Pełen ludzi w środku i oblężony przez zombie, pełni identyczną rolę...

Jednak nie wszystkie wielkopowierzchniowe sklepy spożywcze są śmiertelnymi pułapkami. Mniejsze supermarkety niesieciowe i sklepy spożywcze, a zwłaszcza wielkomiejskie sklepy z alkoholami w dzielnicach biedoty i gettach mniejszości, mogą doskonale spełniać rolę schronów. Większość z nich jest bowiem zabezpieczona przed zamieszkami i rabunkiem, zaopatrzona w potężne, stalowe drzwi, a nawet rolety antywłamaniowe chroniące całe frontony. Tego typu sklepy stanowią wystarczające schronienie na wypadek wybuchu epidemii klasy I i innych przejściowych ataków na niewielką skalę. Jeśli atak zaskoczy cię w takim sklepie, pamiętaj, by w pierwszej kolejności zjadać świeże mięso i rośliny, zostawiając żywność konserwowaną na później. Jeśli zapasy są duże, należy przygotować się do usunięcia nadmiernych zapasów świeżego pożywienia wymagającego przechowywania w lodówkach na wypadek przerwy w dostawie elektryczności.

7. Centra handlowe

Budowle praktycznie nie do obrony. Wielkie centra handlowe zawsze przyciągają ludzi i zombie. Podobnie jak w przypadku rozruchów społecznych pierwsze oznaki problemów spowodują, że centrum handlowe zaroi się od służb ochrony, policji i uzbrojonych właścicieli butików, gotowych z karabinem w ręku bronić swego dobytku. Nagły wybuch kryzysu sprawi, że ludzie ci zostaną uwięzieni w centrum, co spowoduje problem z przeludnieniem, a dodatkowy napływ ludzi z zewnątrz może doprowadzić do paniki i tratowania się nawzajem, a poza tym, jak każde zbiegowisko, przyciąga umarlaków. W razie wybuchu jakichkolwiek niepokojów centra handlowe zamieniają się w ośrodki chaosu.

8. Kościoły

Główną zaletą miejsc kultu (kościołów, cerkwi, synagog, meczetów) o tradycyjnej architekturze jest zwykle zaopatrzenie w solidne odrzwia, drewniane lub metalowe. Także okna zwykle umieszczone są dość wysoko nad ziemią. Często tereny te ogrodzone są solidnymi płotami z metalowych prętów, które artystycznie przetworzone przez ko-

wali, mają stanowić piękny widok, ale przy okazji zapewniają całkiem solidną ochronę. W porównaniu z wieloma świeckimi budowlami o podobnej kubaturze większość miejsc kultu ma charakter zdecydowanie obronny, zapewniający im skuteczną ochronę w czasie lokalnego wybuchu epidemii, ale na pewno niewystarczający przeciw hordzie zombie. Nieunikniony atak nie ma nic wspólnego z czynnikami nadprzyrodzonymi. To nie żołnierze Szatana będą szturmować Dom Boży, to nie ostateczne starcie Dobra ze Złem. Żywe trupy atakują świątynie z jednego, jedynego powodu: czują tam żer. Mimo całego wykształcenia, obycia i zaawansowanej techniki, amerykańskie mieszczuchy na pierwszy widok zombie podkulają ogony i biegną z krzykiem do swoich bogów. Miejsca kultu pełne po brzegi ludzi głośno modlących się o zbawienie swoich dusz zawsze ściągały uwagę umarlaków. Liczne zdjęcia lotnicze wykonywane w trakcie ataków epidemii często pokazują watahy zombie wolno, lecz nieubłaganie przemieszczające się w kierunku najbliższych świątyń, które potem stawały się miejscem rzezi.

9. Magazyny

Brak okien, ogrodzony teren i strzeżona brama w połączeniu z rozległością terenu sprawiają, że przemysłowe magazyny mogą być idealnym miejscem do przetrwania długotrwałego oblężenia. Większość składów ma pomieszczenia socjalne dla ochrony, a więc miejsce, skąd można pobierać wodę. Jeśli towary przechowywane w magazynie pakowane są w wielkie drewniane skrzynie, wygrałeś los na loterii. Tymi pakami można barykadować wejścia, z nich można budować przepierzenia, dzieląc halę na pomieszczenia, dające choć namiastkę prywatności, a nawet można z nich zbudować wewnątrz magazynu wewnętrzny „fort" – miejsce schronienia na wypadek, gdyby atakującym zombie jednak udało się wedrzeć do hali. Poza tym istnieje – nawet jeśli niepewna – szansa na to, że towary przechowywane w magazynie mogą się przydać do obrony lub przetrwania. Z tych powodów składnice magazynowe należy zaliczać do najbardziej atrakcyjnych potencjalnych miejsc ukrycia. Zwróć uwagę, że połowa

tego rodzaju składów leży na terenach przemysłowych, w pobliżu fabryk, stoczni itp. W takim przypadku należy zaostrzyć czujność, zachować ostrożność i zawsze mieć przygotowany plan ucieczki. Należy także wystrzegać się chłodni przemysłowych do przechowywania łatwo psującej się żywności. Po odcięciu elektryczności szybki rozkład znajdujących się w nich produktów może stworzyć poważne zagrożenie sanitarne.

10. Nabrzeża portowe i pirsy

Dobrze wybrane nabrzeże portowe lub pirs po odpowiedniej modyfikacji i zgromadzeniu zapasów może się stać niezdobytą twierdzą. Ponieważ zombie nie potrafią się wspinać ani pływać, mogą na nie dotrzeć jedynie od strony lądu. Niszcząc połączenie pirsu z lądem, odcina się im jedyną drogę i tworzy sztuczną wyspę.

11. Stocznie

Choć w dzisiejszych czasach stocznie często służą jako składowisko odpadów przemysłowych i materiałów niebezpiecznych, bez wątpienia mogą stanowić schronienie na wypadek ataku. Podobnie jak w magazynach, z kontenerów można budować barykady, a nawet używać ich jako broni (patrz „Marzec 1994, San Pedro, Kalifornia", str. 371–373). Jednostki pływające po zdjęciu trapu stają się bezpiecznym schronieniem. Przed wejściem na pokład należy się jednak upewnić, że w twojej przyszłej

pływającej fortecy nie ma zainfekowanej załogi – dotyczy to zwłaszcza małych portów jachtowych. W trakcie pierwszej fazy epidemii ludzie pośpieszą nad morze, w nadziei na to, że uda im się znaleźć (a choćby i ukraść) jakiś jacht. Ponieważ większość marin jest budowana na płytkich wodach, zombie mogą przejść do upatrzonego celu po dnie akwenu niezakryte przez lustro wody. Nieraz już zdarzało się, że szczęśliwy uciekinier zastawał na pokładzie cudem znalezionej łodzi kilka czekających już na niego żarłocznych umarlaków.

12. Bankí

Czyż można sobie wyobrazić pewniejsze schronienie niż skarbiec budowany z myślą o przechowywaniu najbardziej drogocennych zasobów Ziemi? Czyż bank nie będzie logicznym miejscem do przygotowania obrony? Czy jego zabezpieczenia nie wystarczą do odparcia hordy żywych trupów? Ani trochę. Najbardziej pobieżne zapoznanie się z ich tak zwanymi zabezpieczeniami wskaże, że większość z nich polega na powiadomieniu i użyciu sił zewnętrznych. Po wybuchu epidemii policja i ochrona będzie miała pełne ręce roboty gdzie indziej. Wszystkie najnowocześniejsze ciche alarmy, kamery telewizyjne i bramki wysokie do pasa, za to zamykane na tytanowe zamki – to wszystko zda się psu na budę w konfrontacji z watahą żywych trupów ogarniętych tylko żądzą ludzkiego mięsa. Oczywiście, banki mają skarbce, które mogą dać prawdziwe bezpieczeństwo i nie dadzą się rozbić nawet rakietą przeciwpancerną, tylko co z tego, skoro zombie i tak nie są w stanie się nimi posłużyć? Przypuśćmy, że uda wam się dostać do skarbca – i co dalej? Tam nie ma wody, nie ma pożywienia, zapas tlenu też jest ograniczony. Skarbiec w charakterze schronienia da ci czas jedynie na to, by się pogodzić z Bogiem, przystawić lufę do głowy i pociągnąć za spust.

13. Cmentarze

Jak na ironię (i wbrew obiegowym teoriom) cmentarze wcale nie są najgorszym miejscem, by podjąć próbę przetrwania, gdy powstają zmarli. Co więcej, może być naprawdę dobrym miejscem na tymczasowe schronienie. Reanimacje będą następować raczej w szpitalach i kostnicach, bo po śmierci biologicznej dochodzi do nich znacznie szybciej, niż trwa załatwianie formalności pogrzebowych. Jeśli zresztą jakimś cudem zainfekowany osobnik znajdzie się już w grobie, jego reanimacja nie jest groźna. Nawet gdyby do niej doszło, jak niby taki

zombie ma „powstać z grobu"? Czy normalnie zbudowany człowiek, nawet nieodczuwający bólu i zmęczenia jest w stanie o własnych siłach wydostać się z masywnej, nieraz stalowej, trumny, umieszczonej w hermetycznej komorze dwa metry pod ziemią? Biorąc pod uwagę rozwój techniki zabezpieczenia zwłok w amerykańskich zakładach pogrzebowych, żadna osoba, żywa czy zombie, nie będzie się w stanie wydostać z trumny i wypełznąć na powierzchnię. „A jeśli trumna nie była stalowa?" To samo – nawet ze zwykłej skrzyni zbitej dobrymi gwoźdźmi z sosnowych desek nie tak łatwo się wydostać i wystarczy ona do unieruchomienia nawet najbardziej wojowniczego zombie. „A jak trumna przegnije?" Zanim deska przegnije, ciało, a wraz z nim mózg, zgnije tym bardziej. Zapamiętaj: aby reanimacja zombie była skuteczna, potrzebne są świeże, nienaruszone zwłoki, zainfekowane za życia wirusem zombizmu. Czy to pasuje do opisu dawno pogrzebanych zwłok? Raczej nie. Mimo że „powstawanie z grobu" należy do elementarnych cech „żywego trupa", jak picie krwi u wampira, czy wycie wilkołaka do księżyca, pozostaje faktem, że żaden prawdziwy zombie nigdy nie wykopał się z grobu, i jeszcze długo się nie wykopie.

14. Ratusze i Legislatury Stanowe

Budynków władz stanowych, miejskich i federalnych dotyczą te same zasady, co posterunków policji, szpitali i miejsc kultu. Większość będzie celem wędrówek ludzi po wybuchu epidemii, co nieuchronnie doprowadzi do chaosu i jak magnes przyciągnie zombie. W miarę możliwości unikaj budynków administracyjnych.

ZASADY OGÓLNE

Budynki w uboższych dzielnicach miast i gettach mniejszości rasowych są zwykle solidniejsze i mają charakter bardziej obronny niż zwykłe domy. Z uwagi na zagrożenie przestępczością częściej otaczane są wysokimi płotami z siatki, nieraz wzmocnionymi na szczycie zwojami z ostrego drutu kolczastego, tak zwanej concertiny, a okna zaopatrywane są w kraty, co zwiększa szanse na skuteczną obronę. W dzielnicach bogatych forma góruje nad treścią, a estetyka nad funkcją obronną. Żadna bogata dzielnica nie pozwoli wybudować w swoim obrębie bezpiecznego budynku rażącego wzrok swoją kanciastą formą. Tu nie ma umocnień i krat; polega się na działaniach zewnętrznych służb ochrony i policji, które już nieraz zawodziły, nawet bez ataku żywych trupów. Z tego powodu w razie wybuchu epidemii warto porzucać bogate przedmieścia i podążać do biedniejszych dzielnic.

Unikaj zagrożeń. W ośrodkach o charakterze produkcyjnym nierzadko znajdują się zakłady przemysłowe posługujące się materiałami łatwopalnymi, trującymi lub wręcz wybuchowymi. Kiedy dodamy do tego elektrownię czy stację filtrów, których funkcjonowanie wymaga nieustannego nadzoru, a pozostawione same sobie mogą spowodować katastrofę ekologiczną, to mamy tykającą bombę zegarową. Najlepszym, choć ekstremalnym przykładem problemów, o których tu mowa, był incydent w khotańskiej elektrowni atomowej. W razie wybuchów epidemii klasy II lub III takich incydentów może być więcej i mogą powodować zagrożenia na jeszcze większą skalę. Nie należy poszukiwać schronienia w pobliżu niebezpiecznych zakładów przemysłowych, składów paliw, portów lotniczych czy innych miejsc podwyższonego ryzyka.

W wyborze miejsca schronienia należy się kierować dokładną analizą odpowiedzi na następujące pytania:

1. Czy teren jest ogrodzony jakąś fizyczną barierą: płotem, parkanem, murem?
2. Ile jest bram i wejść?
3. Czy wystarczy ludzi w twojej grupie, by zapewnić równoczesną obronę wszystkich wejść?
4. Czy istnieje możliwość stworzenia jakiejś drugiej linii obrony na piętrze lub strychu?
5. Czy ten budynek jest możliwy do obrony?

6. Czy można przygotować drogę ewakuacyjną?
7. Jak wygląda zaopatrzenie?
8. Czy jest źródło wody?
9. Czy na miejscu są narzędzia lub broń?
10. Czy jest czym zabarykadować wejścia?
11. Czy istnieją jakieś środki łączności?
12. Biorąc pod uwagę to wszystko, jak długo ty i twoja grupa możecie tam przetrwać w oblężeniu?

Upewnij się, że wziąłeś pod uwagę wszystkie odpowiedzi, zanim podejmiesz decyzję, gdzie się bronić. Zwalcz w sobie naturalną skłonność do schronienia się w najbliższym budynku w nadziei, że „jakoś to będzie". *Pamiętaj: Nawet w pozornie najgorszej sytuacji czas zużyty na zastanowienie nigdy nie jest czasem straconym.*

TWIERDZA

W razie wybuchu epidemii klasy III domy prywatne, a nawet budynki publiczne nie wystarczają do przetrwania długotrwałego oblężenia. Ludzie w końcu albo ulegną atakowi, albo zużyją wszystkie zapasy. Na wypadek wybuchu epidemii o naprawdę poważnej skali potrzebna będzie twierdza – niezdobyta i zdolna podtrzymywać procesy życiowe obrońców przez lata, z własną biosferą. Nie znaczy to, że już dziś należy wyruszać na jej poszukiwanie. Pierwsze dni, a nawet tygodnie wybuchu klasy III to okres bezładu, orgia paniki i przemocy, która sprawi, że podróż może być bardzo niebezpieczna. Poczekaj, aż sprawy nieco się uspokoją, ludzie zaczną się organizować, ewakuować lub zostaną zjedzeni. Dopiero wtedy wyruszaj na poszukiwanie swojej twierdzy.

I. Koszary

Bazy armii, piechoty morskiej i sił powietrznych powinny być na czele listy możliwych do zasiedlenia „fortec". Wiele z nich z uwagi na uciążliwość dla otoczenia i potrzeby szkoleniowe buduje się w ustronnych miejscach o małym zaludnieniu, a więc mniej narażonych na infekcje. Wszystkie otoczone są bardzo zaawansowanymi konstrukcyjnie i koncepcyjnie ogrodzeniami. Część ma zbudowaną i umocnioną drugą wewnętrzną linię obrony, a niektóre nawet trzecią. Większość budowano w latach zimnej wojny, co oznacza, że na ich terenie znajdują się kompletnie wyposażone schrony przeciwatomowe dla personelu i rodzin – część rozbudowana tak, że na dobrą sprawę stanowią miniaturowe podziemne miasta. Obecność rozbudowanych i zaawansowanych środków łączności sprawi, że w razie gdyby sprawy naprawdę miały się źle, możesz być jednym z ostatnich ludzi na Ziemi, którzy stracą łączność.

Najważniejsze są jednak nie zdolności obronne i wyposażenie techniczne, ale czynnik ludzki. Dobrze wyszkoleni i uzbrojeni, wdrożeni do dyscypliny ludzie o wysokiej formie fizycznej to twoja najlepsza polisa na przeżycie. Nawet w razie masowych dezercji w bazach powinno zostać dość ludzi do utrzymywania obrony terenu przez lata, niemal bezterminowo. Jeśli uda ci się przedostać do bazy wojskowej w czasie kryzysu, znajdziesz się wśród wysoko wykwalifikowanych i umotywowanych specjalistów gotowych walczyć w obronie swoich rodzin, które w większości mieszkają wraz z nimi na tym terenie. Najlepszym przykładem może być przypadek fortu Louis Philippe w ówczesnej Francuskiej Afryce Północnej (obecnie Algieria i Tunezja), gdzie zaatakowany w 1893 roku oddział Legii Cudzoziemskiej wytrwał w oblężeniu trzy długie lata! Popularność i świadomość wysokich walorów obronnych baz wojskowych może jednak prowadzić do przeludnienia, co grozi szybkim wyczerpaniem zapasów i problemami z utrzymaniem porządku publicznego wśród uciekinierów.

2. Więzienia

Głównym celem, dla którego buduje się więzienia, jest nie wypuszczać zamkniętych tam żywych ludzi, ale dzięki temu bardzo łatwo jest bronić zakładu karnego przed wtargnięciem żywych trupów z zewnątrz. Grube ściany, wysokie mury, wieże wartownicze, umocnione bloki, kraty oddziałowe i grube drzwi do cel zmieniają je w twierdze.

Oczywiście, wybór więzienia na schronienie ma nie tylko zalety. Jak na ironię, im nowocześniejsze więzienie, tym słabiej nadaje się do obrony. Więzienia budowane do 1965 roku z daleka wyróżniały się wysokimi betonowymi murami, budowanymi z najlepszych i najbardziej wytrzymałych materiałów znanych człowiekowi ery przemysłowej, a ich ogrom i wysokość ceniono jako narzędzie do łamania najtwardszych charakterów. Nic nie przyda się lepiej w obronie życia przed plagą niż to, co sprawdzało się przez wieki, chroniąc społeczeństwo od zbrodniczych instynktów ludzi zamkniętych za murami. Niestety, w latach politycznej poprawności i skąpienia środków na bezpieczeństwo tańsza i mniej narzucająca się technika zastąpiła ciężkie i kosztowne budowle. Kamery telewizyjne i czujniki ruchu zastąpiły mury, sprawiając, że obecne więzienia po wyłączeniu prądu mogą się bronić tylko podwójnym płotem z drucianej siatki i concertiną z drutu kolczastego. To wystarczy, by powstrzymać dziesiątki zombie, ale setki mogą już spowodować naruszenie zewnętrznego płotu. A jeśli pojawią się tysiące umarlaków, tworzących wokół płotu zwał drgających, wciąż pełznących ciał? Jeśli nacisk tej masy obali pierwszy, a potem drugi płot? Co będzie, gdy masa zombie wedrze się na podwórze? Taka perspektywa powinna nawrócić każdego fana nowoczesnych technologii bezpieczeństwa na wiarę ojców – wiarę w staroświeckie, sześciometrowe mury z betonowych prefabrykatów.

No i główny problem: co z osadzonymi? Gdyby ich o to zapytać, to więzienia są pełne niewinnych ludzi, ale to przecież właśnie te niewiniątka sprawiły, że potrzebne było budowanie więzień. Skoro ludzie zamknięci za murami są najniebezpieczniejszymi członkami społeczeństwa, to już może lepiej mieć do czynienia z zombie? Niestety, w większości przypadków odpowiedź na to pytanie musi być twierdząca. Zdrowy rozsądek podpowiada, że w miarę sprawny fizycznie człowiek ma większe szanse w konfrontacji z tuzinem żywych trupów, niż jednym zatwardziałym kryminalistą. Mimo to w przypadku długotrwałego wybuchu epidemii na dużą skalę niewątpliwie dojdzie do zwolnienia osadzonych z więzień. Niektórzy mogą tam pozostać i stoczyć walkę o przeżycie (patrz „Rok 1960, Biełgorańsk, ZSRR", str. 349–352), lub zaryzykować i zakosztować wolności na terenach opanowanych przez zarazę, rabując okolicę. Zbliżając się do zakładów karnych, należy zachować daleko idącą ostrożność. Dobrze jest upewnić się, że w więzieniu nie wybuchł bunt i osadzeni nie przejęli w nim władzy. Równie podejrzane są zakłady, w których dawni „klawisze" sprawują rządy wraz z więźniami. Jeżeli więzienie nie jest opuszczone lub obsadzone przez strażników i ludność cywilną, należy zawsze zachować wzmożoną ostrożność.

Po zajęciu więzienia należy podjąć kroki w celu przekształcenia go w samowystarczalną wioskę ocalonych. Poniżej zamieszczono listę czynności do wykonania w razie opanowania opuszczonego zakładu penitencjarnego:

A. Spenetrować, znaleźć i skomasować, a następnie skatalogować wszystkie zapasy ważne dla przeżycia: broń, żywność, narzędzia, koce, środki medyczne itp. Więzienia rzadko zajmują wysokie miejsca na listach celów szabrowników. Masz szansę znaleźć tam sporo potrzebnych rzeczy.

B. Uruchomić niezależne źródło wody pitnej. Po wyłączeniu wodociągów studnie i łapacze deszczówki bardzo się przydadzą. Zanim to nastąpi należy napełnić wodą i zakryć wszystkie możliwe zbiorniki. Woda jest niezbędna do życia, używa się jej do picia i mycia, a uprawy roślin bez podlewania na pewno się nie udadzą.

C. Ogrody warzywne i (w miarę możliwości) pola uprawne, w pierwszej kolejności pszenicy lub żyta, należy zakładać na każdej nadającej się do tego powierzchni. Oblężenie może trwać bardzo długo i być może zdołasz nawet zebrać i zjeść plony kilka razy. Wątpliwe, byś znalazł ziarna na miejscu, więc bądź gotów do podejmowania wypraw na tereny wiejskie wokół swojej twierdzy. To ryzyko, ale musisz je podjąć, gdyż rolnictwo jest na dłuższą metę jedynym środkiem zdobycia pożywienia.

D. Znajdź jakieś źródło energii. Dopóki działa sieć elektryczna, możesz mieć zapas paliwa do awaryjnych generatorów na kilka dni, może nawet tygodni. Po jego wyczerpaniu spalinowy generator można łatwo przerobić na mechaniczny, napędzany siłą mięśni. Produkcja prądu przy ich pomocy może zastąpić konieczność organizowania gimnastyki. Być może w ten sposób nie utrzymasz poziomu zasilania z czasów, gdy w sieci był prąd zewnętrzny, ale powinieneś go wyprodukować w wystarczającej ilości dla nielicznej grupy oblężonych.

E. Miej przygotowany plan na wypadek przełamania muru. Jak działać w razie wyważenia bramy? A jeśli odkryjesz powiększającą się rysę w murze lub nagle nie wiadomo skąd na podwórzu pojawi się masa żywych trupów? Nieważne jak grube i wytrzymałe są otaczające cię mury – zawsze miej w zanadrzu gotowy plan awaryjny. Wybierz najbardziej solidny budynek wewnątrz terenu chronionego na ostateczną fortecę. Póki masz czas, barykaduj go, wzmacniaj, wyposażaj i konserwuj. Pamiętaj, że w razie konieczności będzie to główne miejsce życia twojej grupy przez resztę oblężenia, więc musi dawać wam dość miejsca i możliwości przetrwania do czasu nadejścia odsieczy lub podjęcia decyzji o ucieczce.

F. Dbaj o rozrywki! Podobnie jak w przypadku oblężenia prywatnego domu, utrzymywanie dobrego nastroju jest bardzo ważne dla zachowania zdolności obronnych. Znajdź w grupie duszę towarzystwa, człowieka z naturalnymi zdolnościami do zabawiania innych i zachęć go (ją, ich) do stworzenia programu, z którym będą występować regularnie przed resztą oblężonych. Organizuj wieczory twórczości amatorskiej, konkursy indywidualne i współzawodnictwa grupowe. Muzyka, taniec, recytacja, maratony dowcipów, choćby najdurniejszych – niech dzieje się cokolwiek, niezależnie od początkowego poziomu tych działań. To się może wydawać głupie, nawet wręcz skrajnie nieodpowiedzialne: kto ma czas i głowę do myślenia o rozrywkach w sytuacji, kiedy do bramy dobijają się setki i tysiące żywych trupów. Jak to kto? Każdy, kto ma zielone pojęcie o znaczeniu morale w sytuacji kryzysowej. Kto wie o spustoszeniu psychicznym, jakie niesie ze sobą bierne przeczekiwanie oblężenia. Warto sobie uświadomić, że siedzenie w grupie roztrzęsionych, sfrustrowanych, nerwowych i przez to agresywnych ludzi może być równie niebezpieczne, jak pozostanie za bramą wśród zombie.

G. Ucz się! Każde amerykańskie więzienie ma bibliotekę. W czasie oblężenia masz aż zanadto wolnego czasu, w którym możesz czytać przydatne książki. Ucz się wszystkiego, co może być pomocne, czytaj podręczniki z zakresu medycyny, mechaniki, budownictwa, ogrodnictwa, psychoanalizy. Osadzeni uczą się w więzieniach bardzo zróżnicowanych przedmiotów i na każdym

poziomie zaawansowania. Wyszukaj w swojej grupie ekspertów z każdej dziedziny. Zorganizuj zajęcia, na których
będą przekazywać swoje umiejętności innym. Nigdy
nie wiadomo, kiedy możesz stracić swojego specjalistę
i będziesz potrzebował kogoś, kto go zastąpi. Wiedza
czerpana z więziennej biblioteki pomoże w kształceniu
kolejnych ekspertów.

3. Pełnomorskie wieże wiertnicze

Najwyższy poziom bezpieczeństwa biernego zapewniają
te sztuczne wyspy. Są całkowicie odizolowane od lądu,
z kabinami mieszkalnymi i pokładami roboczymi dziesiątki metrów nad poziomem morza, i nawet hipotetyczny
napęczniały pływający zombie nie zdoła się na nie wdrapać. Takie warunki zewnętrzne niemal zwalniają waszą
grupę od dbałości o zapewnienie bezpieczeństwa, pozwalając się skoncentrować na zagadnieniach przeżycia.

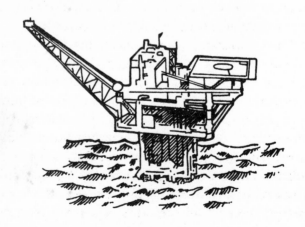

Platformy wiertnicze są zdolne przetrwać o własnych siłach, choć na krótką metę. Podobnie jak statki, mają własne wyposażenie medyczne i zapasy pożywienia. Większość jest w stanie utrzymać przy życiu załogę przez okres do 6 miesięcy bez zewnętrznych dostaw. Mają własne instalacje do odsalania wody morskiej, co zwalnia mieszkańców z troski o słodką wodę. Ich generatory elektryczne zasilające odsalanie pracują na surowej ropie lub gazie, wydobywanym przez samą platformę, więc zapasy energii są praktycznie niewyczerpane.

Ocean jest pełen życia i dostarcza wszelkich niezbędnych składników diety (niektórzy twierdzą nawet, że dużo zdrowszych niż suchy ląd), a mianowicie ryb, wodorostów i ssaków morskich. Jeżeli platforma nie jest ustawiona na wodach przybrzeżnych, to ryzyko zanieczyszczeń przemysłowych jest znikome. Ludzie mogą żyć z bogactwa oceanu przez całe pokolenia, i to przecież robią w wielu stronach świata.

To kompletne odcięcie od świata, jakkolwiek w warunkach wybuchu epidemii zombizmu może brzmieć dość atrakcyjnie, stwarza jednak pewne problemy.

Każdy mieszkający nad morzem zdaje sobie doskonale sprawę z tego, jak korozyjnym czynnikiem jest sól zawarta w wodzie morskiej. Korozja metali będzie twoim wrogiem numer 1 i w końcu, choćbyś się nie wiem jak starał, pokona cię. Urządzenia platformy można naprawić. Kiedy korozja zeżre skomplikowane urządzenia instalacji do odsalania wody, zawsze można je zastąpić stalowymi kotłami i miedzianymi rurkami, choćby klepanymi ręcznie na miejscu. Wiatrowe lub pływowe elektrownie mogą zastąpić połowę prądu dostarczanego przez generatory spalinowe. Elektronika, zwłaszcza komputery, sprzęt medyczny i łączności, poddadzą się pierwsze i będą najtrudniejsze do zastąpienia. W końcu, po latach, korozja zamieni całą ultranowoczesną platformę wydobywczą w zardzewiałe, rozpadające się złomowisko, ale zazwyczaj nadal nadające się zamieszkania i obrony.

W odróżnieniu od więzień i baz wojskowych, platformy wiertnicze mogą zostać opuszczone w pierwszej kolejności. W ciągu kilku dni po wybuchu epidemii robotnicy zażądają zapewne ewakuacji, by zająć się rodzinami, co pozostawi większość platform bez wyspecjalizowanej obsługi. Jeśli nikt w twojej grupie nie będzie ich umiał zastąpić, kłopoty zaczną się szybciej – bezwzględnie musicie zacząć uczyć się obsługi urządzeń. Platforma to nie więzienie, tu może nie być biblioteki zaopatrzonej we wszystkie możliwe podręczniki świata. Będziecie potrzebowali sporo kreatywnej improwizacji i ograniczenia się do tego, co uda się znaleźć, dopóki nie opanujecie sztuki obsługi wszystkich skomplikowanych urządzeń zaawansowanej technicznie platformy.

Kolejnym zagrożeniem są wypadki przy pracy, które, nie mówiąc o awariach przemysłowych, są już wystarczająco groźne na lądzie. Awarie na platformach wiertniczych skończyły się w ubiegłym stuleciu kilkoma najtragiczniejszymi w skutkach katastrofami przemysłowymi. Nawet w doskonale funkcjonującym świecie żywych ludzi, przy pełnej dostępności najskuteczniejszych urządzeń pożarniczych i ratowniczych, pożary na platformach wydobywczych często kończyły się śmiercią całych załóg. A co będzie, gdy pożar wybuchnie, a w świecie pochłoniętym walką z epidemią nie będzie komu przyjść na ratunek? To poważne zagrożenie, ale błędem było-by widzenie platform jedynie przez pryzmat tykających bomb zegarowych, których nie unikają jedynie idioci. Najlepiej, na wszelki wypadek, po opanowaniu platformy przerwać wydobycie. Pozbawi to was głównego źródła zaopatrzenia w paliwo, ale znacznie ograniczy ryzyko. Na początku zużyjcie zgromadzony zapas paliwa – może będziecie mieli mniej prądu, ale odłączenie pomp i innych urządzeń sprawi, że na zwykłe przeżycie będzie go aż zanadto.

Ocean jest niewyczerpanym źródłem życia, ale bywa też bezlitosnym zabójcą. Sztormy uderzające z siłą rzadko widywaną na lądzie, są w stanie zniszczyć nawet najsolidniejszą platformę wiertniczą. Telewizyjne zdjęcia wież z Morza Północnego, dosłownie pływających brzuchem do góry, rozpadających się i tonących to aż nadto, by każdego zmusić do powtórnego zastanowienia się nad opuszczeniem lądu. Niestety, na tę siłę człowiek nic nie jest w stanie zaradzić. Nic, co można znaleźć w tej, czy jakiejkolwiek innej książce nie pomoże, gdy natura postanowi zetrzeć ów mały stalowy pieg z oblicza oceanu.

4 UCIECZKA

„Film z Lawson" to kręcony amatorską ósemką zapis próby ucieczki pięciu ludzi przed atakiem zombie w Lawson, w Montanie, w roku 1965. Ziarnisty, kręcony trzęsącą się ręką, pozbawiony dźwięku obraz przedstawia grupę biegnącą do autobusu szkolnego, początkowo niezborne próby odpalenia silnika i usiłowanie ucieczki, zakończone wpadnięciem na blokujące drogę rozbite samochody, zaledwie dwie przecznice dalej. Uciekinierzy, po nieudanej próbie taranowania przeszkody, wycofali autobus, by ją powtórzyć, lecz z kolei uderzyli tyłem w róg budynku i złamali tylną oś. Dwoje uczestników grupy wybiło przednie okno i próbowało uciekać dalej na piechotę. Operator kamery nakręcił przerażającą scenę, gdy sześciu zombie pochwyciło i pożarło uciekającego mężczyznę. Korzystając z tragicznego końca kolegi, kobieta zdołała zniknąć za rogiem. Chwilę później grupa siedmiu zombie otoczyła autobus. Na szczęście nie zdołali go przewrócić ani rozbić okien w bocznych drzwiach. Zaraz potem, po kilku minutach, taśma się kończy i nie wiadomo co się stało dalej. Autobus odnaleziono później z drzwiami wbitymi do środka i wnętrzem zbryzganym zakrzepłą krwią.

W czasie wybuchu epidemii może się okazać konieczna ucieczka z terenu objętego zarazą. Być może dojdzie do przełamania obrony, być może skończą ci się zapasy. Możesz odnieść ranę lub zachorować na coś, co wymaga pomocy lekarskiej, której sam nie będziesz sobie w stanie udzielić. Być może zmusi cię do tego pożar, nadchodzące skażenie chemiczne czy promieniotwórcze. Pokonywanie terenu objętego zarazą to najniebezpieczniejszy wybór, przed jakim możesz stanąć. W trakcie tej drogi nigdy nie będziesz spokojny, nigdy nie będziesz bezpieczny. Czas spędzony na wrogim terytorium, gdy każda sekunda może przynieść zagładę, nauczy cię, co to znaczy być zwierzyną łowną.

ZASADY OGÓLNE

1. Nadrzędny cel

Bardzo często ludzie, którzy spędzili wiele czasu w zamknięciu, po wyrwaniu z niego dają się zwieść pozornej wolności pierwszych chwil po opuszczeniu schronienia. Większość z nich nigdy nie dociera na bezpieczne tereny. Uważaj, by i ciebie to nie spotkało. Twoim celem ma być ucieczka – tylko tyle i aż tyle. Nie trać czasu na szaber. Nie poluj na napotkanego umarlaka. Nie sprawdzaj podejrzanych odgłosów, świateł czy ruchów w oddali. Masz uciekać, to uciekaj. Każda strata czasu, każda przerwa, każde danie upustu ciekawości okazanej nie w porę, zwiększa szansę na to, że zostaniesz odnaleziony i zjedzony. Jeśli jednak natkniesz się na ludzi potrzebujących pomocy, to udziel jej. Czasem nawet logika musi ustąpić przed ludzkimi odruchami.

2. Wiedz, dokąd zmierzasz

Dokąd konkretnie chcesz uciekać? Bardzo często zdarza się, że ludzie porzucali bezpieczne schronienie, by potem bezradnie błąkać się bez celu po terytorium opanowanym przez żywe trupy. Bez zawczasu wyznaczonego celu ucieczki szanse na przeżycie takiej podróży są bardzo małe. Korzystaj z nasłuchu radiowego, by na bieżąco poznać rozmieszczenie najbliższych bezpiecznych stref. Jeśli możesz i masz taką możliwość, spróbuj nawiązać łączność, by się upewnić, że twój cel jest naprawdę bezpieczny. Zawsze planuj z wyprzedzeniem i miej gotowy plan alarmowy na wypadek, gdyby obrona twojego pierwotnego celu podróży upadła, zanim tam dojdziesz. Bez potwierdzenia i bieżącej łączności może się okazać, że u wymarzonego celu podróży zamiast bezpieczeństwa czeka wataha głodnych żywych trupów.

3. Zbieraj wiadomości
   i dokładnie planuj wyprawę

Jak wielu umarlaków znajduje się między tobą a celem podróży? Na jakie naturalne przeszkody natkniesz się po drodze? Czy w pobliżu zdarzyły się jakieś niebezpieczne wypadki, np. pożary lub wycieki chemikaliów? Które drogi prowadzące do celu podróży są najbezpieczniejsze? Które najbardziej niebezpieczne? Które z nich zablokowano od czasu wybuchu zarazy? Czy pogoda może stanowić problem? Czy po drodze jest możliwość zdobycia czegoś, co będzie potrzebne do przetrwania? Czy te rzeczy nadal tam się znajdują? Co chciałbyś jeszcze wiedzieć przed wyruszeniem w drogę? Oczywiście, zebranie odpowiedzi na te wszystkie pytania może być trudne, gdy przebywasz w zamknięciu. Możesz nie wiedzieć, jaka jest szacunkowa liczebność zombie w okolicy, przez którą wiedzie twoja droga, czy nadal stoją mosty, którymi masz zamiar się przeprawiać, czy w porcie zostały jakieś łodzie. Przynajmniej staraj się poznać teren, przez który prowadzić cię będzie droga. Różne rzeczy mogły ulec zmianie od chwili wybuchu epidemii, ale ukształtowanie terenu na pewno nie. Postaraj się wyznaczać mety dziennych etapów (odcinków) wyznaczonych do przejścia w miejscach, które, jak przynajmniej wynika z mapy, mogą być w miarę zdatne do obrony, ułatwiać ukrycie się i zapewnić kilka alternatywnych dróg ewakuacji. Przebieg trasy może wymagać zabrania jakiegoś niezbędnego do jej pokonania sprzętu, na przykład liny wspinaczkowej. A może trzeba będzie zabrać więcej wody, skoro na trasie nie ma naturalnych źródeł?

Po zebraniu i potwierdzeniu wszystkich dostępnych informacji zastanów się nad tym, czego brakuje i przygotuj plany alternatywne uwzględniające różne sytuacje wynikające z faktów, które możesz poznać po drodze. Co czynić, jeśli pożar lub skażenie odetnie wybraną drogę? Jak zmodyfikować trasę, jeśli przekonasz się, że w okolicy jest znacznie więcej zombie, niż zakładałeś? A jeśli członek ekipy zostanie ranny? Rozważaj wszystkie możliwości i postaraj się jak najlepiej do nich przygotować. A jeśli ktoś powie: „A co tu kombinować?! Po prostu chodźmy wreszcie, do diabła, i jakoś to będzie!", to wręcz mu pistolet z jednym nabojem i poinformuj, że to prostszy sposób popełnienia samobójstwa.

4. Utrzymuj sprawność fizyczną

Jeśli dokładnie wypełniałeś poprzednie zalecenia, twoje ciało powinno być już gotowe do długiej drogi. Jeśli nie, najwyższy czas wdrożyć się w ścisły reżim ćwiczeń poprawiających krążenie i wydolność. A jeżeli nie ma na to czasu, wybieraj drogę odpowiednią do twoich możliwości.

5. Unikaj podróżowania w dużych grupach

Liczebność pomaga w obronie, ale przy przedzieraniu się przez wrogie terytorium jest dokładnie odwrotnie – im większa grupa, tym większe zagrożenie wykryciem. Nawet przy zachowaniu ścisłej dyscypliny prawdopodobieństwo wypadków rośnie. Większa grupa ogranicza ruchliwość, bo wszyscy muszą się dostosować do prędkości marszu najwolniejszego piechura. Oczywiście samotne przemieszczanie się w terenie też nie jest rozwiązaniem idealnym. W trakcie podróżowania w pojedynkę cierpi zdolność rozpoznania, zapewnienia sobie bezpieczeństwa, no i oczywiście zaistnieją problemy wywołane przez biologiczną konieczność snu. Najbardziej sensowne zdaje się być podróżowanie w grupie trzech osób. Nad grupą liczącą od czterech do dziesięciu członków jeszcze można zapanować, ale każda osoba więcej to już proszenie się o kłopoty. Trzech członków grupy potrafi się obronić nawzajem w trakcie walki wręcz, zapewnia równy podział nocnych wart, a w razie choroby lub zranienia dwóch członków grupy może przez krótki czas nieść trzeciego.

6. Dbaj o wyszkolenie swojej grupy

Poznaj umiejętności członków swojej grupy i rób z nich właściwy użytek. Kto może unieść najwięcej bagażu? Kto najszybciej biega? Kto najciszej walczy wręcz? Wyznacz indywidualne zadania zarówno na wypadek starcia, jak i do zwykłego codziennego przetrwania. Gdy wyruszycie, każdy członek wyprawy powinien wiedzieć, czego się od niego oczekuje. Bardzo wskazana jest także umiejętność pracy zespołowej. Ćwiczcie zawczasu zarówno elementy walki, jak i czynności niezbędne do przetrwania. Na przykład zmierzcie, ile czasu zajmuje spakowanie ekwipunku i opuszczenie obozowiska w razie ataku zombie i starajcie się skrócić ten czas do minimum, bo ten czynnik zadecyduje, czy przeżyjecie. Idealnie zgrana grupa powinna maszerować, działać – a w razie potrzeby także zabijać – jak jeden mąż.

7. Pozostawaj w ruchu

Jeśli twoja obecność zostanie wykryta, zombie nadciągną ze wszystkich stron. To ruchliwość, a nie siła ognia, jest twoją największą bronią. Bądź zawsze gotów do natychmiastowej ucieczki. Nigdy nie zabieraj więcej rzeczy, niż jesteś w stanie unieść w biegu. Nigdy nie wypakowuj całego ekwipunku na raz. Nigdy nie zdejmuj butów, zanim nie upewnicie się, że miejsce jest bezpieczne! Pilnuj tempa. Sprint pozwala szybciej uciekać, ale równie szybko drenuje zapas sił, więc szybki bieg to ostateczność. Rób często krótkie przerwy. W czasie przerw nie rozsiadaj się zbyt wygodnie. Pamiętaj o ćwiczeniach rozciągających w trakcie odpoczynku. Nie podejmuj niepotrzebnego ryzyka. Wspinaczki, skoków i wszelkich działań mogących doprowadzić do zranienia lub kontuzji należy unikać, jeśli nie są niezbędne. Na terenie opanowanym przez zombie skręcona kostka to ostatnie, czego ci potrzeba.

8. Kryj się!

Zdolność znikania w terenie jest równie ważnym sojusznikiem jak szybkość. Podobnie jak mysz pełznąca przez gniazdo węży powinieneś podjąć wszelkie działania, które utrudnią wykrycie twojej obecności. W marszu wyłącz radio i wszelkie urządzenia elektroniczne. Jeśli nosisz zegarek elektroniczny, upewnij się, że wyłączyłeś budzik. Zamocuj wszelkie elementy ekwipunku noszone na zewnątrz plecaka lub przy pasie w ten sposób, by nic nie dzwoniło w drodze. W miarę możliwości staraj się utrzymywać wysoki poziom płynu w manierce, by uniknąć chlupotania cieczy. Nie rozmawiaj w drodze, a do komunikowania się z innymi członkami grupy używaj szeptu lub sygnałów ręcznych. Trzymaj się terenu zapewniającego dobrą ochronę przed wykryciem. Przez otwarty teren przechodź tylko w razie konieczności. W nocy nie używaj latarki, ognia i w ogóle jakichkolwiek źródeł światła. Będziesz mógł się poruszać jedynie w dzień, a twoja dieta ograniczy się do zimnego prowiantu, ale dla przetrwania trzeba czasem iść na ustępstwa. Badania dowodzą, że zombie z nietkniętymi oczyma widzi w nocy ognik papierosa z odległości kilkuset metrów. Nie wiadomo, czy zainteresuje go on na tyle, by chciał się przekonać co to takiego, ale po co ryzykować?

Nie wszczynaj walki bez potrzeby. Opóźnienia w marszu spowodowane potyczkami pozwolą dotrzeć na miejsce walki większej liczbie zombie. Nieraz zdarzało się, że człowiek zatrzymujący się dla wykończenia jednego zombie bywał otoczony przez tuzin lub więcej umarlaków. Jeśli walka jest nieunikniona, broni palnej używaj jedynie w ostatecznej konieczności. Każdy strzał to jak sygnał rakietą – „Tu jestem, ju-huuu!". Huk ściągnie wszystkie zombie w promieniu wielu kilometrów. Jeśli nie dysponujesz szybkim i godnym zaufania środkiem ucieczki albo tłumikiem, polegaj na broni białej. W przeciwnym razie lepiej żebyś miał zaplanowaną i sprawdzoną drogę ucieczki, zanim pociągniesz za spust.

9. Patrz i słuchaj

Unikanie zagrożeń to nie tylko maskowanie w terenie, ale i możliwość wczesnego wykrywania zagrożeń. Wypatruj każdego ruchu. Nie ignoruj cieni ani odległych człekokształtnych sylwetek. W czasie przerw i w marszu staraj się nasłuchiwać odgłosów otoczenia. Słyszysz kroki? Może odgłos drapania? Co to było ten jęk z oddali? Zombie czy tylko wiatr? Ten wymóg ciągłej czujności może łatwo doprowadzić do paranoi, wypatrywania zombie za każdym rogiem i drzewem. Czy to źle? Zwykle tak, ale nie w tym przypadku. Tu przekonanie, że każdy wokół chce cię zjeść to nie paranoja, lecz smutna rzeczywistość.

10. Śpij!

Ty (lub twoja grupa) jesteś zupełnie sam, próbujesz zachować ciszę i czujność. Zombie mogą być wszędzie i nigdzie, kryć się i polować na ciebie. W każdej chwili można się ich spodziewać dziesiątkami, jeśli nie setkami, a odsiecz może być daleko. Gdzie w tym wszystkim czas na sen? Znajdź go, jakkolwiek dziwnie czy nieprawdopodobnie może to zabrzmieć. Znajdź, bo od tego zależy twoje przetrwanie. Bez odpoczynku mięśnie flaczeją, zmysły tępieją, każda upływająca godzina osłabia twoją zdolność do działania. Wielu głupców zakładało, że nabuzowani kofeiną zdołają „przewalczyć" czas podróży. Gdy zdawali sobie sprawę z tego, że to po prostu niemożliwe, zwykle było już dla nich za późno. Zaletą ograniczenia marszu do dnia jest to, że przez kilka godzin i tak nie wyruszysz z miejsca, w które zaszedłeś. Zamiast więc wyklinać na ciemność, staraj się zrobić z niej użytek. Podróżowanie w grupie w odróżnieniu od podróży samotnej pozwala na bezpieczny sen, w czasie gdy twoi towarzysze trzymają wartę. Oczywiście, nawet pod czujnym okiem kolegów można mieć kłopoty z zaśnięciem. Zwalcz pokusę sięgnięcia po pigułki nasenne. Ich działanie sprawi, że padniesz jak ścięty, ale w razie nocnego ataku zombie będziesz niezdolny do działania. Jeśli masz problemy z zaśnięciem, lepiej zdaj się na medytację – na bezsenność w czasie przedzierania się przez zakażony teren nie ma łatwych recept.

11. Unikaj sygnalizacji wizualnej

Widok samolotu może cię skłonić do próby zwrócenia uwagi pilota: strzelania w górę, odpalania świec dymnych, pochodni sygnałowych czy jakichś innych bardziej dramatycznych działań. Być może zwrócisz uwagę pilota, który zamelduje przez radio, że należy wysłać śmigłowiec lub naziemną ekipę ratunkową po zauważonego człowieka. Jednak na pewno takie działanie zaalarmuje wszystkie zombie w okolicy. Jeśli śmigłowiec ratowniczy nie operuje w odległości zaledwie paru minut lotu, umarlacy będą pierwsi. Jeśli w pobliżu nie ma miejsca do lądowania dla zauważonego samolotu czy śmigłowca, nie próbuj zwracać uwagi ich pilotów na siebie sygnałami widzialnymi z daleka. Spróbuj nawiązać łączność radiową lub użyć lusterka do sygnalizacji morsem. Jeśli nie masz pod ręką żadnego z tych środków łączności, po prostu idź dalej.

12. Unikaj miast

Niezależnie od tego jak duże lub małe są twoje szanse na przeżycie podróży przez tereny dotknięte zarazą, wejście do miasta zredukuje je do połowy lub nawet jednej trzeciej. Zasada jest prosta: im więcej ludzi zamieszkuje dany teren, tym więcej spotkasz tam zombie. Im więcej budynków, tym więcej szans na zasadzkę. Budynki ograniczają pole obserwacji. Twarde nawierzchnie nie tłumią kroków. Do tego na każdym kroku, o ile nie będziesz patrzył pod nogi, możesz się o coś potknąć, coś potrącić, nastąpić na potłuczone szkło, więc twoja wędrówka może stać się bardzo hałaśliwa.

Przebywanie w terenie zabudowanym znacznie podnosi ryzyko znalezienia się w pułapce, zapędzenia w ślepy zaułek, okrążenia, wpadnięcia w zasadzkę. Miasto stanowi znacznie większe zagrożenie niż dzikie ostępy.

I to nie tylko ze względu na zombie, gdyż mogą tam na nas czyhać także inne zagrożenia. Jeśli w mieście przeżyli inni ludzie lub dotarli tam łowcy zombie, możesz zostać ostrzelany – albo wzięty pomyłkowo za zombie, albo jako niepożądany konkurent. Do tego dodaj zagrożenie pożarowe na skutek wypadków lub celowego podpalenia przez łowców zombie. Nie zapominaj o zagrożeniu skażeniem chemicznym, trującym dymie i innych szkodliwych pozostałościach po walkach ulicznych. A choroby? W ruinach leży mnóstwo zwłok ludzi i zneutralizowanych umarlaków, którymi nikt nie miał możliwości ani chęci się zająć. Chorobotwórcze mikroorganizmy, które na nich żerują, mogą się roznosić z wiatrem, powodując zagrożenie dla życia nieraz większe niż sam zombizm. Jeśli nie masz ważnego powodu, by wchodzić do miasta (w rodzaju ekspedycji ratunkowej lub braku innej możliwości pokonania przeszkody terenowej, a nie niskiej chęci szybkiego szaberku) – za wszelką cenę trzymaj się z daleka od terenów zurbanizowanych!

Wyposażenie

Unikanie nadmiernego obciążenia ma decydujące znaczenie dla twojego bezpieczeństwa w podróży. Przed zapakowaniem czegokolwiek należy sobie zadać pytanie: „Czy ja naprawdę tego potrzebuję?". Po zgromadzeniu wszystkiego należy usiąść nad listą zabranych rzeczy i zastanowić się raz jeszcze. Minimalizacja obciążenia nie oznacza oczywiście, że należy jedynie zapakować czterdziestkę piątkę do kabury, wrzucić w kieszenie trochę suszonego mięsa i butelkę wody, a następnie wyruszać w drogę. Zabrany sprzęt może się okazać bardzo potrzebny i to nawet bardziej niż w czasie oblężenia, gdy przebywamy w miejscu (domu, szkole, więzieniu), w którym zapasów jest pod dostatkiem. Będziesz miał ze sobą tylko to, co zabierzesz – swój własny szpital, magazyn, zbrojownię. Poniżej zamieszczono listę standardowego wyposażenia, którego będziesz potrzebował, jeśli myślisz o udanej ucieczce. To lista uniwersalna, na każdy klimat i teren. Jeśli warunki naturalne tego wymagają, należy go uzupełnić o sprzęt niezbędny w danym miejscu i porze roku: narty, krem z filtrem przeciwsłonecznym, moskitierę itp.

- plecak
- solidne buty typu trekingowego (rozchodzone!)
- dwie pary skarpet
- litrowa manierka z szeroką szyjką
- tabletki do odkażania wody*
- wiatro- i wodoodporne zapałki
- bandana
- mapa**
- kompas**
- mała latarka na baterię LR3 (AAA) z powlekanym szkiełkiem
- poncho
- małe lusterko sygnalizacyjne
- materac lub śpiwór (oba naraz zajmą zbyt dużo miejsca)

- okulary przeciwsłoneczne (szkła polaryzacyjne)
- mała apteczka*
- scyzoryk lub nóż narzędziowy
- ręczne radio ze słuchawkami**
- nóż
- lornetka**
- broń zasadnicza (najlepiej karabin samopowtarzalny)
- 50 nabojów do broni zasadniczej (30 na osobę, jeśli w grupie)
- zestaw do czyszczenia broni**
- broń zapasowa (najlepiej pistolet na nabój bocznego zapłonu .22 LR)*
- 25 nabojów do broni zapasowej*
- broń biała (najlepiej maczeta)
- race sygnałowe**

* nie są konieczne w grupie
** zabiera jedna osoba w grupie

Poza tym grupa powinna przenosić:
- cichą broń balistyczną (kusza lub broń palna z tłumikiem)
- amunicję do niej (bełty, naboje) w ilości wystarczającej do oddania 15 skutecznych strzałów – jeśli jest to amunicja niestandardowa
- celownik optyczny
- średnią apteczkę
- radiostację nadawczo-odbiorczą ze słuchawkami
- łom (jako narzędzie i zapasowa broń)
- pompkę z filtrem do uzdatniania wody

Po zgromadzeniu sprzętu upewnij się, że wszystko działa. Próbuj wielokrotnie w różnych odstępach czasu. Ponoś spakowany plecak na próbę przez cały dzień. Jeśli jest za ciężki, by z nim wytrzymać w twoim ukryciu, to wyobraź sobie, jak będziesz się czuł po całodziennym forsownym marszu. Części problemów z masą można uniknąć, łącząc przedmioty – np. część przenośnych radioodbiorników zaopatrzona jest w latarkę, a niektóre noże survivalowe mają wbudowany kompas. Tę filozofię oszczędności miejsca stosuj także do broni. Tłumik do głównej broni oszczędza konieczność noszenia dodatkowej broni wytłumionej w rodzaju kuszy i bełtów do niej. Noszenie plecaka przez cały dzień da ci też pojęcie o tym, gdzie może on obcierać lub ugniatać, czy uprząż wymaga dostosowania oraz jak najlepiej rozmieścić i zamocować dodatkowe oporządzenie.

POJAZDY

Po co iść, skoro można jechać? Amerykanie zawsze mieli obsesję na punkcie zastępowania pracy ludzkich mięśni maszynami. We wszystkich dziedzinach życia przemysł bez końca podsuwa wciąż nowe i lepsze maszyny pozwalające ludziom wykonywać codzienne obowiązki łatwiej, szybciej, bardziej wydajnie. Naczelnym bogiem amerykańskiej technoreligii jest samochód. Bez względu na wiek, płeć, rasę, stan finansów i miejsce zamieszkania wmawia się nam, że ta wszechmogąca maszyna we wszystkich swoich wymyślnych formach spełni każdy nasz sen. Czy to się zmieni w czasie ataku zombie? Dlaczego nie skorzystać z niej, by jak najszybciej podróżować przez tereny ogarnięte zarazą? Przecież samochód może w ciągu godzin przebyć dystans, który na piechotę pokonamy w ciągu tygodni marszu! Odpadnie problem masy ekwipunku. A jeśli jakiś zombie stanie nam na drodze, to po prostu rozjedziemy drania! To na pewno poważne zalety, ale ten kij ma dwa końce i samochód powoduje nie mniej liczne i nie mniej poważne problemy.

Na przykład weźmy zużycie paliwa. Raczej nie należy liczyć na to, że uda się znaleźć odpowiednią liczbę działających stacji benzynowych, a te do których dotrzemy, mogą już nie mieć benzyny. Nawet jeśli przewidzisz wszystko i zabierzesz ze sobą odpowiedni zapas paliwa do przebycia zakładanej drogi, to co potem?

Skąd będziesz z góry wiedział, która droga zaprowadzi cię w bezpieczne miejsce? A przede wszystkim, skąd będziesz wiedział, która droga jest bezpieczna? Studia prowadzone po lokalnych wybuchach epidemii w Ameryce Północnej dowiodły, że większość dróg zostanie zablokowana unieruchomionymi w olbrzymich korkach porzuconymi samochodami. Dodatkową przeszkodą będą mosty i wiadukty wysadzone w złudnej nadziei na powstrzymanie w ten sposób zarazy, a także skalne osuwiska i barykady, zza których broniono się do ostatka. Jazda pojazdami terenowymi niesie nie mniejsze wyzwania (patrz „Typy terenu" w tym rozdziale, str. 183–194). Przedzieranie się na oślep przez pola, w poszukiwaniu otwartej drogi na wolne od zarazy tereny to najlepszy sposób na zużycie resztek paliwa. Nieraz już znajdowano w środku głuszy opustoszałe samochody z opróżnionymi zbiornikami paliwa i pustymi, zalanymi krwią kabinami.

Poza tym samochód może się zepsuć. Większość kierowców z państw rozwiniętych, wybierając się do krajów rozwijających się, ciągnie ze sobą pełny zestaw części zamiennych. Samochód to jedna z najbardziej skomplikowanych maszyn obecnych w codziennym życiu człowieka. Na kiepskich drogach, bez właściwej obsługi, ten cud techniki szybko zmienia się w kupę bezużytecznego złomu.

No a poza tym silnik hałasuje. Jazda z rykiem silnika przez teren pełen umarlaków to może być całkiem pociągająca wizja, póki wszystko działa. Każdy silnik, choćby nie wiem jak dobry i wyposażony w choćby najskuteczniejszy tłumik, powoduje większy hałas niż cichcem przemykający człowiek. Jeśli z jakiegokolwiek powodu twój samochód nie może jechać dalej, to łap spakowany plecak i w nogi! Jego silnik zaalarmował już o twoim pojawieniu się wszystkie zombie w okolicy. Skoro straciłeś możliwość dalszej jazdy, szukaj szczęścia w szybkich nogach.

Zdaję sobie sprawę, że pokusa zmotoryzowanej ucieczki mimo tych wszystkich uwag może być nie do odparcia. Dla tych, którzy nie potrafią jej zwalczyć, zamieszczam poniżej kilka uwag na temat wyboru odpowiedniego pojazdu, ukazujących zalety i wady typowych pojazdów.

1. Samochód osobowy

Najczęściej występujący i najpopularniejszy typ prywatnego pojazdu silnikowego. Produkowany w tysiącach odmian, co bardzo utrudnia snucie ogólnych rozważań

nad ich zaletami i wadami. Wybierając samochód, należy zwracać uwagę na zużycie paliwa, pojemność bagażnika i wytrzymałość. Jeśli samochód osobowy ma jakąś powszechną wadę, to jest nią brak zdolności terenowych. Jak powiedziano powyżej, większość dróg będzie zablokowana lub zniszczona. Wyobraź sobie, jak twój samochód będzie się zachowywał, jadąc na przełaj polami. Dodaj śnieg, błoto, kamienie, pieńki, kanały irygacyjne, przywalony śniegiem złom. To wszystko sprawia, że tego typu pojazdem daleko nie ujedziesz. Widok porzuconych lub unieruchomionych samochodów osobowych na terenach objętych wybuchem zarazy nie jest niczym szczególnym.

2. SUV

Burzliwy rozwój gospodarki, połączony z podażą bardzo tanich paliw, spowodował w latach 90. wysyp tych samochodów-potworów, żywcem przeniesionych ze złotej ery przemysłu samochodowego lat 50., gdy „większe" zawsze znaczyło „lepsze". Na pierwszy rzut oka pojazdy te wydają się być idealnym narzędziem ucieczki. Zdolnością pokonywania terenu dorównują pojazdom wojskowym, ale zapewniają komfort podróżowania równy samochodom osobowym; czyż można znaleźć coś lepszego, gdy przychodzi uciekać przed żywymi trupami? Odpowiedź: oczywiście, że można i to sporo. Większość SUV tylko wygląda jak samochody terenowe. Powstawały z myślą o użytkowniku zadającym szyku po uliczkach osiedli na przedmieściach. Czyż jednak SUV nie są bezpieczne? Czyż ich wielka masa nie zapewnia większej ochrony pasażerom? I znowu odpowiedź brzmi: nie. Liczne studia organizacji konsumenckich dowiodły ponad wszelką wątpliwość, że standard bezpieczeństwa drogowego oferowany przez SUV kształtuje się poniżej poziomu przeciętnych samochodów osobowych średnich rozmiarów. Mimo to, niektóre z tych pojazdów naprawdę są w stanie spełnić oczekiwania nabywców – o ile potrzebują oni niezawodnego, wytrzymałego konia roboczego, który będzie się dobrze sprawował nawet w ekstremalnie trudnych warunkach. Takie pojazdy nie mają zwykle aluminiowych felg, skórzanej tapicerki, ekranów ciekłokrystalicznych i sprzętu grającego za sto kawałków. Decydując się na SUV, dokładnie zapoznaj się z tematem, żebyś mógł oddzielić ziarno od plew i wybrać właśnie taki model, który sprawdzi się w ekstremalnych warunkach, a nie żłopiący benzynę wiadrami, przestylizowany śmieć do zadawania szyku, którego jedyną wartością jest nieodpowiedzialna, czysto marketingowa gadka szmatka.

3. Ciężarówki

Do tej kategorii zaliczam wszelkiego typu średnie pojazdy drogowe od furgonetek przez samochody dostawcze, po pojazdy kempingowe. Duże zużycie paliwa, słabe zdolności terenowe (choć bywają wyjątki), pudełkowate kształty i znaczne rozmiary sprawiają, że decydując się na taki samochód, dokonujesz zdecydowanie złego wyboru. W wielu przypadkach ciężarówkom zdarzało się utykać zarówno w miastach, jak i poza nimi, a nieszczęśni pasażerowie szybko zamieniali się w porcje puszkowanego mięsa dla zombie.

4. Autobusy

Podobnie jak w poprzednim przypadku, te wielkie pojazdy stanowią dla kierowców i pasażerów zagrożenie większe niż dla umarlaków. Prowadząc autobus, zapomnij o manewrowości, prędkości, ekonomicznym spalaniu, zdolnościach terenowych, czy jakichkolwiek innych możliwościach pojazdu pomocnych w ucieczce z terenu objętego epidemią. Autobus ich po prostu nie ma. Jak na ironię, pojazd ten jest bezużyteczny jako środek ucieczki, ale stanowi doskonałe miejsce do obrony. Już dwukrotnie grupy łowców zombie używały okratowanych policyjnych autobusów dla grup interwencyjnych jako samobieżnych fortec do walki z umarlakami. Jeśli jednak nie planujesz użycia autobusów w taki sposób, trzymaj się od nich z daleka.

5. Furgonetki bankowe

Cywilny odpowiednik czołgu (czy raczej bojowego wozu piechoty), czyli opancerzony furgon do przewozu pieniędzy nie jest powszechnie spotykanym pojazdem. O ile nie jesteś pracownikiem banku lub firmy ochroniarskiej wyspecjalizowanej w służbie konwojowej, musisz mieć ogromne szczęście, żeby kiedykolwiek mieć możliwość posłużenia się tego rodzaju pojazdem. Furgonetki bankowe z racji wielkiej masy mają ogromne spalanie i nie są w stanie poruszać się w terenie, lecz w czasie ucieczki z rejonu zarazy oferują wiele zalet, których nie mają inne typy pojazdów. Gruby pancerz skutecznie chroni kierowcę. Nawet jeśli w końcu się zepsują lub zużyją zapas paliwa, to pod warunkiem zgromadzenia odpowiednich zapasów, mogą jeszcze długo służyć jako bezpieczne schronienie. Nawet najliczniejsza i najbardziej zajadła horda zombie nie będzie w stanie przegryźć pancernej blachy zdolnej zatrzymać większość pocisków karabinowych!

6. Motocykl

Zdecydowanie najlep-
szy pojazd do ucieczki
z terenu zarazy. Motocy-
kle – zwłaszcza terenowe
modele crossowe – mogą
dotrzeć w miejsca, gdzie
żaden dwuśladowy pojazd nie dojedzie. Ich prędkość
i manewrowość pozwala w miarę bezpiecznie przedrzeć
się nawet przez środek watahy zombie. Po wyczerpaniu
paliwa niewielka masa motocykli pozwala je pchać przez
wiele kilometrów bez nadmiernego zmęczenia. Oczywiście one także nie są wolne od wad. Dzisiejsze motocykle
mają niewielkie zbiorniki paliwa i nie zapewniają moto-
cyklistom żadnej ochrony. Statystyki dowodzą jednak,
że to różnica iluzoryczna. W porównaniu z kierowcami
samochodów szanse motocyklistów na ocalenie mają się
jak 23 do 1! Inwazja żywych trupów nie zwalnia jednak
od troski o normalne bezpieczeństwo na drogach, a te
same statystyki pokazują, że 31% uciekających motocyklistów ginie w zwykłych wypadkach drogowych. Bez-
myślni lub zadufani w swoje umiejętności motocykliści
mogą zginąć równie łatwo w wypadku, co w szczękach
zombie.

7. Dodatkowe wyposażenie pojazdu

- łatki do naprawy ogumienia
- pompka do opon

- zapas paliwa (zabierać maksymalną ilość jaka zmieści się we wnętrzu i na zewnątrz pojazdu)
- zapas części (ograniczony możliwościami ładowności pojazdu)
- radio CB
- instrukcja
- zestaw naprawczy (kable do zapalania silnika z cudzego akumulatora, podnośnik, narzędzia etc.)

8. Inne środki transportu drogowego

A. Koń

Nikt nie zaprzeczy, że konie jako środek ucieczki na wypadek zarazy mają wiele oczywistych zalet. Koń nie potrzebuje stacji benzynowych. „Dodatkowe wyposażenie pojazdu" ogranicza się do derki, worka na obrok i zestawu podstawowych środków weterynaryjnych. Koń przewyższa zdolnością pokonywania terenu każdy samochód, a do stawiania czterech kopyt nie potrzeba żadnej drogi.

Zanim powstał samochód przez stulecia wszelki transport korzystał z tych silnych, szybkich i wytrzymałych zwierząt pociągowych – zresztą sama nazwa „samochód" wskazuje, że jest to pojazd, który „chodzi sam", czyli bez końskiego zaprzęgu. Zanim jednak osiodłasz rumaka i zepniesz go ostrogami, pamiętaj o kilku z pozoru tylko oczywistych rzeczach. Każdy, kto kiedykolwiek za młodu dosiadał choćby kucyka wie, że jazda wierzchem wymaga umiejętności. W westernach każdy po prostu siada i jedzie, co wygląda równie prosto, jak prowadzenie samochodu, ale to pozory. Zarówno sztuka jeżdżenia na koniu, jak i dbania o niego w podróży są trudne do opanowania. Jeśli zawczasu ich nie opanowałeś, nie licz na to, że „jakoś to będzie". Poza tym koń, jak każde żywe zwierzę, panicznie boi się zombie. Nawet ich zapach niesiony wiatrem wystarczy, by najłagodniejszy i najbardziej zdyscyplinowany rumak wpadł w histerię. Doświadczony jeździec, osoba potrafiąca sobie radzić z tym wielkim i silnym zwierzęciem, może nawet z tego skorzystać, jak z systemu wczesnego ostrzegania. Dla nowicjusza, który w porę nie rozpozna symptomów nadciągającej katastrofy, skończy się to katapultowaniem z siodła ze wszystkimi następstwami w rodzaju urazów itp. Niefortunny jeździec nie tylko zostanie wówczas sam „w stepie szerokim", ale, co gorsza, paniczne rżenie i kwik przerażonego konia ściągnie zombie z całej okolicy.

B. Rower

Rower oferuje najlepszy kompromis pomiędzy ucieczką pieszo i pojazdem. Jest szybki, cichy, napędzany siłą mięśni i łatwy w utrzymaniu. Jego niewielka masa sprawia, że w razie gdyby teren okazał się zbyt trudny, by po nim jeździć, można rower po prostu zarzucić na ramię i przenieść. Rowerowe ucieczki z terenów zarazy prawie zawsze udawały się lepiej niż piesze. Najlepsze rezultaty osiąga się, stosując rowery terenowe (górskie) zamiast modeli wyścigowych czy rekreacyjnych. Nie pozwól jednak, by prędkość i mobilność roweru uderzyły ci do głowy. Zawsze noś kask ochronny i kieruj się zdrowym rozsądkiem, stawiając na ostrożność, a nie szybkość ucieczki. Ostatnie, czego ci brakuje w ucieczce z terenu zarazy to przeoczony rów melioracyjny, przednie koło skręcone w ósemkę, złamana noga, kierownica wbita w zęby i narastający z każdą chwilą odgłos szurających stóp nadchodzących zombie...

TYPY TERENU

Większą część swojej ewolucji nasz rodzaj spędził na próbach zawładnięcia środowiskiem naturalnym. Nie ulega wątpliwości, że zwłaszcza w krajach wysoko uprzemysłowionych ludzie potrafili niemal całkowicie zapanować nad siłami natury. W zaciszu domowym każdy człowiek jest panem swojego środowiska. Decyduje jaka ma być temperatura, jaka wilgotność, czy wnętrze ma rozświetlać pełny blask słoneczny, czy też przez proste zaciągnięcie zasłon sprawia, że zapanuje nocny mrok w samo południe (a w nocy, zapalając lampę, przegania ciemności). Zamykając okna i wytłumiając ściany, można nawet odciąć zapachy i do pewnego stopnia dźwięki, docierające z zewnątrz.

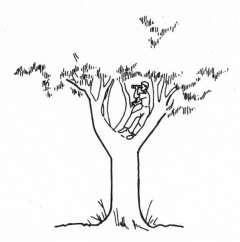

W tej sztucznej bańce, którą nazywamy domem, środowisko słucha się człowieka. Na zewnątrz, w czasie ucieczki przed watahą krwiożerczych zombie, będzie dokładnie odwrotnie. Tam ty będziesz zdany na łaskę natury, niezdolny do wydawania jej rozkazów, które jeszcze niedawno przychodziły ci tak naturalnie. Przystosowanie do tej zasadniczej zmiany warunkuje przetrwanie, a pierwszym stopniem dostosowania się jest poznanie terenu. Każde środowisko, w którym się znajdziesz w czasie ucieczki, stawia inne, odmienne wymagania. Należy je poznać i dokładnie się do nich zastosować. Szacunek dla otoczenia sprawi, że teren może stać się twoim sojusznikiem.

1. Las (klimat umiarkowany/tropikalny)

Gęstość wysokopiennego lasu ułatwia maskowanie. Dźwięki (lub ich brak) wydawane przez zwierzęta stanowią ważne ostrzeżenie przed zbliżającym się niebezpieczeństwem. Miękki grunt wyciszy kroki. Źródła natural-nej żywności (runo leśne, orzechy, ryby, zwierzyna etc.), na które się natkniesz, pozwolą uzupełnić lub zwiększyć zapasy jedzenia zabrane ze sobą. Spanie wśród gałęzi wysokich drzew może zapewnić bezpieczny odpoczynek. Zielony baldachim nad głową ma jednak bardzo irytującą właściwość: jeśli usłyszysz nad sobą śmigłowiec, nie będziesz w stanie szybko i skutecznie zasygnalizować swojej pozycji. A nawet gdyby jakimś cudem załoga cię zauważyła, musi znaleźć odpowiednio dużą polanę do lądowania. Wielokrotne przeloty tuż nad tobą różnych statków powietrznych, których nawet nie zobaczysz, mogą prowadzić do głębokiej frustracji.

2. Równiny

Szerokie otwarte płaszczyzny pozwalają umarlakom dojrzeć cię z oddali. Jeśli to możliwe, unikaj równin. Jeśli musisz je pokonywać, prowadź uważną obserwację. Staraj się dostrzec ich, zanim oni dostrzegą ciebie. W razie wykrycia zagrożenia natychmiast padnij i czekaj na ziemi, aż zombie przejdą. Jeśli musisz się w tym czasie poruszać, czołgaj się. Nie wstawaj, dopóki nie opuścisz zagrożonej strefy.

3. Pola uprawne

Wysokie uprawy zapewniają najlepsze ukrycie. Pytanie tylko komu: tobie czy kryjącemu się w zbożu zombie? Uwaga na głośne dźwięki! Tratowanie zeschniętego pola

kukurydzy spowoduje tyle hałasu, że zombie zbiegną się z daleka. Nawet przez wilgotne uprawy przechodź powoli, prowadząc ciągły nasłuch i obserwację, zawsze gotowy do walki wręcz.

4. Wzgórza

Podróż przez pagórkowatą krainę ograniczy twój zasięg obserwacji. Jeśli to możliwe, unikaj szczytów, trzymając się dolin. Zawsze obserwuj otaczające cię szczyty na wypadek pojawienia się tam zombie. Wchodź na nie z wielką ostrożnością jedynie okazjonalnie: by rozpoznać teren, zorientować mapę, potwierdzić pozycję i drogę, lub rozpoznać koncentracje umarlaków w okolicy. Drogę na szczyt pokonuj, pełznąc, nasłuchując jęków i wypatrując zataczających się postaci.

5. Bagna

Jeśli to możliwe, omijaj je szerokim łukiem. Chlupot kroków na mokradłach odbiera ci szansę zamaskowania swo-

jej obecności. Zamieszkujące bagna drapieżne i jadowite zwierzęta stanowią dla ciebie zagrożenie równie niebezpieczne co zombie. Miękkie błoto spowolni twoje kroki i odbierze siły, zwłaszcza gdy przedzierasz się z ciężkim plecakiem. Trzymaj się twardego suchego gruntu. Jeśli to konieczne, brodź jedynie przez najpłytsze zalewiska. Wypatruj wirów lub jakiegokolwiek ruchu pod wodą. Zombie mógł utonąć w błocie i być uwięziony tuż pod powierzchnią wody. Wypatruj tropów i ścierw. Podobnie jak w lesie, nasłuchuj odgłosów zwierząt. Ich nieobecność oznacza, że w pobliżu mogą być zombie. W każdym ekosystemie żyją setki gatunków zwierząt: ssaków, ptaków, owadów etc. Tylko obawa przed silnym drapieżnikiem może je uciszyć, a i to nie na długo. Jeśli nagle w środku bagna znajdziesz się w miejscu, gdzie nie słychać absolutnie nic, to gdzieś w pobliżu musi być zombie.

6. Tundra

Te niegościnne z pozoru arktyczne okolice są w gruncie rzeczy najlepszym schronieniem dla ludzi uciekających przed zarazą. Długie zimowe noce pozwalają mimo

wszystko podróżować bezpiecznie, bo ekstremalnie niskie temperatury dosłownie zamrażają zombie. Co ciekawsze, brak prawdziwej nocy w ciągu letnich miesięcy pozwala ludziom zapadać w głębszy, bardziej relaksujący sen. Uciekinierzy zasypiający w arktycznym półmroku wielokrotnie wspominali, że mogli lepiej odpocząć, wolni od obaw, że hordy umarlaków okrążą ich i zaatakują z otaczających ciemności.

7. Pustynia

Gorące, suche i jałowe obszary pustyń są w razie wybuchu zarazy najniebezpieczniejszymi, poza miastami, miejscami dla człowieka. Nawet bez zagrożenia ze strony zombie pustynia potrafi zabić zdrowego wędrowca w ciągu zaledwie kilku godzin, na skutek odwodnienia lub porażenia  słonecznego. Najlepszym sposobem uniknięcia zabójczego słońca wydaje się podróż w nocy, ale to z kolei jest najgorszym pomysłem w czasie panowania zarazy. Marsz może trwać co najwyżej przez trzy godziny po zachodzie słońca i trzy godziny przed świtem. Porę dnia, w której słońce operuje najsilniej należy przeczekać bez ruchu i w miarę możliwości w cieniu. Godziny całkowitego mroku wykorzystuj na sen. Taki tryb aktywności spowolni twoją podróż, ale zmniejszy ryzyko ataku. Bardziej niż w jakimkolwiek innym terenie pilnuj zapasu wody i rozpoznania drogi do najbliższych źródeł. Jeśli to możliwe, w ogóle unikaj pustyni. Nigdy nie zapominaj, że to środowisko może cię zabić z równą łatwością co zombie.

8. Miasto

Jak już wiemy, tereny miejskie o gęstym zaludnieniu należy w czasie ucieczki za wszelką cenę omijać. Każde miasto będzie ośrodkiem niewypowiedzianego chaosu. Potrafisz sobie wyobrazić, co się dzieje z wielką masą ludzi, powiedzmy pół miliona, usiłujących sobie poradzić w mieście bez prądu, bieżącej wody, telefonów, dostaw żywności, pomocy medycznej, wywozu śmieci, kanalizacji, straży pożarnej i policji? No to teraz dodaj do tego jeszcze tysiące krwiożerczych, człekokształtnych istot grasujących po splamionych krwią ulicach, pełnych obgryzionych do czysta szkieletów. Tych pół miliona nieszczęśników, przerażonych, spanikowanych, sfrustrowanych tym, że zostawiono ich samych sobie, będzie toczyć nieustanną walkę o życie. Na żadnym konwencjonalnym polu bitwy, w żadnych zamieszkach, w żadnym przypadku „normalnej" zbrodni nie znajdzie się nic, co choćby w przybliżeniu oddaje koszmar, jaki się rozgrywa w mieście zaatakowanym przez żywe trupy. Jeśli już jednak musisz zignorować zdrowy rozsądek i uciekać przez miasto, przestrzeganie poniższych prawideł może dać ci większe szanse na przetrwanie, choć wcale go nie zagwarantuje.

A. Rozpoznaj teren!

To zalecenie powtarza się w naszych rozważaniach jak mantra, ale nigdzie nie jest tak ważne, jak w ogarniętym zarazą mieście. Jak wielkie jest miasto, do którego wchodzisz? Jak szerokie drogi przez nie prowadzą? Czy są na nich jakieś przewężenia: mosty, tunele? Które ulice i zaułki są ślepe? Czy są tam jakieś fabryki, zakłady chemiczne lub inne miejsca składowania materiałów niebezpiecznych? Gdzie prowadzone były budowy lub remonty, które mogły zablokować drogi przelotowe? Czy są tam otwarte płaskie przestrzenie, jakieś boiska czy parki, przez które można przejść na skróty? Gdzie są rozmieszczone szpitale, komisariaty, kościoły czy inne budynki, gdzie zombie mogą poszukiwać ukrywających się ludzi? Plan miasta będzie nieodzowny, przewodnik może być przydatny, ale własna wiedza jest niezastąpiona.

B. Nigdy nie wjeżdżaj do miasta samochodem!

Zapomnij o szansach na znalezienie niezablokowanej drogi przejazdu przez duże miasto. Jeśli nie masz stałego źródła bieżących informacji wskazujących taką drogę, nawet nie myśl o poszukiwaniu jej samochodem, ciężarówką czy SUV-em. Najwyżej motocykl da ci szansę objechania zablokowanej drogi, ale z kolei dźwięk jego silnika narazi cię na wykrycie. Przemykając się pieszo lub rowerem, masz przewagę w prędkości, zdolności uniknięcia wykrycia i wyboru dróg przez ten betonowy labirynt.

C. Korzystaj z dróg ekspresowych

Jeśli skala zarazy przekroczyła bieżące możliwości aktywnego jej zwalczania, droga ekspresowa będzie najbezpieczniejsza. Od lat 50. w większości średnich i wielkich miast amerykańskich budowano sieć miejskich odcinków przelotowych dróg ekspresowych. Drogi te są zwykle proste jak strzała, bo powstawały po to, by skrócić czas przejazdu do minimum. Wytyczano je w poprzek miasta, toteż dla ochrony przed hałasem i wypadkami przebiegały na estakadach, bądź otaczano je wysokimi parkanami, co w dużym stopniu zabezpiecza je przed dostępem zombie. Jeśli jednak uda im się znaleźć wjazd lub przerwać ogrodzenie, nadal możesz korzystać z przewagi szybkości, jadąc na motocyklu, rowerze, albo nawet biegnąc. Dwuśladowe pojazdy nie są bezpieczną opcją, bo każda droga ekspresowa będzie zapewne zablokowana samochodami, które utkwiły w korkach. Trzymaj się z daleka od tych miejsc, jako że wiele samochodów jest pełnych zombie. Pokąsani ludzie w panice wsiadali do samochodów, by uciekać, umierali za kierownicą, a następnie dochodziło do reanimacji. Na szczęście zombie przypięty pasami jest skutecznie uwięziony – jego ograniczona do żerowania inteligencja jest za mała, by potrafił odpiąć pasy. Podchodząc do samochodu, zawczasu dokładnie go obejrzyj. Strzeż się pojazdów z otwartymi lub wybitymi szybami. Miej zawsze na podorędziu maczetę, by odrąbać dłoń nagle sięgającą po ciebie z zakamarków pojazdu. Bardzo ostrożnie używaj broni palnej, czy to z tłumikiem, czy bez. Pamiętaj, że jesteś na wielkim polu minowym, pełnym oparów z pustych lub na wpół opróżnionych zbiorników paliwa. Każda niecelna kula może skrzesać iskrę, która uruchomi reakcję łańcuchową na taką skalę, że zombie będą twoim najmniejszym problemem...

D. Nie schodź poniżej gruntu

Kanały ściekowe, metro i jakiekolwiek inne podziemne budowle mogą dać ci schronienie przed hordami zombie na powierzchni. Jednocześnie jednak, podobnie jak na drogach ekspresowych, narażasz się na ataki umarlaków, które właśnie tam zaszyły się w poszukiwaniu żeru. W odróżnieniu jednak od dróg ekspresowych, w kanale nie możesz po prostu przeskoczyć przez płot, by pozbyć się swego prześladowcy. Możesz w ogóle nie mieć miejsca do ucieczki w razie nagłej konfrontacji. Podróż pod ziemią odbywa się w całkowitej ciemności, co zawsze działa przeciwko ludziom. Także słyszalność w zamkniętym tunelu jest znacznie lepsza niż na powierzchni. Być może nie pozwala ona zombie namierzyć cię dokładnie, ale jęki jednego umarlaka ściągną ku tobie całą watahę. Jeśli więc nie znasz dokładnie instalacji podziemnej, w którą się zapędzasz, nie budowałeś jej, nie pracowałeś w niej nigdy, bądź jej nie remontowałeś, to trzymaj się daleko od takich miejsc.

E. Uważaj na strzały znikąd

Nawet w miastach lub ich dzielnicach uznanych za całkowicie opanowane przez zombie wciąż można natknąć się na ukrytych ludzi. Ci robinsonowie przeszli przez piekło i wciąż w nim żyją, więc należy spodziewać się, że będą najpierw strzelać, a potem pytać. Aby uniknąć zagrożenia pomyłkowym ostrzelaniem, należy zwracać uwagę na skupiska zombie, gdyż zwykle w takim miejscu wciąż toczy się walka i umarlacy liczą na żer. Sygnałem ostrzegawczym są też zwały zwłok zombie, zwykle dzieło jakiegoś ukrytego w pobliżu snajpera. Nasłuchuj strzałów, próbuj lokalizować skąd dochodzą i omijaj takie miejsca szerokim łukiem. Nasłuchuj i wypatruj oznak życia: dymu, rozmów, świateł, odgłosów pracy urządzeń. Zwały trupów, zwłaszcza rozłożone łukiem wokół jednego miejsca, wskazują na skoncentrowany atak na siedlisko ludzkie. Liczebność trupów i ich nagromadzenie w jednym miejscu wskazują na to, że operuje tam dobry strzelec, ostrzeliwujący zombie przekraczające określoną linię. Jeśli wyczuwasz w pobliżu obecność innych ludzi, to NIE PODEJMUJ prób kontaktu. Może się okazać, że zanim ludzie usłyszą twoje wołanie, ściągniesz sobie na głowę wszystkie zombie z całej okolicy.

F. Wchodź o świcie, opuszczaj o zmroku

O ile miasto nie jest zbyt wielkie, by przemierzyć je w ciągu jednego dnia, nigdy nie zatrzymuj się na odpoczynek w jego obrębie. Niebezpieczeństwa nocnej podróży przez tereny wiejskie (na tyle poważne, że należy jej unikać), w mieście wzrastają stukrotnie. Jeśli po wejściu do miasta zostaje ci zbyt mało czasu za dnia, by je przemierzyć, zawróć i przenocuj poza nim. Jeśli zmrok zaskoczy cię w niewielkiej odległości od przeciwległego końca miasta, to nie zatrzymuj się, lecz idź przed siebie i zatrzymaj się dopiero w bezpiecznej odległości od jego granic. To jedyny przypadek usprawiedliwiający nocny marsz: mniej ryzykujesz, idąc nocą przez pola i lasy, niż ulicami miasta w samo południe.

G. Zasypiaj z planem ucieczki

Niektóre miasta są zbyt rozległe, by pokonać je w ciągu jednego dnia. W dzisiejszych czasach pojęcie granic miasta w ogóle przestaje istnieć – narastająca urbanizacja sprawia, że sąsiadujące miasta zamieniają się w wielkie aglomeracje, ciągnące się dziesiątkami i setkami kilometrów. W takim przypadku niezbędne staje się znalezienie miejsca do przenocowania lub co najmniej odpoczynku przed dalszą wędrówką. Szukaj budynku o wysokości do trzech pięter z płaskim dachem, stojącego blisko jednego lub kilku podobnych, ale nieprzylegającego do nich. Jednowejściowy budynek z płaskim dachem to najbezpieczniejsze przejściowe schronienie. Po pierwsze, ustal, czy będziesz w stanie przeskoczyć ze swojego dachu na sąsiedni. Po drugie, zamknij drzwi prowadzące na twój dach. Jeśli to niemożliwe, zabarykaduj je przedmiotami, których usunięcie spowoduje jak najwięcej hałasu. Po trzecie, nigdy nie zasypiaj bez planu awaryjnego: zarówno ucieczki na krótką metę, jak i dalszej ewakuacji. Jeśli zombie wkroczą na twój dach, przeskocz na sąsiedni, a stamtąd na kolejny i wreszcie na ulicę – to plan na krótką metę, a co dalej? Bez długofalowego planu odwrotu może się okazać, że skok na sąsiedni dach zaprowadził cię z deszczu pod rynnę.

ALTERNATYWNE ŚRODKI TRANSPORTU

1. Transport powietrzny

Statystyki dowodzą, że transport lotniczy jest najbezpieczniejszym środkiem podróży. W czasie ucieczki z miejsca objętego zarazą potwierdza się to w całej rozciągłości. Czas podróży skraca się do minut, teren i przeszkody naturalne przestają się liczyć. Gdy pozostawiasz wyjące zombie kilka kilometrów pod sobą, znika potrzeba zabierania zapasów pożywienia, ekwipunku i można zapomnieć o niemal wszystkich poradach z tego rozdziału.

Podróż powietrzna ma jednak również swoje minusy. W zależności od typu statku powietrznego i panujących okoliczności, może się okazać, że te minusy skasują wszelkie zalety ewakuacji drogą powietrzną.

A. Samolot

Pod względem dostępności i prędkości żaden statek powietrzny nie może się mierzyć z samolotem, pod warunkiem, że masz w swojej grupie pilota. Paliwo do samolotu stanie się – dosłownie – sprawą życia lub śmierci. Jeśli droga twojej ucieczki przewiduje międzylądowanie po paliwo, UPEWNIJ się, że wiesz, gdzie to jest i że masz po co tam lądować. Po pierwszym wybuchu epidemii wielu zamożniejszych obywateli pojechało na lotniska i uciekło, startując na oślep i nie dbając o to, gdzie mają wylądować. Wielu się rozbiło, inni lądowali, szukając schronienia w samym środku terenu objętego infekcją. W jednym przypadku były pilot-kaskader zorientował się w zagrożeniu i zdążył w porę wystartować, ale wkrótce skończyło mu się paliwo i musiał ratować się skokiem ze spadochronem. Zanim wylądował, wszystkie zombie w promieniu 15 kilometrów już zauważyły jego kraksę i powoli kierowały się do rejonu lądowania. Relację o tym zdarzeniu złożył pilot innego samolotu, który był świadkiem tego wypadku.

Wodnosamolot do pewnego stopnia zmniejsza ryzyko, pod warunkiem, że trasa wiedzie nad wodą. Należy jednak pamiętać, że przymusowe lądowanie na środku oceanu, czy choćby wielkiego jeziora, jakkolwiek zabezpiecza przed umarlakami, wydaje rozbitków na pastwę natury, która potrafi być równie okrutna. Pewne pojęcia o losie jaki czeka rozbitków daje lektura wspomnień pisanych przez pilotów z okresu wojny, którzy zostali zestrzeleni i całymi tygodniami wyczekiwali w maleńkich tratwach ratunkowych na ocalenie. To przejmująca lektura, która może sprawić, że zastanowisz się dwa razy przed podjęciem próby ucieczki wodnosamolotem.

B. Śmigłowiec

Możliwość przyziemienia w każdej chwili na dowolnym prowizorycznym lądowisku, choćby na szczycie budynku, daje śmigłowcom ogromną przewagę nad samolotami, gdy trzeba salwować się ucieczką. Nawet wyczerpanie paliwa zwykle nie jest wyrokiem śmierci, bo śmigłowiec nie potrzebuje do lądowania pasa startowego. Należy jednak pamiętać o ryzyku poważnych

uszkodzeń mechanicznych w razie lądowania autorotacyjnego, a poza tym na terenie zajętym przez zombie hałas wirników ściągnie na głowę lądującym umarlaków z całej okolicy. Wszystkie zastrzeżenia odnośnie dostępności paliwa, o których wspominałem przy omawianiu samolotu, odnoszą się także do śmigłowca.

C. Balon

Ta jedna z najprymitywniejszych maszyn latających jest jednocześnie jedną z najbardziej użytecznych, jeśli zajdzie konieczność ucieczki przed zombie. Balon, czy to gazowy, czy na ogrzane powietrze może pozostawać w powietrzu nawet całymi tygodniami. Poważną wadą balonów jest brak napędu  i wynikający stąd brak możliwości sterowania pojazdem. Kierunek i prędkość lotu balonem zależą od prądów termicznych i wiatru. Jedynie doświadczony pilot balonowy jest w stanie efektywnie wykorzystywać je do kierowania lotem, zaś nowicjusz może co najwyżej bezradnie, lecz bezpiecznie wisieć w powietrzu.

D. Sterowiec

Maszyny te wyglądają groteskowo i trudno je znaleźć, ale jeśli zdecydujesz się na ucieczkę drogą powietrzną, to trudno o lepszy wybór niż sterowiec. Ten produkt I wojny światowej w okresie międzywojennym był na najlepszej drodze do zdetronizowania wciąż niedoskonałego jeszcze samolotu jako środka przewozów transatlantyckich. Era sterowców minęła jednak bezpowrotnie po straszliwej katastrofie sterowca wodorowego *Hindenburg* w roku 1937. Mimo że od tej pory wszystkie sterowce napełnia się niepalnym helem, silnik odrzutowy i masowe przewozy pasażerskie zepchnęły te maszyny do roli latających tablic ogłoszeniowych, atrakcji turystycznej i latającego stanowiska kamer telewizyjnych w czasie imprez sportowych. W razie wybuchu epidemii sterowce łączą długotrwałość lotu balonu z zaletami śmigłowca, jego zwrotnością i zdolnością do przyziemienia na prowizorycznym lądowisku, spalając przy tym znacznie mniej paliwa niż wiropłat. Już czterokrotnie sterowce posłużyły ludziom w konfrontacji z zombizmem – raz do ucieczki, raz do badań nad zombie i dwukrotnie do przerzutu wypraw mających na celu tropienie i niszczenie umarlaków. We wszystkich czterech przypadkach odniesiono pełen sukces.

2. Droga wodna

Wszelkiego rodzaju jednostki pływające należą do najbezpieczniejszych form transportu w razie wybuchu epidemii. Jak już była mowa poprzednio, choć zombie są w stanie obyć się pod wodą bez tlenu, brakuje im koordynacji ruchów niezbędnych do pływania. Rejs statkiem ma więc wszystkie zalety lotu samolotem. Wielokrotnie ratujący się ucieczką drogą wodną wspominali widok umarlaków patrzących na nich bezsilnie z dna. Wystarczy, by miecz jachtu znajdował się zaledwie cal poza zasięgiem rąk zombie, by ludzie na pokładzie mogli czuć się całkowicie bezpiecznie. Badania wykazały, że skuteczność ucieczki drogą wodną przerasta ponad pięciokrotnie skuteczność ucieczki drogą lądową. Z uwagi na liczne rzeki, jeziora i kanały przecinające terytorium Stanów Zjednoczonych możliwe są rejsy na odległości sięgające setek i tysięcy kilometrów. W niektórych przypadkach ludzie przeżywali długie tygodnie oblężenia, używając jednostek pływających jako sztucznych wysp na jeziorach znajdujących się w samym środku ogniska zarazy.

A. Typy napędów

1. Silnik

Napęd spalinowy daje dużą prędkość i nieporównywalny z żadnym innym napędem stopień kontroli nad manewrami jednostki pływającej na każdym akwenie. Jego najbardziej oczywistym niedostatkiem jest ograniczony zapas paliwa. Niewiele da się na to poradzić: należy albo przygotować odpowiednią ilość paliwa do zabrania ze sobą, albo wiedzieć dokładnie i na bieżąco skąd można je bezpiecznie pobrać. Innym problemem jest, jak zwykle przy pojazdach silnikowych, hałas. Powolne pływanie wzdłuż wybrzeży pozwoli na oszczędzenie paliwa, ale w zamian będziemy mieli mnóstwo pobudzonych zombie wzdłuż całej trasy podróży – przy powolnym pływaniu silnik robi tyle samo hałasu co przy szybkim. Silniki spalinowe mają ważne miejsce w planie ucieczki drogą wodną, gdyż w razie zagrożenia są w stanie dostarczyć nadwyżkę mocy konieczną do szybkiej ucieczki. Należy jednak korzystać z tej możliwości rozważnie i oszczędzać ją na rzeczywiście czarną godzinę.

2. Żagle

Wiatr jest niewyczerpanym źródłem energii. Okiełznanie go pozwala podróżować bez obaw o paliwo. Jeśli nie dopuścimy do trzepotania luźnego żagla, to jednostka pływająca napędzana wiatrem wydaje tyle hałasu, co dryfująca kępa morszczynu, czyli jest niemal bezgłośna. Niestety, wiatr jest żywiołem kapryśnym i nieprzewidywalnym. Flauta może uwięzić uciekinierów na wodzie, a sztorm przewrócić statek do góry kilem. W dziewięciu na dziesięć przypadkach wiatr będzie wiał, tyle że

w niepożądanym kierunku. Nawet jeśli jednak pogoda nam sprzyja, zatrzymanie żaglówki czy manewrowanie nią nie będzie tak łatwe jak w przypadku motorówki. Byle nowicjusz może manewrować motorówką jak doświadczony wodniak, ale żeglowanie wymaga umiejętności, cierpliwości, inteligencji i lat doświadczeń. Dobrze o tym pamiętać, zanim się ucieknie do najbliższego portu i podniesie żagiel, gdyż kiepskiego marynarza wiatr może zagnać prosto w największe skupisko żywych trupów.

3. Wiosła

Cóż może być prostszego od wiosłowania? Po kilku chwilach treningu każdy może manewrować łódką. Taki napęd szybko jednak obnaży największą wadę rodzaju ludzkiego: wysiłek nas męczy. Należy pamiętać o tej prostej prawdzie, planując morską podróż. Jak daleko popłyniemy? Ilu ludzi płynie razem z nami? Czy zdołacie dotrzeć do celu przed osiągnięciem progu wyczerpania, nawet zmieniając się przy wiosłach? Jeśli nie masz możliwości skorzystania z żagla czy silnika bardzo ostrożnie planuj podróż w całości uzależnioną od wysiłku ludzi. Pamiętaj, że ludzie potrzebują odpoczynku, a umarlacy

nie. Tylko głupiec stawia się w sytuacji, gdy z ich największą zaletą próbuje konkurować naszą największą wadą.

B. Zasady ogólne

Najgorsze, co może ci się przytrafić, to przekonanie, że z chwilą wejścia na pokład łodzi niebezpieczeństwo minęło. Takie fałszywe poczucie bezpieczeństwa doprowadziło do śmierci setek ludzi – ofiar, które mogłyby przeżyć, gdyby nie opuściły gardy i MYŚLAŁY. Ucieczka drogą wodną nie różni się od rejterady powietrzem czy lądem. Należy korzystać z ostrzeżeń, przestrzegać zasad i dokładnie analizować lekcje wynikające z dziejów poprzedników, by podróż była bezpieczna i udana.

1. Znaj swoją trasę

Czy są na niej śluzy? A tamy, mosty, bystrzyny, wodospady? Tak jak w przypadku trasy lądowej, dokładna znajomość i przygotowanie trasy jest nieodzowną czynnością przygotowawczą przed wyruszeniem w drogę.

2. Trzymaj się głębokiej wody

Byłoby idealnie, żeby głębokość wody nie spadała poniżej czterech metrów. Jeśli jest płyciej, zombie mogą sięgnąć dna łodzi. Wielu uciekinierów straciło życie, gdy wciągnął ich pod powierzchnię zombie, zwłaszcza w płytkiej, mętnej wodzie. Inni stracili śrubę lub część steru, uderzając w niewidocznego zanurzonego umarlaka.

3. Nie oszczędzaj na zapasach

Wielu ludziom wydaje się, że rejs wzdłuż rzeki lub kanału zwalnia od konieczności zabierania zapasu żywności. W końcu można przecież pić wodę zaburtową i jeść złowione ryby, prawda? Nieprawda. Czasy Huckleberry'ego Finna, gdy woda była czysta i pełna życia, dawno przeminęły. Przez dekady zrzucania ścieków przemysłowych do wód w rzadko której rzece cokolwiek jest jeszcze w stanie żyć. Nawet bez ścieków przemysłowych większość wód, rzek i jezior jest zanieczyszczona bakteriami ze zwierzęcych i ludzkich odchodów tak bardzo, że jej spożycie powoduje groźne dla życia choroby. Wniosek: zawsze zabieraj dość wody pitnej i pożywienia na cały czas podróży. Trzystopniowy filtr na pompie pozwoli korzystać z wody zaburtowej do mycia i gotowania.

4. Uważaj na kotwicę!

Bardzo często ludzie ulegali złudnemu poczuciu bezpieczeństwa, idąc spać w łodzi zakotwiczonej na noc. Wielu z nich już się nie obudziło. Zombie chodzące po dnie mogły zauważyć płynący nad nimi statek bądź usłyszeć opadającą kotwicę. Natykając się na linę lub łańcuch kotwiczny, mogą się po nim wspiąć do łodzi. Idąc spać, zawsze wystawiaj co najmniej jednego wartownika przy kotwicy i bądź gotów odciąć ją przy pierwszej oznace zagrożenia!

Wlipcu 1887 roku na nowozelandzkiej Wyspie Południowej, w pobliżu niewielkiej farmy Omarama powstało niewielkie ognisko epidemii. Nic nie wiadomo o jej wczesnych stadiach i objawach, lecz znana jest relacja o tym, jak grupa czternastu uzbrojonych farmerów zabiwszy na podwórku trzy żywe trupy, przystąpiła do sprawdzania zabudowań. Wydawało się, że to łatwe zadanie i z początku powierzono je tylko jednemu z mężczyzn. Po jego wejściu do jednego z budynków pozostałych zaalarmowały krzyki, jęki i strzały, które szybko jednak ucichły. Posłano kolejnego mężczyznę, by sprawdził, co zaszło. Z początku wszystko przebiegało pomyślnie, panowała cisza. Drugi myśliwy wyjrzał przez okno, meldując, że znalazł na wpół zjedzone ciało poprzednika – i nic więcej. Nagle zza jego pleców pojawiła się rozkładająca się ręka, która chwytem za włosy wciągnęła go w głąb pokoju. Pozostali rzucili się na ratunek. Natychmiast po wejściu do budynku zostali zaatakowani ze wszystkich stron przez pięciu zombie. W ciasnym pomieszczeniu broń długa, kosy i topory, okazała się nieprzydatna, podobnie jak sztucery. Bezładna strzelanina z rewolwerów w walce wręcz narobiła więcej szkód niż pożytku, zabijając na miejscu trzech ludzi i raniąc dwóch innych. Jednemu z farmerów udało się w panice uciec z sieni i wrzucić do budynku stojącą na ganku lampę naftową. Ekspedycja ratunkowa znalazła wśród zgliszczy jedynie nadpalone szkielety.

Kolejny rozdział tej książki ma pomóc w zaplanowaniu cywilnej ekspedycji, mającej na celu zlokalizowanie i eliminację zombie. Jak już wcześniej była mowa, różne agendy rządowe będą prowadziły podobne operacje z użyciem własnego sprzętu i według (miejmy nadzieję) własnej, skutecznej taktyki działań w tak niekonwencjonalnych warunkach bojowych. Jeśli ludzie ci pojawią się w twojej okolicy, to świetnie. Znajdź sobie dobre miejsce, rozsiądź się wygodnie i podziwiaj, jak skutecznie wydaje się twoje podatki. Jednak równie dobrze może się okazać, że ci, którym płacimy i na których ochronę liczymy, mogą nie dotrzeć tam, gdzie ich potrzebujemy. W takim przypadku odpowiedzialność za wytępienie zagrażających ludzkości żywych trupów spadnie na ciebie i twoich towarzyszy. Każda zasada, każda taktyka, każde narzędzie i broń omówione w tym rozdziale zostały starannie sprawdzone w takiej właśnie sytuacji. Porady te wywodzą się z doświadczeń wyniesionych z rzeczywistej walki i zostały sprawdzone w boju, by służyć pomocą w chwili, gdy zakończy się ucieczka i przyjdzie czas polowania na dotychczasowych myśliwych.

ZASADY OGÓLNE

1. Gra zespołowa

Podobnie jak wszystkie inne rodzaje walki, zwalczanie żywych trupów nie powinno być zajęciem dla samotnych łowców. W kulturze zachodniej, zwłaszcza amerykańskiej, funkcjonuje mit samotnego superbohatera. Jeden mężczyzna (czy jedna kobieta), znakomicie uzbrojony i wyszkolony, o nerwach ze stali, może podbić cały świat. W rzeczywistości każdy, kto wierzy w takie bzdury, powinien się rozebrać, położyć na srebrnym półmisku i wołać zombie na kolację – i tak zginie, a może jeszcze (co gorsza) zasilić hordy zombie. Zespołowy wysiłek już nieraz okazał się jedyną skuteczną strategią unicestwienia armii umarlaków.

2. Dyscyplina ponad wszytko

Jeśli nie skorzystasz z zawartości tego rozdziału, jeśli odpowiedni dobór broni, amunicji, wyposażenia, sprzętu łączności i taktyki działania są dla ciebie jedynie stratą czasu, jeśli masz zamiar zabrać na walkę z zombie tylko jedno, jedyne narzędzie, to niech to będzie niewzruszona, ścisła, niekwestionowana dyscyplina. Karna i przewidywalna grupa, niezależnie od liczebności, zawsze będzie w stanie zadać armii żywych trupów o wiele większe straty niż najlepiej nawet uzbrojona, lecz anarchistyczna banda. Wśród cywilów, dla których pisana jest ta książka, trudno znaleźć osobników wdrożonych do dyscypliny w takim stopniu, jak wśród wojskowych. Wybierając członków swojej grupy, upewniaj się, że ludzie, którym przewodzisz, rozumieją twoje polecenia. Używaj prostego, przejrzystego języka. Unikaj żargonów środowiskowych i systemów gestów, jeśli nie jesteś pewien, że wszyscy członkowie grupy je rozumieją. W tej drużynie powinien być tylko jeden przywódca, uznawany i szanowany przez resztę grupy. Dopilnuj, by wśród jej członków nie było personalnych animozji, a jeśli są, to by antagoniści pozostawili je daleko za sobą. Jeśli będzie to oznaczać konieczność osłabienia grupy, zdecyduj się na to. Twoja grupa powinna działać wspólnie, bo jeśli tego nie czyni, to czeka ją zagłada. Duże, dobrze uzbrojone grupy zostały wybite do nogi, gdy ich członkowie spanikowali, rozproszyli się lub rozpoczęli walki między sobą. Zapomnij o scenach z filmów, gdzie gromada wieśniaków z piwem w jednej ręce i strzelbą w drugiej ratowała ludzkość przed umarlakami. W prawdziwym życiu taka grupa byłaby jedynie wymachującym bronią szwedzkim stołem dla zombie.

3. Zachowaj czujność

Nigdy nie osłabiaj czujności. Ani wtedy, gdy sukces poprzednich starć przepełnia cię radością, ani gdy od wielu dni nie spałeś lub niekończące się godziny patrolu powodują znudzenie. Zombie mogą być wszędzie, mogłeś nie dosłyszeć ich, zignorować oznaki zagrożenia. Choćby teren wydawał się nie wiem jak bezpieczny, zachowaj czujność, czujność i jeszcze raz czujność!

4. Korzystaj z przewodników

Nie zawsze będziesz walczył na znanym ci miejscu. Przed wejściem na obcy teren postaraj się znaleźć kogoś miejscowego. On lub ona może znać wszelkie kryjówki, przeszkody, drogi ucieczki itp. Grupy bez przewodnika nieraz sprowadzały sobie na głowę nieszczęście, nie wiedząc o rurze z gazem na linii ognia lub składowisku niebezpiecznych chemikaliów w budynku, który podpaliły. Zwycięzcy bitew z przeszłości zawsze korzystali ze znajomości podbijanego terenu przez miejscowych. Armie, które parły na ślepo, zwykle ponosiły klęskę.

5. Załóż bazę, zapewnij wsparcie

Grupa nigdy nie powinna przystępować do walki bez założenia bazy, swoistej strefy bezpieczeństwa. Ta baza powinna być położona w pewnym oddaleniu od placu bitwy i obsadzona siłami rezerwowymi, wyposażonymi we wszystko, co potrzebne do prowadzenia walki. Obóz bazowy powinien być założony w miejscu łatwym do obrony na wypadek, gdyby losy bitwy się odwróciły.

Forteca, szpital, magazyn, centrum informacji – to wszystko powinna wam zapewnić baza.

6. Korzystaj z dnia

To, że akcja większości filmowych horrorów rozgrywa się w nocy nie jest przypadkiem. Ciemności zawsze inspirowały twórców przerażających opowieści z jednego powodu: homo sapiens nie jest przyzwyczajony do działania w nocy. Nasz brak nocnego widzenia, słaby słuch i kiepskie powonienie czynią z nas istoty dzienne. Chociaż zombie nie są w nocnej walce sprawniejsze od nas, noc stawia ludzi na gorszej pozycji w trakcie walki z nimi. Światło dzienne nie tylko zapewnia lepszą widzialność, ale wspomaga także morale twoich ludzi.

7. Układaj plan ucieczki

Z jak liczną watahą zombie masz do czynienia? Dopóki nie znasz *dokładnej* liczebności wroga, miej zawsze w zanadrzu drogę ucieczki – wytyczoną, rozpoznaną i pilnowaną przez twoich ludzi. Często nadmiernie ufni w swoje siły łowcy stawali się zwierzyną, gdy zaatakowana grupa umarlaków okazała się zbyt liczna. Upewnij się, że wybrana droga ucieczki jest otwarta i wolna od przeszkód. Jeśli liczebność sił na to pozwoli, zostaw na straży drogi ewakuacyjnej siły wystarczające do jej utrzymania. Zdarzało się, że wycofujące się grupy wpadały w pułapkę, gdy ich drogę ucieczki odcięły masy żywych trupów.

8. Nie szukaj ich – niech sami cię znajdą

Przestrzeganie tej reguły daje ludziom szansę na pełne wykorzystanie ich głównej przewagi, a mianowicie inteligencji. Armia ludzi, wiedząc o nadchodzącym ataku, umocni się na zajmowanym terenie i będzie cierpliwie czekać w ukryciu na atakujących. To dlatego w konwencjonalnej walce żadna armia nie ruszy naprzód bez osiągnięcia co najmniej trzykrotnej przewagi liczebnej nad przeciwnikiem. Umarlaki działają inaczej, gdyż rządzi nimi instynkt i będą atakować zawsze, niezależnie od sytuacji. To daje ludziom przewagę, ponieważ pozwala wybrać i przygotować miejsce do walki w pobliżu terenu zakażenia, a potem zaczekać, aż zombie same zaatakują. Po zajęciu pozycji rób jak najwięcej hałasu, pal ognie, wyślij paru zwiadowców na wabia. A kiedy nadejdą, będziesz gotowy do walki na pozycjach pozwalających prowadzić „agresywną obronę" – zabić jak najwięcej wrogów, po czym przystąpić do oczyszczania terenu. Taka taktyka okazała się, jak do tej pory, najskuteczniejsza i przykłady jej wykorzystania zostaną przedstawione w dalszej części tego rozdziału.

9. Pukaj!

Przed wejściem do pomieszczenia, czy to otwartego, czy zamkniętego, zawsze nasłuchuj objawów czyjejś obecności wewnątrz. Za drzwiami może kryć się zombie, czujny i cichy, gotów zaatakować na pierwszy widok ofiary. Jak to możliwe? Może pokąsany człowiek schował się za zamkniętymi drzwiami i tam po śmierci reanimował? Może jacyś inni niedoinformowani ludzie zamknęli tam bliską osobę, łudząc się, że zapewniają jej bezpieczeństwo? W każdym razie szansa na takie spotkanie kształtuje się jak 1 do 7. Jeśli z początku nic nie słyszysz, zrób trochę hałasu. Na przykład zapukaj w drzwi. To powinno podziałać na każdego kryjącego się umarlaka, zmuszając go do działania i ujawnienia swojej obecności. Niezależnie od wyniku swoich działań zawsze zachowaj czujność.

10. Bądź dokładny!

We wczesnych stadiach epidemii ludzie mają skłonność do oszczędzania życia złapanym zombie, których znali przed wystąpieniem u nich choroby. Potem, gdy ich pogromcy uciekli lub zostali zjedzeni, pojmane umarlaki przez lata czekają, by się wyzwolić i zasilić okoliczną watahę zombie. Po oczyszczeniu terenu zacznij oczyszczanie ponowne. A potem jeszcze raz i jeszcze raz. Umarlaki mogą się kryć wszędzie, w kanalizacji, na strychach, w piwnicach, samochodach, kanałach wentylacyjnych, kanałach kablowych, nawet wewnątrz ścian i pod stertami odpadków. Zachowaj szczególną ostrożność w pobliżu zbiorników wodnych. Zdarzało się, że zombie wędrujące po dnie jezior, rzek, a nawet basenów przeciwpożarowych wynurzały się z nich jeszcze w długi czas po oficjalnym ogłoszeniu jakiegoś terenu bezpiecznym. W przeszukiwaniu i eliminacji zombie pod powierzchnią wody należy kierować się wskazówkami z dalszej części rozdziału.

11. Utrzymuj łączność

Utrzymywanie połączenia między członkami grupy jest jednym z czynników warunkujących powodzenie działań. Bez właściwej łączności myśliwi mogą zostać odcięci, ulec przewadze lub nawet paść od kul kolegów – to ostatnie zresztą zdarza się w walce znacznie częściej, niż oficjalnie przyznają historycy armii toczących wojny. Przenośne ręczne radiostacje, nawet tanie walkie-talkie z supermarketu zapewniają najlepszą łączność. Radiotelefony mają tę przewagę nad telefonami komórkowymi, że nie zależą od sieci przesyłowej, satelitów i żadnych czynników zewnętrznych.

12. Zabijaj i nasłuchuj

Po starciu zawsze nasłuchuj odgłosów zbliżającej się następnej fali zombie. Gdy tylko umarlak pada, przerwij wszelkie inne działania i obserwuj sytuację. Jeśli w zasięgu słuchu były inne zombie, mogą właśnie nadchodzić.

13. Usuwaj wszelkie zwłoki

Gdy tylko teren został dokładnie oczyszczony, spal wszelkie zwłoki, zarówno zombie, jak i twoich poległych towarzyszy. Palenie zwłok zapobiega reanimacji poległych ludzi jako zombie i usuwa zagrożenie sanitarne związane z gnijącą tkanką. Świeżo zabici ludzie stanowią atrakcyjny żer dla ptaków, ścierwojadów i oczywiście dla zombie.

14. Panuj nad ogniem

Korzystaj z ognia rozsądnie. Czy jesteś w stanie zapanować nad wywołanym przez siebie pożarem? Jeśli nie, ogień może zagrozić twojej grupie nie mniej niż umarlakom. Czy zombie są na tyle poważnym zagrożeniem, by usprawiedliwiało to zniszczenie prywatnego mienia znacznej wartości? Odpowiedzi mogą się wydawać oczywiste, ale po co palić pół miasta, by zabić trzech umarlaków, których można było po prostu zastrzelić? Ogień może być równie wielkim zagrożeniem jak pomocą. Używaj go tylko w razie absolutnej konieczności. I zawsze przygotowuj najpierw drogę ewakuacyjną. Sprawdź, gdzie na planowanym wypalenisku składowane są materiały toksyczne i wybuchowe i czy ich zniszczenie zagrozi bezpieczeństwu grupy. Przećwicz posługiwanie się środkami zapalającymi (koktajle Mołotowa, flary, pochodnie itd.) przed walką, abyś wiedział, czego się po nich spodziewać i jak bardzo są skuteczne. Uważaj na łatwopalne opary ze zniszczonych stacji benzynowych. Nawet jeśli nie posługujesz się ogniem jako bronią, takie opary, rozlane chemikalia, przeciekające baki w samochodach i wiele innych zagrożeń powinny być wystarczającym powodem do zakazania palenia w czasie wykonywania zadań poszukiwawczo-eliminacyjnych.

15. Nigdy nie działaj w pojedynkę!

Może się zdarzyć, że wysyłanie całego zespołu do zadania, które (jak ci się wydaje) dasz radę wykonać samodzielnie, zdaje się być marnotrawstwem sił i środków. Czyż pięciu samotnych strzelców nie pokryje przy oczyszczaniu terenu większego obszaru, niż tych pięciu zbitych w grupkę? Jeśli priorytetem byłyby czas i sprawność działania, to tak, ale tu liczy się przede wszystkim bezpieczeństwo ludzi. I dlatego tych pięciu powinno pójść razem, nawet jeśli będzie przez ten sam rejon przechodzić pięć razy. Pojedynczy łowca może zostać otoczony, odcięty i zjedzony, albo nawet zasilić szeregi zombie i zaatakować członków do niedawna swojej grupy.

UZBROJENIE I WYPOSAŻENIE

Uzbrojenie i wyposażenie cywilnej ekspedycji poszukiwawczo-eliminacyjnej wyruszającej przeciw zombie powinno być zbliżone do zabieranego przez oddział wojskowy. Każda osoba powinna dysponować standardowym zestawem wyposażenia indywidualnego i przenosić część wyposażenia grupy.

Każdy członek grupy powinien mieć:

- broń główną (karabin lub karabinek samopowtarzalny)
- 50 nabojów do broni głównej
- zestaw do czyszczenia broni
- broń zapasową (najlepiej pistolet samopowtarzalny)
- 25 nabojów do broni zapasowej
- broń do walki wręcz (dużą lub małą)
- nóż

- latarkę
- dwie flary ratunkowe
- lusterko sygnalizacyjne
- radiotelefon lub radiostację podręczną
- dwa rodzaje źródeł ognia (np. zapałki i zapalniczkę)
- litrową manierkę wody pitnej
- racje żywnościowe
- menażkę i niezbędnik
- buty turystyczne lub bojowe
- dwie pary skarpet
- śpiwór lub karimatę

Każda grupa o liczebności do 10 ludzi powinna mieć ponadto:

- dwie sztuki broni wyciszonej (ewentualnie zastępujące broń zapasową)
- trzy ładunki wybuchowe
- dwie kotwiczki
- 150 metrów liny wspinaczkowej, nylonowej o średnicy 1 cm, o wytrzymałości na zrywanie na poziomie 3 ton
- dwie lornetki (minimum 10x50 mm)
- dwa łomy (mogą służyć jako broń do walki wręcz)
- dwie pary nożyc do cięcia prętów

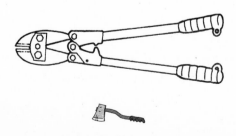

- zestaw narzędzi, obejmujący obowiązkowo: młotek ciesielski i młotek z noskiem kulistym o masie 120 g, obcęgi sprężynowe 100 mm, kombinerki 100-150 mm, śrubokręty krzyżakowe (76, 100 mm i krótki), śrubokręty płaskie (100–125 mm), zestaw śrubokrętów zegarmistrzowskich, piłę ręczną (300 mm), taśmę izolacyjną, klucz szwedzki i ręczną wiertarkę z zestawem wierteł (2–5 mm)
- siekiera (może być wykorzystana jako broń do walki wręcz)
- apteczka (musi zawierać: bandaże, watę, dwie chusty trójkątne, nożyczki, plaster, środki odkażające, waciki, chusteczki, mydło antybakteryjne, sterylną gazę i kompresy, wazelinę, skalpele)
- 12 litrów wody pitnej
- dwie mapy (terenu działań i okolic)
- dwie busole
- zapasowe baterie do wszelkiego sprzętu elektronicznego
- 10 zapasowych flar ratunkowych
- cztery saperki (mogą służyć jako broń do walki wręcz)

TRANSPORT

W odróżnieniu od podobnego podrozdziału w części poświęconej ucieczce, w trakcie ataku transport służy nie do opuszczenia zagrożonego terenu, lecz jego dokładniejszego spenetrowania. Umarlaków nie należy unikać, ale wręcz przeciwnie: wabić. Pamiętaj, że działasz w grupie, a baza pomoże w serwisowaniu i tankowaniu pojazdów. Hałas silnika samochodowego bardzo skutecznie wabi umarlaków, podobnie jak w mieście jazda rowerem bez opon (patrz „Taktyki zwalczania żywych trupów" w tym rozdziale, s. 225–249). Strzeż się zbytniej zależności od pojazdów. Poza szczególnymi przypadkami powinny one służyć jedynie do przerzutu sił między bazą a polem walki. Po dotarciu w rejon walk grupę należy spieszyć i dalej prowadzić działania poszukiwawcze na piechotę. Pozwoli to na większą swobodę ruchów, zwłaszcza w terenie zabudowanym.

TYPY TERENÓW

Na pierwszy rzut oka ten podrozdział może się wydawać niepotrzebny. W odróżnieniu jednak od części zatytułowanej „Ucieczka", tym razem nie będziemy się zajmować wykorzystaniem terenu do ucieczki, lecz jako obszaru łowieckiego. Nie chodzi już o pokonywanie przestrzeni szybko, cicho i omijając przeszkody. Twoim zadaniem, jako łowcy, jest odzyskanie terenu – opanowanie go, przeczesanie i oczyszczenie z wszelkich śladów obecności zombie. Ten podrozdział zawiera wiadomości przydatne do osiągnięcia tak określonego celu.

1. Las

Polując, zwracaj uwagę na świeżo zjedzoną zwierzynę. Postaraj się stwierdzić, czy upolował ją drapieżnik, czy zombie. Używaj drzew do zwiększenia zasięgu obserwacji. Prawie każde drzewo może służyć jako platforma obserwacyjna lub strzelecka. Wzniecaj pożary tylko w razie absolutnej konieczności.

2. Równina

Otwarte szerokie równiny zapewniają doskonałą widoczność, pozwalając na pełne wykorzystanie możliwości broni wyborowej dalekiego zasięgu. Pięcioosobowa grupa z dobrze przestrzelanymi karabinami i dużym zapasem amunicji może w ciągu jednego dnia oczyścić

nawet kilkanaście kilometrów kwadratowych. Oczywiście, płaski teren sprawia, że umarlaki widzą równie dobrze łowców, jak ci swoich przeciwników. Członkowie grup łowieckich operujących na równinach wspominali o sytuacjach, gdy zombie kierowały się do nich z odległości nawet 15 km. Zagrożeniem jest też wysoka trawa, w której może się ukrywać żywy trup, być może okaleczony po trafieniu w kręgosłup lub kończynę. W razie konieczności przejścia przez teren porośnięty wysoką trawą członkowie grupy powinni się poruszać powoli, rozważnie, dokładnie rozpoznając miejsce, w którym mają zamiar postawić stopę, nasłuchując wszelkich jęków lub szelestu trawy.

3. Pola uprawne

Nieostrożni łowcy wielokrotnie zapuszczali się w pościgu na pola za pojedynczym zombie, tylko po to, by dać się złapać drugiemu ukrytemu tam i w porę niezauważonemu. O ile nie musicie chronić zbiorów lub plon nie jest bezwzględnie potrzebny, pola uprawne powinny być oczyszczane ogniem. Choć na każdym kroku nale-

ży pamiętać o dokładnej kontroli nad ogniem, zdrowy rozsądek podpowiada, że pół hektara kukurydzy nie jest warte ludzkiego życia.

4. Tundra

Zagrożeniem charakterystycznym dla tego terenu, niewystępującym nigdzie indziej, są epidemie wielopokoleniowe. Mróz konserwuje, co pozwala umarlakom przetrwać w hibernacji całe dziesięciolecia. Po odwilży zasilają oni szeregi świeżo reanimowanych, a w niektórych przypadkach są w stanie ponownie wzniecić epidemię na już oczyszczonych terenach. Zamarznięta tundra, bardziej niż jakikolwiek inny teren wymaga nieustannego, niestrudzonego patrolowania i zachowywania podwyższonej gotowości zwłaszcza w czasie corocznych odwilży.

5. Wzgórza

Wzgórza stanowią w czasie zarazy spore zagrożenie dla ludzi, jednak sprytny łowca potrafi wykorzystać je na swoją korzyść. W miarę możliwości należy zająć najwyższy szczyt w okolicy i utrzymywać go mimo ataków zombie. Zapewni to lepszą widoczność na wszystkie strony. Takie wystawianie się na widok masy groźnych żywych trupów może się wydawać szaleństwem, ale należy pamiętać o ograniczonej sprawności zombie, także we wspinaczce. W rezultacie masz do dyspozycji masę umarlaków usiłujących bez powodzenia wspiąć się na wzgórze, z którego możesz je po kolei wystrzelać.

6. Pustynia

Problemy poruszane w rozdziale o ucieczkach są jeszcze bardziej uciążliwe, gdy trzeba prowadzić działania poszukiwawczo-eliminacyjne na pustyni. W odróżnieniu od uciekinierów, łowcy muszą operować w najbardziej upalnej, słonecznej części dnia. Pamiętaj o obfitym zapasie wody i środkach zapobiegających porażeniu słonecznemu. Walka będzie wymagała od ciebie więcej energii niż ucieczka, co wzmaga ryzyko odwodnienia. Nie ignoruj jego pierwszych objawów! Jeden powalony upałem członek zespołu może utrudnić wam działania do tego stopnia, że przeważy szalę na korzyść zombie. Utrata kontaktu z bazą zaopatrzeniową, odcięcie od niej nawet na jeden dzień w tej wysoce niebezpiecznej sytuacji nabiera zupełnie nowego znaczenia.

7. Miasto

Jeśli waszym celem jest jedynie eliminacja zombie, teren zurbanizowany najlepiej zbombardować lub puścić z dymem. To zwykle pozwala dość skutecznie oczyścić teren, ale potem trzeba jakoś odbudować ludziom ich zburzone domy. Walka w terenie zurbanizowanym jest z wielu powodów najtrudniejszym rodzajem działań bojowych. Po pierwsze, zajmuje najwięcej czasu, bo wymaga dokładnego sprawdzenia i oczyszczenia każdego budynku, pokoju, tunelu, każdego samochodu porzuconego na ulicy, kanału i zakamarka tego skomplikowanego labiryntu, jakim jest współczesne miasto. Możliwe,

że w ważniejszych miastach twoja cywilna grupa będzie
działała ramię w ramię z ekipami rządowymi. Jeśli tak
nie jest, zachowaj skrajną ostrożność. Zawsze spodziewaj
się najgorszego, planując czas trwania misji, przewidywa-
ne straty w ludziach i konieczne zapasy wody, jedzenia,
amunicji itd. W trakcie walk w mieście zużyjesz naprawdę mnóstwo wszelkiego rodzaju zapasów.

8. Dżungla

Koszmarny teren do walki wręcz. Wszelka broń do walki
na dystans, od łuku przez kuszę po karabin wyborowy,
tu staje się całkowicie bezużyteczna. Grupa powinna być
uzbrojona w krótkie poręczne karabinki lub strzelby.
Każdy członek zespołu musi mieć maczetę, zarówno do
przecierania szlaku, jak i do walki wręcz. Użycie ognia
nie wchodzi w grę z uwagi na wysoką wilgotność otoczenia. Za wszelką cenę nie pozwalaj się grupie rozdzielić,
utrzymuj najwyższą czujność, pilnie nasłuchuj odgłosów

życia. Podobnie jak w przypadku lasów i bagien, ich brak
będzie twoim jedynym ostrzeżeniem.

9. Bagna

Wiele aspektów walki w dżungli odnosi się także do
starć na bagnach. Nie są one tak gorące i wilgotne jak
dżungla, ale to ani na jotę nie czyni ich bezpieczniejszy-
mi. Przede wszystkim pilnuj zapasu wody. Informacje
o sprzęcie i zaleceniach taktycznych odnoszących się do
walki podwodnej (omawiane w dalszej części rozdziału)
mają odniesienie także do tego terenu.

TAKTYKI ZWALCZANIA
ŻYWYCH TRUPÓW

1. Zanęć i zniszcz

Grupa wjeżdża na teren objęty zarazą jednym (lub więcej) dużym pick-upem lub SUV. Czyni tam mnóstwo szu-
mu, by przyciągnąć do siebie jak najwięcej zombie i rusza

powoli w kierunku bezpiecznego terytorium. Prędkość jazdy należy dostosować do tempa poruszania się zombie i dalej już idzie jak w bajce o czarodziejskim flecie. Za samochodem podąża rosnący tłum zataczających się umarlaków. Strzelcy rozmieszczeni na tyle pojazdu mogą ich teraz metodycznie eksterminować. Ścigające zombie nie będą w stanie zrozumieć, co się dzieje z ich towarzyszami, ich prymitywne mózgi nawet nie zauważą, że część z nich pada. Ostrzał należy kontynuować do wyczerpania celów. Taktyka ta szczególnie nadaje się do stosowania w terenie zurbanizowanym i wszędzie tam, gdzie warunki naturalne pozwalają na długą jazdę samochodem.

2. Barykada

Taktyka podobna do „Zanęć i zniszcz" z tą różnicą, że zamiast prowadzić za sobą zombie przez wiele kilometrów, użyta przynęta ściągnie je w wybrane przez ciebie miejsce. Pozycja powinna być usypana z gruzu, wzmocniona drutem kolczastym, wrakami samochodów, można w nią także wkomponować pojazdy grupy. Zza tej przygotowanej zawczasu fortyfikacji obronnej zespół będzie ostrzeliwał zwabionych umarlaków, zanim przystąpią oni do forsowania barykady. Do jej obrony doskonale nadają się środki zapalające. Być może zombie będą nacierać, tłocząc się w wąskim przejściu przed barykadą, gdzie użycie koktajli Mołotowa lub miotacza płomieni da najlepsze skutki. Zapory z drutu kolczastego znakomicie zwalniają tempo natarcia i dodatkowo zagęszczają cele. Jeśli użycie ognia nie wchodzi w grę, ogień karabinowy załatwi sprawę. Wyznaczenie stałej odległości prowadzenia ognia pomaga w oszczędnym zużywaniu amunicji. Nie wolno zapominać o skrzydłach pozycji. Jeśli to możliwe, warto zadbać o to, by przeszkody na przedpolu koncentrowały największe zagęszczenie celów w rejonach wyznaczonych do ostrzału. Zawsze należy pamiętać o wyznaczeniu drogi ewakuacji, ale trzeba utrzymywać w grupie dyscyplinę, by zapobiec przedwczesnemu opuszczeniu pozycji. Taktyka barykady najlepiej sprawdza się w warunkach miejskich lub w miejscach, skąd ma się zapewnioną dobrą widoczność na boki. Należy wystrzegać się jej stosowania w dżungli, na bagnach i w gęstym lesie.

3. Wieża

Wybierz stanowisko wysoko nad poziomem gruntu (drzewo, budynek, wieża ciśnień itd.). Zgromadź tam dość amunicji i podstawowych zapasów na wypadek przedłużonego oblężenia (ponad jeden dzień). Po zakończeniu przygotowań narób hałasu, by zachęcić zombie do oblegania twojej wieży. Gdy zbiorą się wokół, zacznij eliminację. Najlepiej sprawdza się ogień karabinowy. Środków zapalających używaj bardzo ostrożne, gdyż wywołany w ten sposób pożar może zagrozić zajmowanej pozycji, a toksyczny dym zmusi cię do jej opuszczenia.

4. Ruchoma wieża

Wprowadź śmieciarkę, ciągnik siodłowy z naczepą lub inny wysoki pojazd do rejonu objętego zarazą. Wybierz miejsce z dobrym polem ostrzału i otwartą drogą odwrotu, zaparkuj i rozpocznij atak. Zalety tej taktyki to między innymi uwolnienie się od stacjonarnej obrony, pokładowa przynęta na zombie (silnik) i możliwość ewakuacji w razie zagrożenia.

5. Klatka

Jeśli oburza cię okrucieństwo wobec zwierząt, nie próbuj nigdy tej taktyki w czasie oczyszczania terenu zarazy. W zasadzie polega ona na użyciu żywej przynęty, zwierzęcia zamkniętego w klatce, wokół której stanowiska zajmują strzelcy. Aby odnieść sukces przy użyciu tej taktyki, potrzebne jest kilka czynników: po pierwsze, przy-

nęta musi być odpowiednio głośna, by ściągnąć zombie z całej okolicy. Po drugie, klatka musi być odpowiednio wytrzymała, by umarlak nie mógł jej rozbić, zanim nie zostanie zlikwidowany strzałem. Po trzecie, powinna być silnie zamocowana do gruntu, by zombie nie mógł jej przewrócić. Po czwarte, stanowiska zespołu powinny być ukryte na tyle, by ludzie nie stanowili przynęty dla zombie. Po piąte, dobrze byłoby w ferworze walki nie zabić przedwcześnie zwierzęcia, bo martwe szybko przestanie interesować zombie. Taktyka nie nadaje się do stosowania w terenie pozbawionym ukrycia dla strzelców, więc należy unikać jej na równinach, w tundrze i na pustyni.

6. Czołg

Oczywiście grupa cywilów może mieć problem z dostępem do prawdziwego czołgu, czy nawet transportera opancerzonego. W braku tego typu pojazdów może wystarczyć opancerzona furgonetka bankowa. Taktyka z użyciem „czołgu" przypomina opisaną powyżej taktykę z żywą przynętą, lecz zamiast klatki ze zwierzęciem rolę przynęty pełnią członkowie zespołu. Cel jest ten sam – wywabić zombie z kryjówek, skoncentrować w rejonie najlepszym do skutecznego ostrzału i tam eliminować ogniem karabinowym z ukrytych pozycji ogniowych oraz ogniem broni osobistej załogi przez szczeliny obserwacyjne z wnętrza pojazdu. Należy jednak pamiętać o zachowywaniu bezpiecznego dystansu, gdyż zombie mogą przewrócić pojazd na bok.

7. Taranowanie

Ze wszystkich metod polowania na zombie ta jest zapewne najbardziej widowiskowa. Polega ona na tym, by podzielić grupę na zespoły, które obsadzają pojazdy i podążając przez teren objęty zarazą, rozjeżdżają każdego napotkanego umarlaka. Dla amatora brzmi to pociągająco, ale bardziej doświadczone grupy już dawno zarzuciły tę taktykę jako nieskuteczną. Rozjechanie umarlaka bardzo rzadko uśmierca go skutecznie. Znacznie częściej dochodzi jedynie do jego okaleczenia i szybki przejazd kolumny tratującej musi być uzupełniony długimi godzinami przeczesywania drogi i poboczy przez zespół pieszych łowców, dobijających żywe trupy pełzające z przetrąconymi kręgosłupami lub połamanymi nogami. Taktyka ta powinna być stosowana jedynie w sprzyjających warunkach terenowych – na pustyni, równinach, w tundrze itp. W miastach ulice pełne porzuconych wraków i innych przeszkód, jak opuszczone barykady, uniemożliwiają rozwinięcie dużych prędkości niezbędnych do skutecznego taranowania, zaś w przypadku wymuszonego postoju pojazdu taranującego sytuacja taktyczna może ulec szybkiej i radykalnej zmianie. Bagna i moczary nie nadają się do jej stosowania z oczywistych powodów.

8. Patrole zmotoryzowane

W przeciwieństwie do taranowania, działalność patroli zmotoryzowanych opiera się na powolnym i dokładnym przeczesywaniu terenu. Członkowie grupy tworzą konwój dużych, dobrze zabezpieczonych pojazdów, które pokonują rejon objęty epidemią z prędkością nie większą niż 15 km/h, a rozmieszczeni na nich strzelcy metodycznie wybijają wszelkie napotkane zombie. Najlepiej sprawdzają się ciężarówki, oferujące strzelcom stabilną platformę i duże pole widzenia. Taktyka ta skraca czas doczyszczania terenu w porównaniu z taranowaniem, ale i tak każdy odstrzelony zombie musi zostać sprawdzony, a ciało spalone. Idealną areną działania patroli zmotoryzowanych są otwarte przestrzenie, choć niewielka prędkość rozwijana przez patrol pozwala na stosowanie tej taktyki także w terenie zurbanizowanym. Podobnie jak w przypadku wszelkich innych działań przy użyciu pojazdów, tej taktyki należy się wystrzegać w gęstych lub tropikalnych lasach. Podobnie jak taranowanie wymaga też wspomagającego działania pieszych patroli doczyszczających teren. Strzelanie tu i tam z dachu chevroleta suburbana nie pozwoli zlikwidować zombie kryjących się na dnie jeziora, zamkniętych w szafie, błądzących po kanałach, czy myszkujących po piwnicach.

9. Patrole powietrzne

Czyż może być bezpieczniejszy sposób atakowania przeciwnika, niż atak z powietrza? Kilka śmigłowców szybko sprawdzi większy teren i skróci czas przeczesywania okolicy, a przy tym groźba zaatakowania tych pojazdów przez zombie jest zerowa. W teorii tak to właśnie wygląda, ale praktyka jest nieco inna. Każdy, kto studiował historię wojen przyzna, że żadna miażdżąca przewaga w powietrzu nie zastąpi działalności sił lądowych. Ta prawda dotyczy polowania na zombie w dwójnasób. Zapomnij o nalotach w dżungli, lesie, mieście, na bagnach czy w jakimkolwiek innym terenie, w którym można znaleźć osłonę przed obserwacją z powietrza. Skuteczność powietrznego polowania na zombie spada tam poniżej 10%. Zresztą nawet na odsłoniętej równinie nie ma mowy o szybkim, bezbolesnym czyszczeniu terenu z powietrza. I tak będzie trzeba tam wysłać grupy doczyszczające, choćby wstępne rezultaty wyglądały zachęcająco. Wsparcie powietrzne jest jednak bardzo przydatne, zwłaszcza do rozpoznania i przerzutu grup. Samoloty lub śmigłowce patrolujące bezkresne równiny mogą naprowadzać na wykryte zombie jeden lub nawet kilka zespołów jednocześnie. Sterowce mają nad nimi przewagę w działaniach patrolowych, gdyż mogą wisieć nad terenami objętymi zarazą całymi dniami, przesyłając informacje do zespołów operujących na ziemi i ostrzegając o możliwych zasadzkach. Śmigłowce mogą udzielać natychmiastowej pomocy zagrożonym zespołom, ewakuując je lub dostarczając posiłki i zaopatrzenie. Działania lotnicze zbytnio oddalone od bezpiecznych terenów są jednak ryzykowne w razie awarii technicznych, które mogą zmusić załogi do lądowania na obszarach ogarniętych zarazą. Zagrożone są wówczas nie tylko załogi śmigłowców czy samolotów, ale także wszyscy członkowie zespołów ratowniczych.

Wielokrotnie postulowano także zrzuty spadochronowe zespołów łowieckich na tereny epidemii, ale do tej pory na szczęście ani razu czegoś takiego nie próbowano. Pomysł jest śmiały i wymaga odwagi, a ktokolwiek by tego spróbował, stanie się natychmiast bohaterem, ale to niewyobrażalna głupota! I nie chodzi już nawet o wypadki przy lądowaniu skoczków uwięzionych na drzewach, zwianych przez wiatr nad wodę, wadliwe spadochrony, które się nie otworzą, czyli te wszystkie przypadki, które nieodłącznie towarzyszą nawet normalnym skokom w czasie pokoju. Jeśli chcecie zobaczyć, co naprawdę czeka lądujący na spadochronach zespół łowiecki, wrzućcie centymetr sześcienny świeżego mięsa do mrowiska. Jak dobrze pójdzie, ten ochłap nawet nie zdąży dotknąć ziemi. Innymi słowy, wsparcie lotnicze to jedynie wsparcie. Ludzie, którzy wierzą w to, że z powietrza można wygrać wojnę, nie powinni zajmować się planowaniem, koordynacją ani prowadzeniem jakichkolwiek działań przeciwko umarlakom.

10. Burza ogniowa

Jeśli warunki pozwalają na kontrolowanie pożaru, teren jest odpowiednio łatwopalny i odludny i nie ma ryzyka zniszczenia mienia, to nic nie czyści terenu lepiej niż ogień wzniecony ręką człowieka. Należy jednak zawczasu wyznaczyć granice przyszłego wypaleniska i podpalać w wielu miejscach wzdłuż granic całej strefy, by pożar rozwijał się do środka, a nie na boki, co może grozić jego niekontrolowanym rozszerzeniem. Nie pozostawiaj

żadnych dróg ucieczki ze strefy. Patroluj granice obszaru w poszukiwaniu zombie, którym uda się przedrzeć przez strefę płomieni. Teoretycznie intensywna burza ogniowa powinna zapędzić umarlaków do wnętrza obszaru, tam skoncentrować ich i zniszczyć. Mimo to doczyszczanie terenu będzie nadal niezbędne, zwłaszcza na terenach miejskich, gdzie piwnice i inne pomieszczenia mogły zapewnić zombie ochronę przed ogniem. Przy stosowaniu ognia jako broni należy zawsze planować działania na wypadek niekontrolowanego rozszerzenia się pożaru.

II. Walki podwodne

Ogłaszając jakiś teren bezpiecznym od zombie, nie wolno zapominać o tym, że umarlak jako istota niezależna od tlenu może ukryć się na dnie pobliskiego zbiornika wodnego. Często zdarzało się, że ludzie powracający na „bezpieczne" tereny padali ofiarą ataków po kilku dniach, tygodniach, czy nawet miesiącach, gdy podwodny zombie odnalazł drogę na suchy ląd. Ponieważ żywe trupy są zdolne istnieć, działać, a nawet zabijać w środowisku wodnym, czasami konieczne będzie prowadzenie z nimi walki podwodnej. Będą to działania skrajnie niebezpieczne, gdyż głębiny wodne nie są naturalnym środowiskiem życia dla ludzi. Oczywiste problemy, jak trudności z oddychaniem i brak łączności, ruchliwości i widoczności sprawiają, że działania podwodne są najbardziej niebezpieczne ze wszystkich taktyk zwalczania zombie. W odróżnieniu od ucieczki drogą wodną, gdy to

uciekinier na jednostce pływającej ma przewagę nad zombie, poszukiwanie i eliminacja umarlaków w tym nieprzyjaznym środowisku diametralnie odwraca sytuację. Nie znaczy to jednak, że człowiek jest bez szans na skuteczne polowanie – wręcz przeciwnie. Jak na ironię, to właśnie te trudności sprawiają, że podwodni myśliwi bardziej się pilnują i skupiają na swoim zadaniu od kolegów na lądzie, operujących w znanym im i oswojonym środowisku. Poniższe zasady ogólne odnoszą się do działań we wszelkich typach zbiorników wodnych.

A. Poznaj akwen

Jak głęboki jest zbiornik, w którym masz działać? Jak szeroki? Czy to akwen śródlądowy (jezioro, staw, zbiornik retencyjny, itp.), czy morski? Otwarty (z możliwością przedostania się pod wodą do innego akwenu), czy zamknięty? Jaka jest widzialność pod wodą? Czy na dnie są jakieś przeszkody? Nie zaczynaj polowania, nie znając odpowiedzi na którekolwiek z tych pytań.

B. Obserwuj z powierzchni

Każdy, kto po prostu złapie akwalung i na oślep zanurkuje w wodach opanowanych przez zombie, naraża się na kombinację dwóch zagrożeń – utonięcia i zjedzenia. Nigdy nie zanurzaj się w wodzie, której uprzednio dokładnie nie rozpoznałeś z powierzchni lub z brzegu. Jeśli mętna woda i duża głębokość utrudniają rozpoznanie gołym okiem, z pomocą przychodzą środki techniczne. Sonary i echosondy, spotykane w cywilnych łodziach rybackich, z łatwością poradzą sobie z wykryciem przedmiotu wielkości ludzkiego ciała. Oględziny z powierzchni nie zawsze jednak są w stanie potwierdzić, czy akwen jest „czysty". Przeszkody podwodne, zatopione drzewa, skały lub przedmioty mogą zamaskować kształt zombie. Jeśli jednak wykryto obecność choćby jednego zombie, nadchodzi kolej na realizację kolejnych punktów.

C. Rozważ osuszenie

Po co narażać swój zespół na niebezpieczeństwo działania w obcym, wrogim środowisku, skoro można to zagrożenie usunąć? Zadaj sobie pytanie: czy tego akwenu nie da się osuszyć? Jeśli taka możliwość istnieje, choćby kosztem znacznie większego wysiłku niż podwodne polowanie, podejmij ten trud. Niestety w większości przypadków nie będzie to możliwe. By zlikwidować zagrożenie z głębin, trzeba się będzie w nie zapuścić.

D. Znajdź eksperta

Czy wśród członków twojego zespołu są licencjonowani płetwonurkowie? Czy któryś z pozostałych miał kiedyś na sobie sprzęt do nurkowania? A może chociaż pływał na wakacjach z rurką do oddychania? Wysyłanie pod wodę niedoświadczonych ludzi może ich zabić, zanim zdążą znaleźć choćby jednego zombie. Utonięcie, uduszenie, choroba kesonowa, narkoza tlenowa i wychłodzenie to tylko kilka przykładowych przyczyn śmierci ssaka lądowego w środowisku wodnym. Jeśli czas na to

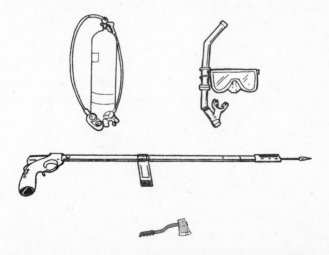

pozwoli, np. zombie są uwięzione w zamkniętym akwenie śródlądowym, znajdź kogoś, kto przeszkoli twoich ludzi i poprowadzi ich pod wodą, bądź nawet przejmie to zadanie od was. Jeśli jednak zombie są na dnie rzeki i w każdej chwili mogą z niej wyleźć na brzeg w mieście pełnym ludzi, nie ma czasu na czekanie. W takim niecierpiącym zwłoki przypadku nie wahaj się podjąć ryzyka, lecz nie zapominaj o możliwych konsekwencjach.

E. Przygotuj sprzęt

Podobnie jak w przypadku walki lądowej, właściwe wyposażenie i uzbrojenie do starć w wodzie decydują o sukcesie działań i przeżyciu. Najczęściej spotykanym urządzeniem oddechowym jest akwalung. Gdy go brak, sprężarka, pompa powietrzna i gumowe przewody mogą zapewnić możliwość oddychania pod wodą, ale do końca nie zastąpią aparatu powietrznego. Źródła światła są nieodzowne. Nawet w najczystszych wodach zombie może się ukryć w rozpadlinie lub podwodnej jaskini. Najskuteczniejszą bronią będzie kusza sprężynowa, gdyż żadna inna broń zdatna do użycia pod wodą nie zapewnia takiej łatwości przebicia czaszki z bezpiecznej odległości. Alternatywą jest „bang-stick", czyli głowica z nabojem do śrutówki na końcu długiego metalowego pręta. Oba rodzaje broni są jednak trudne do znalezienia na śródlądziu. Jeśli nie masz tego sprzętu, możesz używać sieci, haków i domowej roboty harpunów.

F. Zintegrowany atak

Nie ma bardziej przerażającego przeżycia, niż powrót z podwodnego polowania na zombie do łodzi pełnej czekających na łowcę umarlaków! Operując pod wodą, zawsze współpracuj z zespołem nawodnym. Jeśli twoja grupa składa się z 10 ludzi, schodź pod wodę z pięcioma, a reszta niech czeka na was na powierzchni. W razie potrzeby pozwoli to szybko wezwać pomoc, a grupa powierzchniowa może jednocześnie pomagać w wykrywaniu i zwalczaniu zombie lub w razie potrzeby wezwać posiłki z lądu. Jak we wszystkich dotychczas opisywanych taktykach, im bardziej niebezpieczne środowisko działania, tym więcej wsparcia będziesz potrzebował.

G. Obserwuj faunę

Pisałem już wcześniej, że obserwacja zachowania ptaków i zwierząt leśnych pomaga wykryć nadciągającego zombie. To samo dotyczy ryb. Dowiedziono, że są one w stanie wykryć obecność zainfekowanego wirusem ciała w opływającej je wodzie. Takie odkrycie powoduje natychmiastową paniczną ucieczkę z zagrożonego terenu. Łowcy polujący na podwodne zombie zawsze poznawali niebezpieczne wody po całkowitym braku ryb.

H. Metody eliminacji

Nie uznawaj żadnej z przedstawionych poniżej technik likwidacji zombie za przesadę lub fantazję. Niektóre z nich mogą się wydawać groteskowe, ale wszystkie zostały wielokrotnie sprawdzone w podwodnych starciach z zombie i przynosiły sukces.

1. Eliminacja harpunem
Analogicznie jak w przypadku polowania z karabinem na lądzie: woda zastępuje powietrze, a kusza sprężynowa

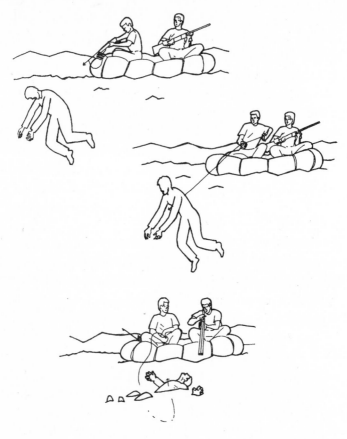

z harpunem –sztucer, lecz zarówno taktyka, jak i sama technika likwidacji są identyczne. Ponieważ kusza ma mniejszy zasięg niż karabin, nurek naraża się na znacznie większe niebezpieczeństwo, niż w trakcie walki bronią dystansową na lądzie. Jeżeli pierwszy strzał chybi, nigdy nie próbuj przeładować, lecz natychmiast uciekaj na bezpieczną odległość. Tam dopiero przeładuj i wróć do zombie.

2. Polowanie z kuszą

Jeśli strzał harpunem w głowę zombie przekracza możliwości nurka, można umocować do harpuna stalową linkę i celować w klatkę piersiową przeciwnika. Po wbiciu w umarlaka harpuna z hakami zespół nawodny wyciągnie go na powierzchnię i tam zlikwiduje. Należy jednak pamiętać, że nadziany na harpun zombie nadal może atakować. Jeśli to możliwe, umarlaka należy likwidować strzałem karabinowym w głowę natychmiast po wyłonieniu się go z wody. Taki sposób polowania wymaga dobrego współdziałania członków zespołu nawodnego z nurkiem. Zdarzyło się kiedyś, że nurek nie zasygnalizował zespołowi nawodnemu, że ten ma zlikwidować nadzianego na harpun zombie i jego koledzy w dobrej wierze wciągnęli, jak im się zdawało, wyeliminowanego umarlaka do łodzi, by usunąć ciało. Niekompetentny nurek nawet nie miał szansy usłyszeć ich krzyków...

3. Polowanie z miotaczem harpuna

Analogicznie do poprzedniego sposobu, zamocuj linkę do harpuna wystrzeliwanego z miotacza (strzelby przystosowanej do wystrzeliwania harpunów, stosowanej w wielorybnictwie przybrzeżnym do polowania na małe

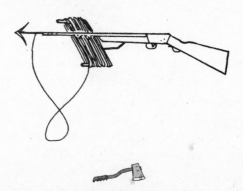

wieloryby, na które szkoda harpuna pełnej wielkości, wystrzeliwanego z pokładowego działka harpunnicze-go) i wbij go w klatkę piersiową zombie, by zespół na-wodny mógł go wyciągnąć i zlikwidować. Haki na grocie harpuna zabezpieczą przed zerwaniem się upolowanego zombie przed wyciągnięciem go na powierzchnię. Jeśli woda jest dość płytka i przejrzysta, operator miotacza i likwidator mogą prowadzić polowanie ze wspólnej ło-dzi. Podobnie jak przy poprzedniej metodzie ważne jest, by wyciąganego na powierzchnię zombie zlikwidować zanim zdąży zaatakować.

4. Polowanie z sieciami

Główny ciężar polowania przejmuje zespół nawodny, nurkowie jedynie prowadzą rozpoznanie. Na wykrytego umarlaka zarzuca się sieci rybackie lub transportowe, po czym, tak skrępowanego, wyciąga na powierzch-nię – spętany siecią zombie zazwyczaj nie powinien

zaatakować, ale w tym przypadku „nie powinien" to niewystarczająca rękojmia bezpieczeństwa. Wielu łowców padło ofiarą zombie, które „powinny" być łatwą zdobyczą.

1. Zalecenia szczegółowe

Traktuj zbiorniki wodne jak jeszcze jedną formę terenu. Każdy będzie miał własne uwarunkowania i może się różnić od innych nawet tak bardzo, jak bagno od pustyni. Jedyne, co mają ze sobą wspólnego wszystkie akweny świata, to obecność H_2O. Masz tam już jednego śmiertelnego wroga, więc nie szukaj drugiego...

1. Rzeki

Cieki wodne mogą być jednocześnie błogosławieństwem i przekleństwem. W zależności od siły nurtu, rzeka może zmyć zombie daleko od terenu epidemii. Zombie, który wpadnie do rzeki Missisipi koło Winona w stanie Minnesota, może przedostać się pod wodą aż do centrum Nowego Orleanu, kilka tysięcy kilometrów dalej! To zagrożenie powoduje konieczność natychmiastowych działań, od których zwalniają zamknięte akweny

śródlądowe. Jeśli to możliwe, przegrodź rzekę sieciami w najwęższym miejscu. Nadzoruj uważnie sieci i z największą ostrożnością wysyłaj nurków do ich sprawdzenia. Silny nurt może ich znieść prosto w nadstawione ramiona i otwarte usta tych, których mieli likwidować.

2. Jeziora i stawy

Z uwagi na zamknięty charakter śródlądowy, zagrożenie ucieczką zombie z takiego akwenu jest niewielkie. Każdy zombie wychodzący na brzeg będzie łatwo zlokalizowany i wyeliminowany. Pozostające na dnie umarlaki też z czasem zostaną wyłapane i zlikwidowane. Brak prądów czyni te miejsca dla nurków idealnymi akwenami do polowania. Zamarzające jeziora i stawy stwarzają inne zagrożenie, gdyż groźba odnowienia się epidemii na danym terenie może trwać jeszcze przez kilka lat. Powłoka lodowa uwięzi potwory na zimę, uniemożliwiając jednocześnie ich odnalezienie i likwidację. Jeśli jednak zamarza jedynie powierzchnia, zombie może bez przeszkód funkcjonować w głębinach.

3. Bagna

Najbardziej frustrujące miejsce do podwodnego polowania na zombie. Mętna woda uniemożliwia zobaczenie czegokolwiek, korzenie i resztki organiczne mylą echosondy, a płytka woda pozwala zombie bezpośrednio uchwycić łowcę lub brzeg jego łodzi i wywrócić ją. Jedyną sprawdzoną metodą oczyszczania bagien jest użycie dużej liczebnie grupy, posługującej się latarkami i prętami sondującymi dno. Takie uciążliwe polowanie pozwoli wszystkim na własnej skórze poznać, skąd biorą się opowieści nadające takim miejscom złą sławę.

4. Oceany

Zdecydowanie odradzam planowanie polowań na morzu, jeśli nie liczyć zatok i szelfu kontynentalnego. Otwarte wody są zbyt rozległe do naprawdę skutecznego ich sprawdzenia, a głębokość większości akwenów oceanicznych sprawia, że na dno można dotrzeć jedynie w najbardziej zaawansowanych pojazdach podwodnych. Zagrożenie ze strony zombie uwięzionych na dnie oceanów jest zbyt nikłe, by usprawiedliwić koszty i wysiłki konieczne do ich wytępienia. Większość po prostu błąka się bez celu po dnie, nigdy nie widząc suchego lądu, aż w końcu całkiem się rozpada. Nie oznacza to jednak, że należy ignorować tego rodzaju zagrożenie. Jeśli potwierdzi się, że zombie został zniesiony przez prąd rzeki do morza, sprawdź układ prądów morskich w okolicy, gdyż być może wyniosą go z powrotem w pobliże lądu. W takim przypadku należy ostrzec wszystkich przebywających w okolicy i opracować system ostrzegawczy na wypadek pojawienia się zombie na brzegu. Stan pogotowia utrzymuj przez dłuższy czas, nim upewnisz się, że zagrożenie minęło. To może brzmieć nieprawdopodobnie, ale zdarzały się przypadki wyrzucenia po kilku miesiącach na brzeg umarlaka, który tworzył nowe ognisko epidemii tysiące kilometrów od miejsca swojej reanimacji.

Załóżmy, że zaznajomiłeś się uważnie z instrukcjami i wykonałeś je dokładnie. Bitwa skończona, teren bezpieczny, ofiary opłakane, ciała zombie spalone. Być może to ostatni raz, kiedy będziesz miał do czynienia z żywymi trupami. Ale jeśli nie? Co będzie, gdy twój sukces był tylko jednym lokalnym zwycięstwem w wielkiej, wszechogarniającej świat wojnie między żywymi a umarlakami? A jeśli, broń Boże, ludzkość przegra tę wojnę?

6 PRZEŻYĆ W ŚWIECIE ŻYWYCH TRUPÓW

ROZDZIAŁ

A jeśli stanie się to, co było nie do pomyślenia? Jeśli hordy zombie urosną tak bardzo, że zdominują całą planetę? To będzie wybuch epidemii klasy IV, koniec świata, prowadzący rodzaj ludzki na skraj zagłady. Niewiarygodne? Tak. Niemożliwe? Nie. Rządy państw, niezależnie od ich ustroju, są tylko zbiorowiskami jednostek ludzkich. Ci ludzie bywają krótkowzroczni, bojaźliwi, aroganccy, ograniczeni i przeraźliwie niekompetentni – jak my wszyscy. Z jakiej racji decydenci mieliby być gotowi na atak chodzących, krwiożerczych żywych trupów, skoro większość ludzkości nie jest? Oczywiście, można argumentować, że być może dałoby się zignorować wybuch epidemii klasy I, czy nawet II, ale przecież zagrożenie spowodowane przez kilkaset umarlaków na pewno zmobilizowałoby naszych liderów do działania. No bo niby jak inaczej? Jakim cudem ci, którzy doszli do władzy, zwłaszcza w takim nowoczesnym, oświeconym społeczeństwie jak nasze, mogliby zignorować wybuch śmiertelnej choroby do momentu, w którym osiągnęłaby rozmiary światowej, katastrofalnej pandemii? Cóż, to bardzo proste. Wystarczy popatrzeć, jak ten światły rząd zareagował na epidemię AIDS, by uzyskać odpowiedź. A zresztą, nawet gdyby rząd w porę rozpoznał zagrożenie, to czy będzie w stanie w jakikolwiek sposób mu zaradzić? Wielka recesja gospodarcza, wojna światowa, zamieszki i katastrofy naturalne wymagają bieżącej uwagi rządu, i dlatego sączące się skądś tam plotki o jakiejś dziwnej nowej chorobie mogą łatwo utonąć w nawale innych ponurych wieści. Nawet w najlepszych warunkach likwidacja epidemii klasy II i wyższej nastręcza olbrzymich trudności. Proszę sobie wyobrazić skuteczną kwarantannę sanitarną w mieście wielkości Chicago czy Los Angeles. Ilu pokąsanych, roznoszących zarazę w dotychczas wolnych od zakażenia okolicach wyjedzie stamtąd wśród milionów uciekinierów, zanim władze zdołają naprawdę skutecznie odizolować miasto?

Ale może uratują nas oceany pokrywające większość powierzchni Ziemi? Czy mieszkańcy Europy, Azji, Afryki i Australii nie będą bezpieczni od zarazy, która dotknęłaby Amerykę Północną? Być może. Ale by to osiągnąć, należałoby natychmiast zamknąć granice, odciąć jakikolwiek transport lotniczy i natychmiast świadomie podjąć racjonalne środki obrony. Nawet gdyby rządy połapały się w porę, to czy przy tej skali zjawiska, wobec dziesiątek milionów zarażonych, udałoby się powstrzymać przed odlotem każdy samolot z zainfekowanym pasażerem na pokładzie? Każdy statek z nosicielem choroby wśród załogi? Czy jest możliwe utrzymanie na dłuższą metę ścisłej blokady dokładnie całego wybrzeża, by zaobserwować każdego zombie wychodzącego z morza na brzeg? W tej chwili odpowiedź na te pytania brzmi niestety „nie". Czas pracuje dla zombie. Ich szeregi rosną z każdym dniem, coraz bardziej utrudniając opanowanie i likwidację ognisk choroby. W odróżnieniu od ludzi, armia zombie jest całkowicie niezależna od jakiegokolwiek zaopatrzenia. Nie potrzebuje broni, amunicji, pomocy medycznej. Nie traci motywacji do walki, nie odczuwa zmęczenia walką, nie szkodzi jej złe dowodzenie. Nie ulega panice, nie trapi jej dezercja, nie zdarzają się w niej bunty. Podobnie jak wirus, który stworzył zombie, armia żywych trupów będzie rosła, rozpełzając się po planecie, dopóki będzie co jeść. A gdzie ty wtedy będziesz? Co uczynisz?

ŚWIAT ŻYWYCH TRUPÓW

Gdy zombie zatryumfują, świat stoczy się w otchłań chaosu. Wszelki porządek społeczny zniknie z dnia na dzień. Ludzie władzy zaszyją się z rodzinami i poplecznikami w rządowych bunkrach i kryjówkach w całym kraju. Bezpieczni w swoich zimnowojennych schronach atomowych zapewne przeżyją. Być może nawet zachowają fasadową strukturę władz. Być może technika pozwoli im utrzymać łączność z poszczególnymi agendami rządu lub innymi przywódcami kryjącymi się w podobnych bunkrach. W praktyce struktury te będą jednak miały do powiedzenia tyle, co rządy emigracyjne. W następstwie totalnego rozkładu porządku społecznego realną władzę przejmą szumowiny. Rabusie i bandyci będą grabić tych, co przeżyją, zabierając im, co tylko zechcą, żyjąc w zbytku i rozpuście. Niejedna cywilizacja kończyła się takim niepohamowanym paroksyzmem zabawy. Gdy ludzie zdają sobie sprawę z nieuchronności końca, pękają ostatnie zahamowania i rozpoczynają się dzikie orgie.

Ocalałe resztki policji i wojska będą się zajmowały pilnowaniem schronów władzy. Ich szeregi osłabi rosnąca fala dezercji, bo jeśli żołnierze mają kogoś chronić, to w końcu wybiorą własne rodziny. Jeszcze inni zdezerterują, by założyć własne bandy. Cały glob opanuje kompletna zapaść komunikacyjno-łącznościowa. Izolowane miasta przemienią się w pola bitew, na których odosobnione grupki obywateli będą z barykad bronić ostatnich enklaw ludzi przed zombie, ale także i żywymi intruzami. Porzucone zakłady będą ulegać awariom, a niektóre z tego powodu wylecą w powietrze. Pożary topiących się rdzeni reaktorów i inne katastrofy przemysłowe będą na porządku dziennym, zatruwając środowisko toksycznymi związkami chemicznymi. Tereny wiejskie zostaną całkowicie opanowane przez zombie. Po wyjedzeniu do cna mieszkańców miast armia umarlaków rozleje się szeroko w poszukiwaniu nowego żeru. Ludzie będą uciekać z wiejskich domów i podmiejskich osiedli, inni spróbują stawić zbrojny opór, a jeszcze inni będą bezsilnie czekać, aż powłóczące nogami masy ogarną ich i pochłoną. Rzeź nie będzie ograniczona do ludzi – powietrze wypełni kwik przerażonych zwierząt, uwięzionych w zabudowaniach gospodarczych, a nawet zwierząt domowych dzielących los swych właścicieli.

Z biegiem czasu pożary się wypalą, skończą się eksplozje, ucichną krzyki. W rejonach ufortyfikowanych zacznie się kończyć żywność, zmuszając ich obrońców do ryzykowania śmiercią z rąk zombie w wypadach po jedzenie, ucieczkach, a nawet walkach, do których doprowadzi desperacja i szaleństwo. Straty w ludziach będą nadal rosnąć, gdy właściciele dobrze ufortyfikowanych i zaopatrzonych domów na skutek załamania psychicznego coraz liczniej zaczną odbierać sobie życie z rozpaczy.

Los rabusiów nie będzie lepszy od reszty ludzi. Stali się współczesnymi barbarzyńcami z pogardy dla prawa i nienawiści do zorganizowanego życia, bo woleli niszczyć, niż tworzyć. Ich nihilistyczna pasożytnicza egzystencja żywi się dorobkiem innych i nie tworzy własnego. Ich mentalność nie pozwoli im osiąść i zbudować nowego życia. Nawet gdy walczą o życie, wciąż uciekając przed zombie, anarchistyczna natura w końcu doprowadzi ich do wszczynania waśni i walk między sobą. Wiele z tych grup utrzymują w posłuchu silne, wodzowskie osobowości. Gdy ich jednak zabraknie, nic więcej nie utrzyma grupy, dlatego ta się rozpadnie. Banda zwaśnionych zbirów nie może bez końca błąkać się po wrogim terytorium i przetrwać, więc po kilku latach tych bezlitosnych ludzkich drapieżników pozostanie niewielu.

Ciężko przewidzieć co się stanie z resztkami rządu. To w wielkiej mierze zależeć będzie od tego, jakim krajem poprzednio rządził, jakie zapasy zgromadził na przetrwanie kryzysu i w jaki sposób sprawował władzę. W społeczeństwach rządzących się ideałami demokracji lub religijnego fundamentalizmu szanse przetrwania rządu rosną. Władze nie będą musiały polegać na charyzmie (lub umiejętności zastraszania) jednej osoby. Dyktator z kraju Trzeciego Świata zapewne utrzyma się u władzy do końca życia. Gdy go zabraknie, sytuacja takiego kraju nie będzie się bardzo różniła od losów gangu, gdyż śmierć (lub choćby jeden błąd) wodza będzie oznaczał koniec całego reżimu.

Lecz bez względu na to, jaki los spotka ocalałych, zawsze będą jeszcze zombie. Ze szklistym wzrokiem i otwartymi ustami, te powoli rozkładające się istoty opanują Ziemię i będą niestrudzenie pożerać wszystko, co żyje w zasięgu ich rąk. Bez wątpienia pewne gatunki zwierząt staną w obliczu wyginięcia. Inne, które zdołają uniknąć tego losu, znajdą sposób na to, by zaadaptować się do warunków i nawet rozkwitnąć w radykalnie zmienionym ekosystemie.

Świat wyjdzie z tej apokalipsy zrujnowany: wypalone miasta, ciche drogi, zapadające się domy, porzucone statki rdzewiejące u brzegów, obgryzione, pobielałe kości rozrzucone wszędzie wokół przez podobne do mechanizmów żywe trupy. Na szczęście nie zobaczysz tych klęsk, bo zanim do nich dojdzie, ciebie tam już dawno nie będzie!

NOWY POCZĄTEK

W rozdziale o obronie nauczyłeś się przygotowywać miejsce do długotrwałego oblężenia w oczekiwaniu na odsiecz. Rozdział o ucieczce nauczył cię, jak podróżować na tyle daleko, by dotrzeć do bezpiecznego schronienia. Teraz nadszedł czas, by wyobrazić sobie i przygotować się na najgorszy możliwy scenariusz. Gdy do tego dojdzie, ty, twoja rodzina i najbliżsi przyjaciele musicie być gotowi uciec jak najdalej od cywilizacji, znaleźć sobie cichy, odległy, niezamieszkany zakątek naszej planety (jest ich znacznie więcej, niż ci się może wydawać) i ułożyć sobie życie od początku. Wyobraź sobie, że jesteś w grupie rozbitków na bezludnej wyspie, albo ludzkim kolonistą, odciętym na odległej planecie. Bez takiego nastawienia nie przetrwasz. Nikt ci nie przyjdzie z pomocą, nie będzie żadnej odsieczy. Nie ma swoich, do których można się przedrzeć, nie ma linii wroga, za którą można się ukrywać. Stare życie odeszło bez powrotu! To jak ułożysz sobie nowe, jego jakość i długotrwałość zależy tylko od ciebie. Brzmi strasznie? Ale przecież ludzie od początku dziejów adaptowali się i zaczynali wszystko od nowa. Nawet teraz, gdy wygodne życie zepsuło ludzkość do szpiku kości, w naszych genach drzemie wola przeżycia. Jak na ironię w przypadku najgorszego scenariusza największym wyzwaniem będzie nie walka z zombie, ale trudy codziennego życia. Jeśli twoja strategia przeżycia była prawidłowa, być może nawet nigdy nie zobaczysz zombie. Twoim celem jest zbudowanie bezpiecznego, małego mikrokosmosu, który stanie się twoim światem, wyposażonym we wszystko, czego potrzebujesz nie tylko do przetrwania, ale zachowania podstawowego poziomu rozwoju cywilizacji.

Kiedy zacząć budowanie tego nowego świata? Najlepiej natychmiast. Być może nigdy nie dojdzie do wybuchu pandemii zombizmu, ale jeśli jednak do niego dojdzie, i to wkrótce? A jeżeli wybuch epidemii klasy I już miał miejsce i został zignorowany? A jeśli do wybuchu klasy II lub nawet III doszło w państwie totalitarnym, w którym obieg informacji poddany jest ścisłej cenzurze? Jeśli do tego rzeczywiście doszło, do światowej katastrofy pozostało tylko kilka miesięcy. Zapewne nic takiego się dotąd nie zdarzyło, ale czy to wystarczający powód, by zaniedbać przygotowanie? W przeciwieństwie do gromadzenia zapasów na wypadek oblężenia, które można załatwić jednym wypadem do supermarketu, stworzenie enklawy cywilizacji w odległym zakątku świata zajmuje bardzo dużo czasu. Im więcej go będziesz miał, tym lepiej. Czy to oznacza, że masz rzucić wszystko w diabły i zająć się tylko przygotowaniami do końca świata? Oczywiście nie. Ten tekst pisano z myślą o zwykłych, ciężko pracujących obywatelach. Przygotowanie enklawy to poświęcenie minimum 1500 godzin pracy. To wielki wysiłek, nawet jeśli się go wycina z kilku lat życia. Jeśli jesteś pewien, że uda się to wszystko załatwić za pięć dwunasta, to proszę bardzo, nie musisz teraz nawet kiwnąć palcem. Ale zastanów się dwa razy nad sensem rozpoczynania budowy swojej arki, gdy już zaczęło padać.

ZASADY OGÓLNE

1. Zbierz grupę

Jak już była mowa w poprzednich rozdziałach, wysiłek zbiorowy zawsze przeważa nad próbami indywidualnymi. Grupa może zgromadzić więcej pieniędzy na zakup rozleglejszej działki lub lepszego wyposażenia. Przydadzą się zróżnicowane umiejętności poszczególnych członków grupy. Inaczej niż w oblężeniu, gdzie skazany jesteś na to, co przypadkiem znalazło się na obleganym terenie, szykując grupę na wypadek najgorszego scenariusza, możesz z góry zaplanować na jakich umiejętnościach ci zależy. Na przykład, czy znasz jakichś kowali? Ilu znajomych lekarzy potrafi znaleźć lekarstwa (zioła lecznicze) na łące? Czy twoi miejscy kumple wiedzą cokolwiek o uprawie ziemi? Specjalizacja pozwala na sprawniejsze przygotowania, np. fachowiec od rozpoznania objeżdża dostępne działki, a w tym samym czasie fachman od zaopatrzenia kupuje sprzęt, itp. W czasie narastania kryzysu będzie można wysłać przodem jednego lub kilku członków grupy do rozpoczęcia przygotowań na przyjęcie reszty, jeśli spełni się czarny scenariusz. Oczywiście wiążą się z tym potencjalne niebezpieczeństwa. W odróżnieniu od przetrwania relatywnie krótkiego okresu oblężenia, przeżycie na dłuższą metę może prowadzić do problemów społecznych nieznanych współczesnemu społeczeństwu. Ludzie, którzy wciąż wierzą w nadejście odsieczy są bardziej lojalni od tych, którzy świadomi są faktu, że sami kształtują swoją przyszłość. To może prowadzić do niezadowolenia, buntu, a nawet rozlewu krwi. Czas na mantrę tego podręcznika: bądź gotów! Zapisz się na kursy kierowania zespołami ludzkimi, zarządzania, dynamiki procesów zachodzących w zespołach pracowniczych. Książki i wykłady o psychologii człowieka to zawsze konieczność. Ta wiedza pomoże ci lepiej dobierać członków zespołu i będzie podstawą kierowania ich działaniami. Sprawienie, by grupa ludzi zgodnie współpracowała przez dłuższy okres czasu to najtrudniejsze zadanie na świecie. Jeśli jednak ci się uda, ta grupa będzie w stanie dokonać wszystkiego.

2. Ucz się, ucz się, ucz się!

Stwierdzenie, że będziesz zaczynał od zera, jest dalekie od prawdy. To nasi protoplaści zaczynali od zera, bo odkrywanie mechanizmów rządzących światem, zbieranie i przetwarzanie, a potem wymiana informacji trwały wieki. Twoją wielką przewagą nad pierwszymi człekokształtnymi jest to, że na wyciągnięcie ręki mamy efekty tysięcy lat doświadczeń. Nawet jeśli w końcu znajdziesz się w jakimś odległym, zapomnianym przez Boga i ludzi zakątku, z gołymi rękami, bez narzędzi, ta wiedza zmagazynowana w pamięci sprawi, że będziesz o lata świetlne przed najlepiej nawet wyposażonym neandertalczykiem. Poza ogólnymi podręcznikami przetrwania powinieneś się zaopatrzyć w dzieła na temat innych czarnych scenariuszy. Wyszło wiele książek o sztuce przetrwania w dziczy po konflikcie nuklearnym. Wybieraj najbardziej aktualne z nich. Przyda się także lektura opowieści ludzi, którzy przeżyli prawdziwe katastrofy naturalne; wspomnienia rozbitków z katastrof lotniczych czy okrętowych. Nawet opowieści europejskich osadników i pionierów nowych ziem obfitują w przydatne zalecenia, co należy robić, a czego się wystrzegać. Dowiedz się jak żyli nasi antenaci, jak przystosowywali się do nieznanego nowego otoczenia. Nawet powieści, byle nieodbiegające zanadto od rzeczywistości, takie jak „Życie i przypadki

Robinsona Crusoe", mogą być przydatne. Poznanie tych historii, prawdziwych i fikcyjnych, pomoże ci zrozumieć, że nie jesteś pierwszym w dziejach, który musi porywać się na takie przedsięwzięcie. Wiedza, że ktoś to już robił przed tobą, powinna wpływać kojąco na ciebie i twoich wchodzących w nowe życie towarzyszy.

3. Porzuć luksusy

Wielu z nas marzy o prostszej, lecz odżywczej diecie. „Muszę pić mniej kawy", „Nie potrzeba mi tyle cukru", „Postaram się jeść więcej liściastej zieleniny" – takie deklaracje słychać co dzień zewsząd. Jeśli chcesz przetrwać wybuch epidemii IV klasy, nie będziesz miał innego wyboru! Nawet w idealnych warunkach nie uda ci się wyhodować lub wyprodukować tyle pożywienia lub produktów chemicznych, ile zużywasz teraz. Zejście z dnia na dzień z bieżącego poziomu konsumpcji do zera może być szokiem dla organizmu. Zamiast narażać się na to, zacznij powoli obniżać ilości konsumowanego jedzenia i dóbr, których nie będziesz miał w swoim nowym domu. Oczywiście dobrze byłoby już wiedzieć, gdzie on będzie i co się tam da wyprodukować. Bez zestawiania długich list zdrowy rozsądek powinien podpowiedzieć, bez czego można się będzie obejść. Na przykład, choćbyś je nie wiem jak uwielbiał, tytoń i alkohol nie są niezbędne dla organizmu. Zapotrzebowanie na witaminy, minerały i cukier można zaspokoić pokarmami naturalnymi. Nawet część leków, np. łagodne środki przeciwbólowe, może zostać zastąpiona zastosowaniem takich technik, jak akupresura, masaż, czy wręcz medytacja. W naszym praktycznym i nowoczesnym społeczeństwie wszystko to może się wydawać obce i dziwaczne, ale należy pamiętać, że większość skutecznych diet i sposobów leczenia powstało nie w koloniach milionerów z północnej Kalifornii, lecz w slumsach Trzeciego Świata, gdzie niedostatek i nędza zmusiły ludzi do poszukiwania tego, co my kupujemy za grosze. Zawsze należy pamiętać, jak bardzo rozpieszczeni są członkowie naszego społeczeństwa w porównaniu z innymi narodami. Studia nad życiem tzw. „gorzej sytuowanych" mogą dostarczyć użytecznych rad, jak osiągać skuteczne rozwiązanie problemu środkami prostszymi, choć być może wymagającymi więcej zachodu, niż aktualnie jesteśmy przyzwyczajeni.

4. Zachowuj czujność

Wprowadzanie w życie planu na wypadek wybuchu epidemii IV klasy powinno się zacząć już we wczesnych stadiach wybuchu klasy I. W chwili wystąpienia pierwszych jego oznak (dziwne zabójstwa, zaginięcia, doniesienia o niezwykłych chorobach, sprzeczne relacje prasy, aktywność rządu) skrzyknij członków swojej grupy. Zacznijcie omawiać plany ewakuacyjne. Upewnij się, że od ostatniego spotkania nie zaszły żadne zmiany w prawie dotyczące podróży, pozwoleń, licencji na obsługę sprzętu itp. Jeśli wybuch przerodzi się w epidemię klasy II, uruchom przygotowania do podróży. Skataloguj i spakuj cały sprzęt. Wyślij przodem ekipę, która przygotuje schronienie na wasz przyjazd. Zacznij budować alibi. Jeśli ma to być np. pogrzeb cioci, opowiadaj na lewo i prawo, że ciocia choruje. Bądź gotowy wyruszyć w każdej chwili. Jeśli wybuch przekształci się w epidemię klasy III, wyjeżdżaj natychmiast!

5. Na kraj świata!

Być może zrodzi się w tobie pokusa pozostania w domu albo w twojej świeżo wybudowanej zombieodpornej fortecy, zamiast tłuc się nie wiadomo gdzie, do zupełnej dziczy. Nawet jeśli twój dom jest dobrze zaopatrzony i ufortyfikowany, ze źródłem wody i zapasem żywności na lata, szanse na przeżycie są minimalne. Prędzej czy później, ośrodki miejskie staną się polem zażartej bitwy między żywymi i umarlakami. Nawet jeśli twoja forteca przetrwa walki uliczne, w końcu, jak na ironię, możesz paść ofiarą

akcji ratunkowej. Może się zdarzyć, że zapadnie decyzja, iż tylko jednostki wojskowe są w stanie oczyścić miasto, a wtedy nalot dywanowy nie będzie wybierał pomiędzy tobą a zombie. Jak wspomniano w rozdziale o obronie, w centrach miast jest spora szansa na katastrofę przemysłową lub wielki pożar. Mówiąc krótko: w mieście nie ma szans na przeżycie. Nie lepiej będzie na przedmieściach lub na gęsto zaludnionych terenach wiejskich. W miarę narastania liczebności żywych trupów w końcu nadejdzie ten dzień, w którym znajdą one twój dom. Oblężenie zacznie tuzin zombie, potem kilkadziesiąt, kilkaset, tysiące i ani się obejrzysz, jak będziesz miał ich na głowie setki tysięcy. Jeśli raz cię znajdą, to już nie odpuszczą. Jęki i skowyt tysięcy zombie ściągnie pozostałe z całej okolicy, nawet z odległości setek kilometrów. Teoretycznie może się zdarzyć, że twój dom oblegnie nawet i milion zombie.

Oczywiście, być może nigdy do tego nie dojdzie. Jeśli twoja forteca jest na Środkowym Zachodzie, na Wielkich Równinach, czy nawet w Górach Skalistych, szanse na takie milionowe oblężenie są raczej nikłe (ale nadal istnieją!). W tego typu miejscach znacznie realniejszym zagrożeniem są jednak bandyci. Nie wiadomo, jak będą wyglądali ci *desperados* przyszłości – będą się poruszali na koniach, czy może motocyklach, wymachując mieczami lub bronią maszynową. Jednego można być pewnym: w każdej chwili są gotowi zrabować jakiś łup. Może im chodzić o kobiety albo o dzieci do niewolniczej pracy lub wychowania na janczarów. A może także się zdarzyć, że jakby groźba zombie nie wystarczała, zaczną traktować innych żywych jako ostatnie źródło nieskażonego pożywienia. O cokolwiek im jednak chodzi, jeśli odkryją twoje schronienie, to na pewno zaatakują. Nawet jeśli ich odeprzesz, jeden ocalony wystarczy, by twoja forteca znalazła się na zawsze na czyichś mapach. Nawet kiedy bandy się w końcu rozpadną, nadal pozostaniecie ich celem. Tam, gdzie chcecie się schronić, musi nie być ŻADNEJ drogi, żadnej linii energetycznej, żadnego telefonu – nic! To musi być gdzieś na krańcach świata, w miejscu, gdzie nie mieszkają inni ludzie. Na tyle daleko, by utrudnić migrację zombie, zniechęcić bandytów, uniknąć trujących wyziewów z katastrof przemysłowych i skutków działań wojskowych. O ile nie polecicie na inną planetę lub nie skolonizujecie dna oceanów, wybierzcie miejsce jak najdalej od jakichkolwiek skupisk ludzkich.

6. Poznaj teren

Gdy nadejdzie czas, nie licz na przypadek. Nie możesz po prostu zapakować gratów na jeepa, skręcić na północ i jechać przed siebie, w nadziei na to, że gdzieś tam, za Jukonem, znajdziesz sobie przytulne schronienie. Planując ucieczkę od żywych trupów, zwłaszcza w niezamieszkałe rejony świata, musisz dokładnie wiedzieć, dokąd zmierzasz. Zainwestuj trochę czasu w studiowanie map i to najbardziej aktualnych, jakie znajdziesz. Na starszych mapach może nie być niektórych dróg, rurociągów, osad czy innych przejawów ludzkiej obecności. Wybierając miejsce na swój Eden, znajdź odpowiedzi na następujące pytania:

A. Czy jest ono oddalone – co najmniej o kilkaset kilometrów – od jakiejkolwiek cywilizacji?

B. Czy ma źródło słodkiej wody nie tylko dla ciebie, ale i wszelkich zwierząt, które zechcesz ze sobą zabrać? Pamiętaj, że będziesz potrzebował wody do różnych celów – picia, mycia, gotowania, produkcji rolnej.

C. Czy wybrana okolica nadaje się do produkcji żywności? Czy gleba jest dość żyzna, by uprawiać jadalne rośliny? Czy są tam pastwiska, albo można łapać ryby? Czy naturalne źródła pożywienia są na tyle zasobne, by nadawać się do stałego wykorzystywania bez nadmiernego zubożenia?

D. Czy okolica ma właściwości obronne? Czy jest położona na szczycie góry lub otoczona wysokimi urwiskami albo rzekami? Czy w razie ataku – umarlaków lub bandytów – teren wspomoże waszą obronę?

E. Czy są tam jakieś bogactwa naturalne, materiały budowlane (drewno, kamień, metale) albo złoża paliw (węgla, ropy naftowej, torfu i – znowu – drewna)? Ile materiałów budowlanych potrzeba, by wznieść obóz dla waszej grupy? Czy lokalna flora ma jakieś właściwości lecznicze?

Odpowiedzi na wszystkie te pytania należy poznać, zanim zdecydujecie się pozostać w danym miejscu na dłużej. Z brakiem materiałów budowlanych i naturalnego charakteru obronnego wybranego terenu można sobie poradzić. Z brakiem jedzenia, wody czy niedostatecznym oddaleniem od ludzi – absolutnie nie! Bez któregokolwiek z tych trzech podstawowych elementów podkopujesz własne szanse na długookresowe przetrwanie. Wybierając nowy dom, rozważaj co najmniej pięć możliwości. Odwiedź wszystkie miejsca, o ile to możliwe, w okresie, w którym panują tam najtrudniejsze warunki atmosferyczne. Spędź tam co najmniej tydzień, mieszkając pod namiotem, wyposażony w najprymitywniejszy sprzęt i bez żadnego kontaktu z otaczającym cię światem. Dopiero wtedy będziesz mógł wybrać miejsce najlepiej odpowiadające twoim potrzebom.

7. Stań się ekspertem

Przygotuj możliwie najdokładniejszą dokumentację wybranego miejsca. Przeczytaj każdą książkę, artykuł i zdanie, które ktokolwiek o nim napisał. Dokładnie obejrzyj wszystkie mapy i zdjęcia. Dla każdego typu terenu, jaki wybierzesz, istnieją odpowiednie podręczniki przetrwania. Kup je wszystkie i starannie przestudiuj. Przeczytaj także relacje tubylców zamieszkujących w podobnych warunkach. Odwiedź wybrane miejsce wielokrotnie we wszystkich porach roku. Spędź tam co najmniej kilka tygodni, poznając i obozując w różnych rejonach. Poznaj każde drzewo i każdy kamień, każdą wydmę i każdą krę. Oblicz, jaka forma pozyskiwania żywności będzie najkorzystniejsza (hodowla, rybołówstwo, polowanie, zbieractwo) i jak liczną grupę może wykarmić twoje schronienie. Od odpowiedzi na to pytanie zależy określenie liczebności twojej grupy. Jeśli to możliwe, kup wybrane miejsce. Dzięki temu będziesz mógł legalnie rozpocząć budowę domu, jeśli pozwolą na to warunki. Może to nie być twoja docelowa kryjówka, ale powinna przynajmniej zapewnić tobie i twojej

grupie schronienie na czas budowy właściwego obozu.
Jeśli stać cię na razie tylko na coś małego, niech to będzie
szopa, w której będziesz gromadził zapasy. Jeśli stać się
na coś większego i wygodnego, budynek może służyć
jako dom letniskowy bądź drugi dom. W czasie Zimnej
Wojny wielu ludzi budowało takie „domy letniskowe"
z myślą o schronieniu się tam w razie nuklearnej zagłady. Poznaj miejscową ludność i nawiąż z nią przyjazne
stosunki. Jeśli mówi obcym językiem, naucz się go, podobnie jak miejscowych zwyczajów i historii poszczególnych rodzin. Wiedza tych ludzi i ich znajomość okolicy powinna uzupełnić to, czego się dowiesz z książek.
NIGDY jednak nie mów miejscowym, dlaczego się tam
sprowadzasz.

8. Zaplanuj trasę

W tym celu kieruj się wskazówkami z rozdziału „Ucieczka" i weź je naprawdę na poważnie. W czasie prawdziwej
przeprowadzki będziesz napotykał blokady na drogach
i przeszkody naturalne, a do tego musisz przedrzeć się
przez tereny, na których będą czyhać na ciebie zombie,
bandyci i cały niewyobrażalny chaos implodującego
społeczeństwa. A to wszystko nastąpi jeszcze zanim zostanie ogłoszony stan wyjątkowy! Po jego wprowadze-
niu dotychczasowe problemy zbledną przy zagrożeniu,
jakie stanowić będzie twoja własna armia. W dodatku,
w odróżnieniu od zwykłej ucieczki z zainfekowanego
terenu gdzie oczy poniosą, nie będziesz miał możliwości wyboru kilku alternatywnych kierunków i tras.

Będzie tylko jeden cel podróży, a od waszego dotarcia tam zależy, czy przeżyjecie. Po raz nie wiadomo który powtarzam: *Planowania z wyprzedzeniem nie wolno lekceważyć!* Powinieneś to nawet uczynić dodatkowym czynnikiem wyboru miejsca kryjówki. Odludna oaza na środku Sahary to świetne miejsce, tylko jak się tam dostać po zawieszeniu komunikacji lotniczej? Jeśli wybrana przez was wyspa jest oddalona nawet tylko kilka mil morskich od brzegu, to dotarcie do niej bez łodzi może się okazać niemożliwe. W podróży do kryjówki mają zastosowanie wszystkie wskazówki z rozdziału „Ucieczka", ale należy jeszcze wziąć pod uwagę uwarunkowania międzynarodowe. A co będzie, jeśli powiedzmy, kupicie działkę na Syberii i nawet nadal latają tam samoloty, tylko że Rosjanie zamknęli granice? To nie czyni Syberii ani trochę mniej atrakcyjnym i godnym wyboru miejscem, ale musisz dopilnować, byście mieli możliwość dostać się do wybranego kraju – legalnie lub w inny sposób.

9. Miej plany B, C, D i E

Co zrobisz, jeśli środek komunikacji, na który postawiłeś, nie działa? A jeśli droga – lądowa lub wodna – została zablokowana? Jeśli po dotarciu na miejsce okaże się, że twoja wymarzona kryjówka na odludziu pęka w szwach od zombie, wojska albo uprzedzili cię „dzicy lokatorzy", czyli inni uchodźcy? A jeśli tysiąc innych rzeczy nie wypaliło? Zawsze miej plany awaryjne. Staraj się przewidzieć potencjalnie niebezpieczne miejsca, ułóż oddzielne, skrojone specjalnie do okoliczności sposoby ominięcia przeszkód. Miej w zanadrzu pomysły na inne pojazdy, inne trasy, a nawet na rezerwową kryjówkę. Być może nie będzie tak idealna i dobrze przygotowana jak zasadnicza, ale przynajmniej pozwoli wam przeżyć, zanim nie wymyślicie nowej strategii.

10. Sporządź listę sprzętu, przygotuj się do zakupów

Każdy podręcznik przetrwania godny swej nazwy powinien zawierać listę tego, czego potrzeba do rozpoczęcia nowego życia. Zawsze miej gotowe i uzupełniane na bieżąco trzy spisy: 1. „Czego potrzeba do  przeżycia", 2. „Sprzęt potrzebny do budowy i rozbudowy obozu" i 3. „Ewentualne luksusy". Jeśli cię stać, zakup wszystko od razu. Jeśli nie, wiedz przynajmniej, gdzie będziesz mógł je kupić w razie potrzeby. Regularnie sprawdzaj ceny i adresy sklepów, a jeśli któryś zostanie zlikwidowany, znajdź następny. Zakup każdej rzeczy planuj w kilku miejscach: zasadniczym i co najmniej dwóch rezerwowych na wypadek wyczerpania zapasów. Dostawców wybieraj tak, by żaden nie znajdował się dalej niż kilka godzin jazdy samochodem. NIE polegaj na sprzedaży internetowej i sklepach wysyłkowych. Usługi wysyłkowe nie zawsze się sprawdzają nawet w normalnych okolicznościach, a tym bardziej w godzinie próby.

Wszystkie informacje przechowuj razem z listą i przystosowuj ją do zmieniających się potrzeb. Zawsze miej rezerwę gotówki na natychmiastowy zakup przedmiotów z pierwszej listy (suma zależy od cen wybranego sprzętu). Karty kredytowe i czeki potrafią zawieść nawet dziś, a gotówka to gotówka.

11. Przygotuj się do obrony

Jeśli chodzi o zabudowę kryjówki, to nic nie jest tak ważne, jak umocnienia. Po zajęciu swojego wymarzonego skrawka dziczy natychmiast zacznij go przygotowywać do obrony. Nigdy nie wiadomo, kiedy jakiś zabłąkany zombie dotrze, zataczając się, do waszego obozu i zacznie zwoływać jękami inne potwory. Zaplanuj dokładnie obronę obozu. Plan powinien zostać sprawdzony zawczasu w terenie, przebieg fortyfikacji wyznaczony, a materiał do ich wzniesienia albo zakupiony i przechowywany na miejscu albo bezproblemowo możliwy do nabycia w najbliższej okolicy. Wszystko czego potrzeba, a mianowicie materiały budowlane, narzędzia i zapasy, powinno być dostarczone i zgromadzone przed waszym przybyciem. Na miejscu nie powinno wam zostać nic więcej do roboty, niż przystąpienie do wznoszenia umocnień. Pamiętaj, że twoje fortyfikacje powinny zabezpieczać nie tylko przed zombie, ale i przed żywymi bandytami. Ci żywi napastnicy mogą – przynajmniej na początku – mieć broń palną i materiały wybuchowe. Jeśli przerwą twoje umocnienia, miej przygotowaną pozycję zapasową. Może nią być umocniony dom, jaskinia albo kolejna linia fortyfikacji. Utrzymuj budowle obronne w stałej gotowości do użytku. Utrzymanie dobrze umocnionej drugiej linii obrony może się okazać zwrotnym punktem zdawałoby się przegranej bitwy.

12. Zaplanuj drogę odwrotu

A jeśli i ta druga linia obrony zostanie przerwana? Upewnij się, że każdy członek twojej grupy zna lokalizację wyjścia ewakuacyjnego i zdoła tam w razie czego dotrzeć. Miej zawczasu spakowane zapasy, sprzęt i broń na wypadek ewakuacji. Wyznacz punkt zbiórki po opuszczeniu obozu i miejsce, w którym wszyscy się spotkają, jeśli dojdzie do rozdzielenia członków grupy w trakcie walki. Opuszczenie nowego domu nie będzie łatwe ani psychologicznie, ani emocjonalnie, zwłaszcza jeśli w jego zbudowanie włożono wiele wysiłku i czasu. Ludzie mieszkający w niespokojnych punktach globu mogą zaświadczyć, jak ciężko to czasem przychodzi. Jednak niezależnie od tego, jak bardzo przywiązaliście się do miejsca, które stało się teraz waszym domem, zawsze lepiej go stracić, ale wyjść z życiem, niż zginąć w jego obronie. Cel ewakuacji również powinien zostać wybrany zawczasu, zanim sprowadzicie się do zasadniczej kryjówki. Powinien być na tyle daleko, by zombie lub rabusie nie zdołali was wykryć i wyśledzić nowego schronienia. Z drugiej strony miejsce to powinno być na tyle blisko, by można tam było dotrzeć piechotą w najtrudniejszych nawet warunkach, bo nigdy nie wiadomo, kiedy trzeba będzie uciekać. Także tę trasę należy wybrać przed wybuchem epidemii. Rozpoznanie miejsca na nowy dom – czy cokolwiek innego – już po wybuchu zarazy może być trudne (patrz kolejny podrozdział).

13. Bądź czujny!

Kiedy się już zasiedlisz i umocnisz teren, wzniesiesz schronienie, zasadzisz uprawy i podzielisz zadania między członków grupy, za żadną cenę nie wolno ci się odprężyć. Posterunki powinny być zawsze obsadzone. Zamaskuj je i wyposaż w skuteczne środki do zaalarmowania reszty grupy, ale w taki sposób, by ewentualni napastnicy nie wiedzieli o ogłoszeniu alarmu. Wyznacz strefę bezpieczeństwa wokół obozu. Patroluj ją dniem i nocą. Ktokolwiek wychodzi poza obóz, nie powinien być sam ani bezbronny. Pozostający w obozie powinni też bez przerwy znajdować się o kilka sekund biegu od magazynu z bronią, gotowi do walki w chwili ataku.

14. Nie afiszuj się

Wprawdzie topografia twojego obozu powinna zminimalizować szanse na jego wykrycie, ale nigdy nie wiadomo, kiedy zombie lub rabuś zapuści się w pobliże. Wprowadź pełne zaciemnienie w nocy, bo nawet jeden promień światła nie powinien zdradzać waszej obecności. Pilnuj się, by w dzień nie było widać dymu z palenisk. Jeśli matka natura nie zamaskowała dość dokładnie twojego obozu, pomóż jej, sztucznie go kamuflując. Wprowadź ograniczenie hałasu w dzień i w nocy. Łączność utrzymuj przez radio, a krzykiem tylko w sytuacjach awaryjnych. Wycisz budynki – niech rozmowy, śpiewy, muzyka i odgłosy pracy nie wydostają się na zewnątrz. W czasie wznoszenia nowych budynków i remontu starych rozmieść dodatkowe posterunki na granicy zasięgu dźwięków wywoływanych przez te prace. Pamiętaj, że każdy, nawet najmniejszy dźwięk niesiony wiatrem może zdradzić waszą obecność. Zawsze sprawdzaj kierunek wiatru, bo może wiać zarówno ku terenom zamieszkałym (tam, skąd przyszliście), jak i w bezpiecznym kierunku, ku zbiornikom wodnym lub na pustynię. Jeśli twoje źródło energii jest głośne (np. generator spalinowy), wycisz go i używaj oszczędnie. Utrzymywanie ciągłej czujności będzie z początku trudne, ale z czasem stanie się twoją drugą naturą. Kiedyś ludzie przez wieki żyli właśnie w taki sposób, od średniowiecznej Europy po stepy środkowej Azji. Większość historii ludzkości to opowieści o małych wysepkach porządku w morzu chaosu, o ludziach w pocie czoła zapewniających sobie przeżycie kolejnego dnia z ciągłą groźbą najazdu nad głowami. Jeśli oni mogli żyć w ten sposób przez niezliczone pokolenia, ty tym bardziej możesz do tego przywyknąć.

15. Utrzymuj izolację

Nie ulegaj ciekawości pod żadnym pozorem. Nawet doświadczony zwiadowca, mistrz kamuflażu i zasadzek, może przez przypadek ściągnąć pod mury obozu armię żywych trupów. Twojego zwiadowcę mogą też pochwycić bandyci i torturami wymusić od niego wskazanie lokalizacji obozu. Nawet jeśli nie zdarzy się nic równie dramatycznego, zwiadowca może przywlec do obozu jakąś chorobę, która w warunkach braku pomocy lekarskiej może szybko przerodzić się w lokalną epidemię o skutkach opłakanych dla zamkniętych w kryjówce ludzi. Siedzenie na miejscu nie oznacza ignorowania świata zewnętrznego. Radia napędzane dynamem lub bateriami słonecznymi są doskonałym i bezpiecznym źródłem informacji. Używaj ich tylko do słuchania! Nadawanie czegokolwiek może zdradzić twoją pozycję każdemu, kto posługuje się nawet najprymitywniejszym namiernikiem. Zaufanie zaufaniem, ale nie od rzeczy będzie zgromadzić w jednym miejscu, pod kluczem, wszelkie nadajniki, flary sygnalizacyjne i inne środki łączności. Czyjś moment słabości może wszystkich kosztować życie. Szkolenie z zakresu kierowania zespołami ludzkimi pozwoli ci przeforsować to zalecenie w możliwie delikatny sposób.

Typy terenu

Przeglądając mapę świata, znajdź obszary o najbardziej odpowiadających ci warunkach naturalnych i najłagodniejszym klimacie. Nałóż je na mapę gęstości zaludnienia – czyż informacje te nie pokrywają się idealnie? Ludzie od najdawniejszych czasów wiedzieli, czego szukać, gdy zakładali osiedla: umiarkowany klimat, żyzna ziemia, obfitość słodkiej wody i bogactwa naturalne to cenne skarby. Miejsca łączące osady stały się najwcześniejszymi ośrodkami ludzkości, które rozwinęły się w ośrodki współczesnej cywilizacji. Czyli to, od czego będziesz uciekał. Szukając miejsca na nowy dom, będziesz musiał odrzucić tę logikę, ten sposób myślenia. Wracajmy do mapy. Powiedzmy, że znajdziesz miejsce na uboczu, które już na pierwszy rzut oka wygląda obiecująco. Od razu je znalazłeś, prawda? Podobnie jak miliony innych ludzi, którzy też mają głowę na karku i mapę, by szukać na niej miejsca na kryjówkę, zanim przyjdzie czas uciekać. Porzuć to myślenie i zastąp je hasłem „im gorzej, tym lepiej". Zgodnie z nim, żeby zapewnić sobie bezpieczeństwo, szukaj miejsca o najgorszym, najbardziej ekstremalnym klimacie. Szukaj miejsc, które wydają się tak niegościnne i niedostępne, że nikomu nawet nie przyjdzie na myśl tam się schronić. Poniższa lista powinna umożliwić dokonanie świadomego wyboru. Dodatkowe lektury dostarczą bardziej szczegółowych informacji dotyczących warunków pogodowych, dostępności pożywienia, wody, surowców naturalnych itp. Niniejszy podrozdział zajmuje się także implikacjami tych czynników w świecie zamieszkałym przez zombie.

I. Pustynia

Poza obszarami arktycznymi to najbardziej niegościnne, a więc najbezpieczniejsze środowisko na Ziemi. Wbrew temu, co widuje się w filmach, pustynie rzadko bywają oceanem piasku. Obfitują w kamienie, które można kruszyć i kształtować, by budować z nich wygodne domy, a także, co najważniejsze, mury obronne. Im bardziej

twoje schronienie jest oddalone od cywilizacji, tym większa szansa na uniknięcie rabusiów. Żaden z tych renega-
tów nie będzie się tłukł w poprzek wielkiej pustyni, na
której nie istnieją znane im siedziby ludzkie. W jakim
celu mieliby to robić? Nawet gdyby próbowali, upał i brak
wody zabiłyby ich, zanim dotarliby w pobliże twojego
obozu. Co innego zombie, którym warunki zewnętrzne
praktycznie nie doskwierają. Nie odczuwają pragnienia
ani gorąca. Suche powietrze służy im, powstrzymując
i tak spowolniony przez wirusa rozkład tkanek. Jeśli
pustynia leży pomiędzy gęsto zaludnionymi obszarami,
jak na amerykańskim Południowym Zachodzie, rosną
szanse na odkrycie kryjówki. O ile miejscem twojego
schronienia nie będzie szczyt góry lub wielkiego ostańca
(czy innej formacji skalnej) płaski teren pustyni oznacza
konieczność dodatkowego ufortyfikowania obozu.

2. Góry

W zależności od umiejscowienia i wysokości nad poziomem morza góry zwykle oferują doskonałą ochronę

przed zombie. Im bardziej strome zbocze, tym trudniej będzie im się tam wdrapać. Brak dróg czy choćby szerszych ścieżek odstrasza także bandytów. Wysokość zapewnia lepszy widok, ale z drugiej strony utrudnia kamuflaż. W tych warunkach maskowanie widocznych śladów obecności (zaciemnienie w nocy, brak dymu w dzień) nabiera szczególnego znaczenia. Inną wadą obozu na strategicznie ważnym wysokim wzniesieniu jest zwykle oddalenie od zasobów naturalnych niezbędnych do przeżycia. Stwarza to konieczność donoszenia wody, pożywienia i materiałów budowlanych z dołu, co stanowi poważne zagrożenie bezpieczeństwa. W rezultacie często przychodzi wybierać szczyt nie najwyższy lub najłatwiejszy do obrony, tylko taki, który ma wszystko, czego potrzeba do przeżycia.

3. Dżungla

W przeciwieństwie do pustyni tropikalna roślinność dżungli czy lasów równikowych zapewnia obfitość wody, pożywienia i materiałów budowlanych, jak również wiele ziół leczniczych, materiału do maskowania i opału. Gęsta roślinność tłumi dźwięki, hamując propagację hałasów, które w otwartym terenie roznosiłyby się na kilometry wokół. W sytuacji opisywanej w rozdziale „Atak" dowiedzieliśmy się, jak dżungla utrudnia działanie zespołom łowców zombie – i nie tylko. Brak widoczności i błotnista glina doskonale wzmagają własności obronne terenu. Grupy bandytów można łatwo podejść i zlikwidować w zasadzce. Można zabijać pojedynczych umarlaków bez alarmowania pozostałych. Jednak ten równikowy ekosystem ma także wady. Wilgoć sprzyja życiu, w tym również milionom gatunków mikroorganizmów chorobotwórczych. Najróżniejsze choroby tropikalne będą twoim nieustannym zagrożeniem. Każda rana, każde otarcie grozi nawet zgorzelą gazową (gangreną). Jedzenie rozkłada się znacznie szybciej niż w suchym klimacie. O metal trzeba dbać, bo gwałtownie koroduje. Wszelkie nieimpregnowane odzienie szybko zgnije i – dosłownie – zleci z grzbietu. Pleśń pokrywa wszystko. Tutejsze owady będą cię atakować bezustannie. Część z nich tylko dokucza, ale niektóre mogą żądlić, powodując dotkliwy ból, a czasami nawet śmierć. Prawdziwe zagrożenie stanowią jednak te owady, które roznoszą straszliwe w skutkach choroby zakaźne: żółtą febrę, malarię, gorączkę tropikalną. Jedynym pozytywnym czynnikiem tutejszego klimatu jest wzmożony rozkład ciał żywych trupów – jak dowodzą badania, nawet o 10% szybszy niż w klimacie umiarkowanym. W niektórych, szczególnie niegościnnych okolicach rozkład ich ciał jest o 25% szybszy. Jak widać, dżungla to środowisko obfitujące w zagrożenia, ale doskonale nadające się na kryjówkę w razie spełnienia się czarnego scenariusza.

4. Lasy klimatu umiarkowanego

Ta strefa, obecna na wszystkich kontynentach, jest najdogodniejsza do przetrwania na dłuższą metę. Jednak atrakcyjność lasu sprawia także wiele kłopotów. Puszcze północnej Kanady będą na pewno pękać w szwach od uchodźców. Zaskoczeni, nieprzygotowani, spanikowani, na pewno będą uciekać na północ. Przez co najmniej pierwszy rok będą błądzić po dzikich ostępach, wyjadając wszystko, co się da i uciekając się do przemocy, by zdobyć sprzęt, a może i posuwając się do kanibalizmu, byle przetrwać zimę. Wśród tych ludzi na pewno znajdzie się sporo przestępców, a inni przybędą, gdy część uchodźców zdecyduje się na osiedlenie. Oczywiście zagrożeniem będą także żywe trupy. Lasy klimatu umiarkowanego są wciąż bliskie cywilizacji, usiane jej wysuniętymi placówkami. W takich warunkach spotkania z zombie będą co najmniej dziesięciokrotnie częstsze, niż w normalnych okolicznościach. Biorąc pod uwagę zalew fali uchodźców, rozprzestrzenianie się epidemii na północ mamy prawie jak w banku. Nie należy także zapominać o zagrożeniu ze strony zombie zamarzających w zimie i ożywających na wiosnę. Wybieraj kryjówkę w tej strefie jedynie wtedy, jeśli jest ona odcięta naturalnymi przeszkodami: górami, rzekami itp. Teren niezabezpieczony w taki sposób, choćby daleko od cywilizacji, będzie zbyt niebezpieczny. Niech ci się nie zdaje, że szerokie połacie Syberii okażą się pod jakimkolwiek względem bezpieczniejsze od północnej Kanady. Pamiętaj, że na południe od tego niemal bezludnego pustkowia są Indie i Chiny, a to dwa najgęściej zaludnione kraje świata.

5. Tundra

Te jałowe pustkowia tylko niektórym uchodźcom wydadzą się miejscem zdatnym do życia. Jeśli ktoś poważy się

na osiedlenie w tej strefie bez dużych zapasów i skomplikowanego sprzętu, oraz rozległej wiedzy na temat środowiska, to po prostu zginie. Tu nawet bandyci z trudem
przeżyją. Jest bardzo możliwe, że nikt nie zapuści się tak
daleko na północ. Może się jednak zdarzyć, że do twojego
obozu dotrą zombie. Chodzi o potwory, które zapuściły
się na północ w ślad za uciekinierami, lub samych uciekinierów pokąsanych i teraz reanimowanych – te zombie
mogą wykryć waszą obecność i zasygnalizować ją innym.
Ich liczba nie będzie jednak wielka i wasza grupa może
sobie z nimi poradzić. Mimo to należy zawsze pamiętać
o zbudowaniu mocnych fortyfikacji i zachowaniu czujności. Podobnie jak w lasach klimatu umiarkowanego
bądź przygotowany na intensyfikację działań zombie po
corocznych roztopach.

6. Okolice podbiegunowe

To bez wątpienia najbardziej nieprzyjazne człowiekowi
rejony kuli ziemskiej. Ekstremalnie niskie temperatury
wraz z wysokim czynnikiem chłodzenia wiatrem potrafią zabić wystawionego na ich działanie człowieka
w ciągu kilku sekund. Materiałami budowlanymi będą
głównie śnieg i lód. Opału niemal nie ma. Nikt tu nie
słyszał o jakichkolwiek roślinach leczniczych. Jedzenia
jest w bród, ale jego pozyskiwanie wymaga umiejętności. Nawet latem hipotermia stale stanowi poważne
zagrożenie. Każdy przeżyty dzień to zwycięstwo, przetrwanie na granicy zagłady. Każdy błąd dotyczący pożywienia, ubrania, schronienia, a nawet higieny może

kosztować życie. Wielu ludzi słyszało o Allariallaku, Eskimosie z plemienia Innuit, którego życie na tej lodowej pustyni pokazano w filmie „Nanook z Północy". Mało kto jednak wie, że ów „Nanook" umarł z głodu rok po ukończeniu zdjęć. To wcale jednak nie znaczy, że przeżycie w tej okolicy nie jest możliwe. Ludzie egzystują tam z powodzeniem od tysięcy lat. Chodzi tylko o to, że aby chociaż spróbować przeżyć na górnym lub dolnym czubku planety, trzeba wiedzieć dziesięć razy więcej i mieć dziesięć razy więcej determinacji, niż w jakimkolwiek zakątku Ziemi pomiędzy nimi. Jeśli nie masz w planach spędzenia w tych warunkach co najmniej jednej zimy w ramach treningu przetrwania, to nawet nie myśl o tym, żeby jechać na daleką Północ, gdy przyjdzie czas. No to po co tam jechać? Po co ryzykować życie w tak nieprzyjaznych warunkach, skoro jego zachowanie jest celem całej operacji? Odpowiedź jest prosta: bo to jedyne miejsce, gdzie twoim głównym zmartwieniem będzie natura. Żaden uchodźca ani bandyta tak daleko nie dotrze. Szanse na spotkanie zombie na dalekiej Północy są jak 1 do 35 milionów – i jest to rezultat potwierdzony obliczeniami. Podobnie jak w przypadku lasów klimatu umiarkowanego i tundry może się zdarzyć, że na wiosnę zamarznięte zimą zombie zaczną się ponownie uaktywniać. Jeśli obozujesz na wybrzeżu, strzeż się umarlaków zniesionych na brzeg przez prądy morskie i pełnych żywych trupów statków-widm, wyrzucanych na skały. Z początku życie na wybrzeżu mogą utrudniać także piraci (więcej o tym w części poświęconej wyspom). Mimo relatywnie niskiego, w porównaniu do innych rejonów, zagrożenia, koniecznością będzie utrzymywanie jakiegoś rodzaju obrony statycznej i zachowanie czujności.

7. Wyspy

Czyż może być coś bezpieczniejszego jako kryjówka niż ziemia oblana ze wszystkich stron głęboką wodą? Zombie nie pływają, więc czy życie na wyspie nie jest oczywistym wyborem w przypadku spełnienia się czarnego scenariusza? Do pewnego stopnia – tak. Geograficzna izolacja wyspy uniemożliwia masową migrację zombie, co warto wziąć pod uwagę, gdy miliardy zombie będą grasować na wszystkich kontynentach świata. Nawet kilka mil morskich oddalenia wyspy od stałego lądu może was zabezpieczyć przez umarlakami i żelaznym uchwytem ich martwych ramion. Już choćby z tego powodu wyspy są zawsze dobrym wyborem. Ale szczery zamiar przeniesienia się na kawałek skały wystający z wody to jeszcze nie gwarancja przetrwania. Wyspy będą równie oczywistym wyborem dla pozostałych uchodźców. Ruszy na nie każdy, kto ma łódź czy tratwę. Bandyci będą je wykorzystywać jako bazy do wypadów łupieżczych na stały ląd. Życie na przybrzeżnych wyspach może zniszczyć także katastrofa przemysłowa, nawet jeśli miała miejsce daleko w głębi lądu, bo w jej następstwie trujące substancje mogą dostać się do rzek, a nimi do morza. Aby uniknąć tych niebezpieczeństw wybierz taką wyspę, do której dotarcie wymaga dużego statku i sporych umiejętności nawigacyjnych. Szukaj wyspy bez naturalnego portu czy łatwo dostępnych plaż. To może sprawić, że będzie mniej pociągająca dla innych uchodźców, którzy wpadli na podobny pomysł. Pamiętaj też, że zakup wyspy powstrzyma ludzi od lądowania na niej jedynie przed wybuchem kryzysu. Napis „teren prywatny, wstęp wzbroniony" nie powstrzyma statku pełnego zdesperowanych, przymierających głodem uciekinierów. Szukaj wysp z wysokim klifem i o ile to możliwe otoczonych szerokimi, niebezpiecznymi rafami.

Nawet jednak mając te naturalne fortyfikacje, umacniaj wzniesioną siedzibę i dbaj o maskowanie swej obecności. Niebezpieczeństwo nie minęło! W początkach kryzysu pomiędzy wyspami będą zapewne krążyć piraci szukający łatwej zdobyczy u ocalałych. Zawsze utrzymuj posterunek obserwacyjny wypatrujący ich na horyzoncie. Także zombie mogą atakować wyspę na wiele sposobów. Jeśli świat ulegnie epidemii, wiele z nich zapewne trafi na dna oceanów. Istnieje możliwość – choć nieduża – spotkania jednego z nich, gdy idąc podmorskim stokiem natrafi na nasze wybrzeże. Inni mogą zostać wyrzuceni przez fale, unosząc się na wodzie dzięki wciąż noszonym kamizelkom ratunkowym, które założyli za życia jako pasażerowie na statkach. Poza tym będą się zdarzały statki, zasiedlone przez zainfekowane załogi i pasażerów, a w najgorszym przypadku może dojść do katastrofy takiego statku-widma na twoim wybrzeżu i wysadzenia śmiertelnie groźnego „desantu". Choćby się nie wiadomo co działo, za żadne skarby nie niszcz środków ucieczki. Wyciągnij łódź na plażę i dobrze ją ukryj, a jeśli jest zbyt duża, zacumuj ją przy brzegu i zamaskuj. Utrata łodzi zamieni twoje bezpieczne schronienie w więzienie.

8. Życie na morzu

Pojawiały się sugestie, że grupa mogłaby przeżyć wybuch epidemii na morzu, opanowawszy odpowiedni statek i zebrawszy kompetentną załogę. Teoretycznie jest to możliwe, ale szanse na powodzenie takiej akcji są nieskończenie małe. Schronienia na morzach w dniach wybuchu epidemii zapewne będzie szukać wielu ludzi, wypływając na morze we wszystkim, co unosi się na wodzie, od dwuosobowych kajaków po osiemdziesięciotysięczniki. Będą żyć z tego, co zabiorą ze sobą, szabrować porty i nadmorskie okolice terenów objętych zarazą, łapać ryby i w miarę możliwości destylować wodę do picia. Piraci w szybkich, dobrze uzbrojonych łodziach będą przemierzać morza i oceany, a przecież już dziś ci współcześni morscy bandyci rabują frachtowce i jachty wzdłuż wybrzeży Trzeciego Świata, a nawet w strategicznie ważnych cieśninach. W razie spełnienia się czarnego scenariusza bandy piratów bez wątpienia zasilą tysiące nowych członków i nie będą już one tak wybredne jak dotąd. Tym bardziej, że zabraknie patroli marynarek wojennych: okręty opuszczą bazy na terenach objętych zarazą i wszystkie jednostki niezaangażowane bezpośrednio we wsparcie działań na lądzie zapewne poszukają bezpieczniejszych kotwicowisk. W tych odległych bazach na oceanicznych atolach wszystkie marynarki wojenne świata zapewne długimi latami będą czekać na rozwiązanie kryzysu.

Po paru latach czas i żywioł odcisną swoje piętno na zbiorowiskach ludzi, którzy wybrali ucieczkę na morze. Statki z napędem zależnym od dostaw paliwa wyczerpią

wszelkie jego zapasy i będą skazane na bezwładne dryfo-
wanie. Część załóg próbująca znaleźć paliwo w opuszczonych portach i bazach paliwowych na wybrzeżu objętym
zarazą stanie się pożywieniem dla zombie. Po wyczerpaniu lekarstw i witamin wśród załóg zaczną szaleć choroby, takie jak choćby szkorbut. Wzburzone morze rozbije
część jednostek. Piraci wyginą w potyczkach ze zdeter-
minowanymi rozbitkami, w wyniku wewnętrznych po-
rachunków, albo też zjedzeni lub pokąsani przez zombie
zasiedlające błądzące po morzach statki. Zainfekowani
piraci zwiększą liczbę zombie na morzach. Opuszczone,
zaniedbane statki-widma będą bezwładnie przemierzały
oceany świata z załogami żywych trupów, a ich skowyt
poniesie wokół słony wiatr. Ten wiatr w końcu spowoduje korozję delikatnych niekonserwowanych mechanizmów, w tym instalacji do odsalania wody morskiej
i produkcji prądu. Po paru latach tylko nieliczne statki
nadal będą w stanie przemierzać morza. Wszystkie inne
jednostki zatoną, rozbiją się na skałach, zostaną opanowane przez zombie albo rzucą kotwicę gdzieś na końcu
świata, gdy ich załogi zdecydują się przeczekać kryzys
na lądzie.

Każdy, kto rozważa egzystencję na morzu, musi dysponować:

A. Co najmniej dziesięcioletnim stażem doświadczeń
pracy na morzu, cywilnym lub wojskowym. 10 lat posia-
dania luksusowego jachtu tego nie zastąpi.

B. Solidnej budowy jednostką napędzaną wiatrem
(żaglowiec, rotorowiec) długości co najmniej 30 metrów,
z wyposażeniem wykonanym z nieorganicznych materiałów odpornych na korozję.

C. Zdolnością bieżącego destylowania słonej wody, niezależną od deszczu! Twój system odsalania musi być prosty, łatwy w utrzymaniu, odporny na korozję i zdublowany.

D. Zdolnością łapania i przygotowywania pożywienia bez użycia wyczerpywalnych paliw. Innymi słowy – żadnych kuchenek gazowych.

E. Gruntowną wiedzą na temat wszystkich wodnych roślin i zwierząt. Wszystkie minerały i witaminy pozyskiwane na lądzie mogą być zastąpione substytutami pochodzenia morskiego.

F. Pełnym zestawem środków ratunkowych dla każdego członka grupy na wypadek konieczności opuszczenia statku.

G. Znajomością bezpiecznych przystani. Każda jednostka pływająca potrzebuje portu, choćby najbardziej prymitywnego. Może to być kilka skał u północnych wybrzeży Kanady albo jałowy atol na Pacyfiku. Cokolwiek by to było, bez wiedzy, gdzie się schronić na wypadek sztormu, jesteś zgubiony, w sensie dosłownym i w przenośni.

Świadomość tych wszystkich ograniczeń może cię popchnąć do rozwiązania kompromisowego – użycia statku jako ruchomego domu w podróży i poszukiwaniu pożywienia: od wyspy do wyspy, od brzegu do brzegu. To na pewno będzie życie wygodniejsze i bezpieczniejsze, niż na pełnym morzu. Należy jednak wystrzegać się zombie w płytkich wodach i zawsze, ale to ZAWSZE pilnować łańcucha kotwicznego. Teoretycznie taki sposób życia jest możliwy, ale go nie polecam.

Czas trwania

Jak długo wytrzymasz takie prymitywne życie? Jak długo potrwa, zanim zombie rozpadną się w proch i pył, a twoje życie wróci do czegoś choć z pozoru przypominającego normalność? Niestety, trudno podać jakieś konkretne liczby. Pierwszy zombie rozłoży się po mniej więcej pięciu latach, o ile nie zostanie w międzyczasie zabalsamowany, zamrożony lub w inny sposób zakonserwowany. Tyle tylko, że zanim zombie opanują świat, może minąć nawet i dziesięć lat, a pamiętaj o tym, że będziesz uciekał na początku wojny, a nie po jej zakończeniu. Kiedy zombie naprawdę bez reszty opanują Ziemię i nie pozostanie żaden żywy człowiek do zjedzenia, po pięciu latach większość z nich już się rozłoży. Klimat suchy lub zimny zakonserwuje jednak część potworów, pozwalając im przetrwać i, co gorsza, działać jeszcze przez całe dziesięciolecia. Bandyci, uchodźcy i inni rozbitkowie tacy jak ty, mogą także paść ich ofiarą, dodając kolejne (lecz już nie tak masowe) pokolenie zombie do pogrążającej się w rozkładzie krwiożerczej hordy. Gdy zasadnicza masa umarlaków ulegnie rozkładowi, pozostaną już tylko osobniki zakonserwowane sztucznie lub rozmarzające każdej wiosny. Na nie trzeba będzie uważać jeszcze przez wiele, wiele lat. Jeszcze twoje dzieci i wnuki będą żyć w strachu przed nimi. Po ilu latach można bezpiecznie opuścić kryjówkę?

Rok 1: Ogłoszono stan wyjątkowy. Uciekasz. Budujesz umocnienia, zakładasz obóz. Dzielisz się obowiązkami z towarzyszami przetrwania. Zaczynasz nowe życie.

Przez cały czas monitorujesz dzienniki radiowe i transmisje telewizyjne, pilnie śledząc przebieg rozwijającego się konfliktu.

Lata 5-10: Gdzieś w ciągu tego okresu wojna dobiega końca. Żywe trupy opanowały świat. Odbiorniki zamierają. Dochodzisz do wniosku, że cały świat został opanowany. Prowadzisz swoje życie, doglądając pilnie obrony, gdyż bandyci i uchodźcy mogą zacząć docierać w waszą okolicę.

Rok 20: Po dwóch dziesięcioleciach izolacji rozważasz wysłanie zwiadowców. To może skutkować dekonspiracją waszej kryjówki. Jeśli zwiadowcy nie wrócą w umówionym terminie, należy liczyć się z ich utratą i tym, że wasza obecność została wykryta. Pozostańcie w ukryciu. NIE wysyłaj ekspedycji ratunkowej i przygotuj się do walki. Nie wysyłaj kolejnych zwiadowców przed upływem co najmniej pięciu lat. Jeśli zwiadowcy wrócą, ich ustalenia przesądzą o dalszych działaniach.

Twoi zwiadowcy odkryją nowy świat, w którym mógł się zrealizować jeden z poniższych scenariuszy:

1. Zombie nadal panują na Ziemi. Poza zakonserwowanymi lub odmarzającymi, na świecie nadal mogą ich być miliony. Wystarczy jeden na 6 km², by zachowały pozycję najgroźniejszego drapieżnika na planecie. Niemal cała ludzkość wyginęła, nieliczni ocaleni żyją w ukryciu.

2. Pozostało już niewielu umarlaków. Rozkład i ciągła wojna wyniszczyły je na tyle, że spotyka się zaledwie pojedyncze osobniki na przestrzeni setek kilometrów. Ludzie zaczynają wracać do normalnego życia. Ocaleni zbierają się w większe grupy i zaczynają odbudowywać

więzi społeczne. Próby te mogą przybierać różną formę – od harmonijnego współżycia przestrzegających prawa obywateli, po chaotyczne, zatomizowane i zanarchizowane społeczności barbarzyńców i watażków. Ta ostatnia forma odbudowy społeczeństwa powinna nakłonić was do pozostania w kryjówce. Zawsze istnieje także możliwość, dość odległa, że na arenie dziejów pokaże się któryś z ukrywających się rządów. Dysponując resztkami policji i wojska, ukrytymi zapasami środków technicznych i dokumentacją technologiczną, może z powodzeniem podjąć próbę popchnięcia ocalałej ludzkości na powolną, ale prostą drogę do odzyskania pozycji dominującego gatunku na Ziemi.

3. Nic nie przetrwało. Zanim uległy całkowitemu rozkładowi, zombie zniszczyły wszelkie ślady ludzkości. Uchodźcy zostali zjedzeni, bandyci pozabijali się nawzajem lub ulegli umarlakom. Inne kryjówki padły ofiarą ataków, chorób, walk wewnętrznych lub po prostu nudy. Na zewnątrz istnieje świat kompletnej ciszy bez ludzi i zombie. Poza szumem wiatru wśród liści, fal uderzających o brzeg, nawoływań ocalałych zwierząt, Ziemia odnalazła niesamowity spokój, którego nie zaznała od miliona lat.

Niezależnie od przemian w świecie ludzi świat zwierzęcy zapewne także uległ metamorfozie. Każde stworzenie niezdolne do ucieczki zostało zjedzone przez zombie. Sytuacja ta doprowadzi niemal na pewno do wyginięcia wielkich zwierząt roślinożernych, głównego pożywienia dużych drapieżników. Oprócz nich na krawędzi zagłady staną także ptaki drapieżne oraz padlinożercy, gdyż ciała zakażone wirusem zombizmu pozostają trujące po śmierci. Nawet owady, zależnie od wielkości i prędkości, mogą paść ofiarą zombie. Trudno orzec, jakie formy fauny ocaleją. Bez wątpienia można natomiast przewidywać, że opanowanie świata przez zombie będzie miało na globalny ekosystem wpływ nie mniejszy, niż ostatnie zlodowacenie.

1 CO POTEM?

Scenariusze filmów zwykle pokazują ludzi ocalałych z zagłady świata, prowadzących odbudowę życia wielkimi, dramatycznymi krokami – na przykład opanowujących całą metropolię. Taki zabieg pozwala na wykonanie efektownych zdjęć w filmie, ale nie ma to nic wspólnego z bezpiecznym lub choćby efektywnym sposobem rekolonizacji planety. Zamiast maszerować mostem Washingtona, by zasiedlić na nowo Manhattan, bezpieczniejszym i sensowniejszym rozwiązaniem byłoby albo pozostać w kryjówce i przystosować ją do stałego życia, albo przenieść się do innego, bardziej przyjaznego ludziom, ale wciąż położonego na odludziu schronienia. Na przykład, jeśli chroniłeś się na małej wysepce, to zajmij większą, niezasiedloną przez innych ludzi. Po zlikwidowaniu ostatnich ocalałych na niej zombie możesz zamieszkać w zachowanych budynkach. Na lądzie można się przenieść z tundry czy pustyni do najbliższego opuszczonego miasteczka. Podręczniki przetrwania na wypadek

kataklizmów i teksty historyczne będą najlepszym prze-
wodnikiem w dziele odbudowy. Książki mogą pominąć
jednak jeden aspekt, o który musisz zadbać sam – pamiętaj o bezpieczeństwie swojego nowego cywilizowa-
nego domu! To ty będziesz swoim rządem, swoją policją
i wojskiem. Odpowiedzialność za bezpieczeństwo spada
wyłącznie na ciebie i choć bezpośrednie, największe zagrożenie mogło przeminąć, to nie wolno przyjmować, że
jest się całkowicie bezpiecznym. Cokolwiek cię spotka,
czemukolwiek przyjdzie ci stawić czoło, sił powinna ci
dodawać świadomość, że przeżyłeś właśnie największą
katastrofę od czasu wyginięcia dinozaurów – świat żywych trupów.

7 ZOMBIE NA PRZESTRZENI
ROZDZIAŁ DZIEJÓW

Rozdział ten nie zawiera kompletnej listy potwierdzonych przypadków ataków zombie. Opisano
w nim jedynie zdarzenia przedstawione w dokumentach i relacjach autorstwa ocalonych, do których
udało się dotrzeć autorowi. Najtrudniejsze do odnalezienia były relacje zachowane w historii narracyjnej społeczeństw prymitywnych. Historie te były zapominane,
gdy przechowujące je w zbiorowej pamięci społeczeństwo
rozpadało się na skutek wojen, zniewolenia, katastrof
naturalnych lub po prostu w wyniku rozmycia się we
współczesnym, ponadnarodowym świecie. Kto wie, ile
jeszcze historii, ile ważnych informacji (a może nawet
recept na uleczenie infekcji) poszło w zapomnienie na
przestrzeni stuleci? Nawet w świecie tak głodnym informacji jak nasz dowiadujemy się jedynie o znikomej części
ogólnej liczby ataków. Wynika to do pewnego stopnia
ze zmowy milczenia świata politycznego i duchowego,
który trzyma w tajemnicy wszelkie informacje na temat żywych trupów. Po części jest to efekt niewiedzy

o przeszłych wybuchach epidemii: ci, którzy podejrzewają atak zombie, z obawy o swoją wiarygodność wolą
milczeć i zachować tego rodzaju informacje dla siebie. To
wszystko sprawia, że mamy do dyspozycji listę krótką,
ale za to dobrze udokumentowaną. Opisy ataków uło-
żone są w kolejności chronologicznej zdarzeń, a nie daty
ich odkrycia.

60 000 lat p.n.e., Katanda, Środkowa Afryka

Ostatnio przeprowadzona ekspedycja odkryła w górnym biegu rzeki Semliki w jaskini nad brzegiem
13 skruszonych czaszek. Obok znaleziono sporą ilość
skamieniałego popiołu. Badania laboratoryjne dowiodły, że popioły zawierają szczątki trzynastu różnych
osobników homo sapiens. Na ścianie jaskini odkry-
to malowidło skalne przedstawiające sylwetkę ludzką
z wyciągniętymi w geście groźby rękami i utkwiony-
mi w widza groźnie spoglądającymi oczyma. Odkryć
tych część badaczy nie chce przyjąć za wizerunek
wybuchu epidemii. Jedni twierdzą, że rozbite czaszki
i spalone kości to dowód, iż w jaskini dokonano likwidacji zombie, a malowidło ścienne stanowi ostrzeżenie dla przyszłych pokoleń. Inni domagają się nama-
calnych dowodów w rodzaju odkrycia śladów wirusa
zombizmu w skamieniałym popiele. Badania nadal
trwają. Jeśli dowiodą, że w Katandzie istotnie zabito
zombie, pozostaje pytanie, co sprawiło, iż między tym
a kolejnym zanotowanym atakiem upłynęło tak wiele
czasu.

3000 lat p.n.e., Hieraconpolis, Egipt

W roku 1892 Brytyjczycy odkryli tajemniczy grób. Nie potrafiono znaleźć odpowiedzi na pytanie, kogo tam pochowano, ani jakie miejsce w hierarchii społecznej zajmował ten osobnik. Po otwarciu krypty odnaleziono w jej rogu skulone, jedynie częściowo rozłożone ciało. Wszystkie wewnętrzne powierzchnie krypty pokryte były rysami, jakby ktoś próbował od środka wydrapać sobie drogę na zewnątrz. Eksperci sądowi stwierdzili potem, że rysy te powstawały w przeciągu kilku lat! Na tkankach zachowanej części ciała stwierdzono kilka śladów ukąszeń, których zarys wskazywał na to, że były to ślady ludzkich szczęk. Sekcja zwłok wykazała pełną zgodność obrazu patologicznego mózgu z zanotowanymi skutkami działania wirusa zombizmu (całkowity rozkład płata czołowego), a nawet pozwoliła stwierdzić obecność śladów samego wirusa. Do dziś trwają debaty, czy to nie właśnie ten przypadek sprawił, że egipscy specjaliści zaczynali potem mumifikowanie ciał od usunięcia mózgu.

Rok 500 p.n.e., Afryka

W czasie wyprawy kolonizacyjnej wzdłuż zachodniego wybrzeża kontynentu jeden z najsłynniejszych podróżników starożytnej cywilizacji zachodniej, Hanno z Kartaginy, zapisał w dzienniku okrętowym:

U brzegu porośniętego wielkim gąszczem, w którym szczyty wzgórz ginęły w chmurach, wysłałem na ląd ekspedycję w poszukiwaniu słodkiej wody. (...) Nasi wróżbici ostrzegali mnie przed tą wyprawą. Wieszczyli ziemię przeklętą, zamieszkaną przez demony opuszczone przez bogów. Wyśmiałem ich obawy i zapłaciłem za ten błąd najwyższą cenę. (...) Z trzydziestu i pięciu wysłanych tylko siedmiu powróciło. (...) Ocaleni szlochali ze strachu przed potworami zamieszkującymi gęstwinę. Mieli to być ludzie o szczękach węży, pazurach lamparta i z oczyma gorejącymi od piekielnego ognia. Ostrza cięły ich ciała, ale nie ronili ani kropli krwi. Pożarli naszych marynarzy, których krzyki przynosił wiatr. (...) Wróżbici ostrzegali mnie przed tymi, którzy powrócili ranni, mówiąc, że przyniosą zgubę wszystkiemu, czego dotkną. (...) Pośpieszyliśmy na statki, porzucając tych biedaków na pastwę zamieszkujących tam ludzkich potworów. Niechaj bogowie mi wybaczą.

Jak wiedzą wszyscy, którzy czytali dzienniki Hanno, jest to dzieło mocno kontrowersyjne i budzące spory wśród naukowców. Biorąc pod uwagę inne fragmenty dzieła, w których Hanno opisuje konfrontację z wielkimi, podobnymi do małp potworami, które nazywa

„gorylami" (choć w rzeczywistości goryle nigdy nie za-
mieszkiwały części Afryki opisywanej we wspomnianym
fragmencie), można dowodzić, że i te epizody były jedynie
wytworem jego bujnej wyobraźni albo, co gorsza, efektem
późniejszej ingerencji w tekst dzienników. Mając wszystkie te zastrzeżenia na uwadze, trzeba jednak zauważyć, że
relacja Hanno pasuje do innych opisów żywych trupów.

Rok 329 p.n.e., Afganistan

W czasie wojny w Afganistanie pododdział specnazu
wielokrotnie eksplorował rejon, w którym żołnierze odnaleźli macedońską kolumnę wzniesioną przez wojska
legendarnego zdobywcy świata antycznego, Aleksandra
Wielkiego. Siedem kilometrów od kolumny komandosi
odkryli pozostałości koszar z okresu hellenistycznego.
Wśród odnalezionych przedmiotów była tam mała brą-
zowa waza pokryta rytowanym reliefem. Obrazy wyryte
na obwodzie wazy pokazywały: (1) jednego człowieka

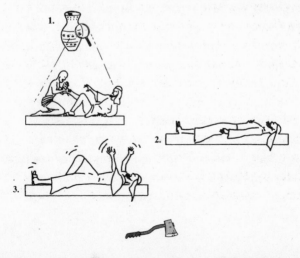

kąsającego drugiego; (2) ofiarę leżącą na łożu śmierci; (3) ofiarę powstającą z łoża śmierci, a dalszy obrót wazy pokazywał z powrotem scenę (1). Waza ta może być dowodem na to, że wojska Aleksandra były świadkiem wybuchu epidemii zombizmu lub że lokalne społeczności opowiadały im o tym, czego doświadczyły.

Rok 212 p.n.e., Chiny

W czasach dynastii Qin cesarz, chcąc uchronić ludność przed „niebezpiecznymi myślami", nakazał spalenie wszystkich ksiąg niedotyczących praktycznych problemów dnia codziennego, w rodzaju uprawy roli czy budownictwa. Nigdy się nie dowiemy, czy relacje o atakach zombie także zginęły w płomieniach. Uchował się jednak mało znany ustęp rękopisu medycznego, zamurowanego w ścianie przez zgładzonego później naukowca, który może dowodzić, że takie zdarzenia miały miejsce:

Jedynym lekarstwem dla ofiar Koszmaru Wiecznego Przebudzenia jest poćwiartowanie i spalenie zwłok. Schwytanego pacjenta należy związać, a usta zaknebloZwać słomą i dokładnie zawiązać. Odjąć kończyny i organy, unikając kontaktu z płynami cielesnymi. Wszystko to spalić i popioły rozrzucić na minimum tuzin li w każdym kierunku. Nie ma innych lekarstw, gdyż choroba jest nieuleczalna, a (...) pożądanie ludzkiego mięsa jest niezaspokojone. (...) Jeśli napotka się grupę chorych w takiej liczebności, że nie ma szans na pochwycenie i związanie każdego, należy ich jak najszybciej zdekapitować. (...) Szpadel jest do tego najbardziej użyteczną bronią.

Zwraca uwagę, że o „ofiarach Koszmaru Wiecznego Przebudzenia" nie mówi się wcale jak o zmarłych.
Jedynie zalecenia co do sposobu likwidacji i wzmianka
o jedzeniu mięsa ludzi wskazują na to, że w starożytnych
Chinach byli obecni zombie.

Rok 121, Fanum Cocidi, Kaledonia (Szkocja)

Przebieg tych wydarzeń jest dobrze udokumentowany,
choć nie wiadomo, co wywołało wybuch epidemii. Lokal-
ni wodzowie plemion barbarzyńskich, biorąc żywe trupy
za obłąkanych ludzi, wysłali ponad 3000 zbrojnych, by
„położyć kres rebelii szaleńców". W rezultacie ponad 600
wojowników zostało pożartych, a reszta, pokąsana, zasi-
liła szeregi zombie. Świadkiem starcia był podróżujący
w okolicy rzymski kupiec, Sykstus Semproniusz Tubero.
Nie miał wprawdzie pojęcia z kim walczyli barbarzyń-
cy, ale obserwował bitwę na tyle uważnie, by spostrzec,
że jedynie pozbawienie głowy kładło kres zagrożeniu ze
strony przeciwnika. Ledwo uszedłszy z życiem, Tubero
zameldował o swoich obserwacjach Markowi Lucjuszowi
Terencjuszowi, komendantowi najbliższego garnizonu
rzymskiego w okupowanej części Brytanii. W odległości ledwo dnia drogi znajdowała się horda 9000 zombie.
Podążając na plecach fali uchodźców, która ruszyła na
południe, żywe trupy zbliżały się powoli do rzymskich
posterunków. Terencjusz miał w swoim granicznym
garnizonie do dyspozycji ledwie jedną kohortę (ok. 480
ludzi). Najbliższe posiłki były oddalone o trzy tygodnie
marszu. W tej sytuacji dowódca postanowił podjąć próbę

samodzielnej obrony. Rozkazał wykopać dwa głębokie na dwa i pół metra rowy, zbiegające się do środka, tworząc korytarz szerokości półtora kilometra. Całość tworzyła rodzaj szerokiego lejka, skierowanego na północ. Oba ukośne rowy wypełniono *bitumen liquidum*, olejem skalnym, czyli surową ropą naftową powszechnie używaną w tamtych stronach do lamp oliwnych. Gdy pojawiło się czoło hordy zombie, olej w rowach został podpalony, zaganiając nadchodzących umarlaków do środka. Te, które próbowały wyjść na zewnątrz, wpadały do rowów i, tam uwięzione, ulegały spaleniu. Reszta została skierowana do korytarza, w którym najwyżej 300 potworów mogło stać w jednym rzędzie. Terencjusz ustawił swoich żołnierzy szeregiem w poprzek wyjścia z lejka, kazał dobyć mieczy, unieść tarcze i ruszył do ataku na wroga. Po trwającej aż 9 godzin bitwie jego żołnierze obcięli głowy wszystkim zombie, a ciała i wciąż usiłujące kąsać głowy zepchnięto do rowów z płonącym olejem. Rzymianie stracili 150 ludzi. Rannych nie było, gdyż na rozkaz Terencjusza legioniści zabijali pokąsanych na miejscu.

Skutki tego wybuchu epidemii były znaczące zarówno na krótką metę, jak i historycznie. Cesarz Hadrian nakazał zebranie wszelkich informacji dotyczących tego i podobnych epizodów w jednym tomie, który ujmował całość zagadnień związanych z zombie. Podręcznik ów zawierał opis cech pozwalających rozpoznać żywego trupa, jego sposoby zachowania i zalecenia dotyczące efektywnych metod zwalczania umarlaków. Instruktaż zalecał także przeznaczenie licznych wojsk do „przeciwdziałania nieuniknionej panice ludności cywilnej".

Egzemplarze tego dzieła noszącego tytuł „Rozkaz ogólny numer XXXVII", dostarczono do dowództwa każdego legionu na terenie Cesarstwa. Dzięki temu wybuchy epidemii na terenach podlegających rzymskiej okupacji były szybko rozpoznawane, opanowywane i likwidowane, nigdy nie osiągając rozmiarów godnych relacjonowania w kronikach. Uważa się również, że to właśnie bitwa stoczona przez Terencjusza doprowadziła do budowy Wału Hadriana – ciągu fortyfikacji, który skutecznie odgrodził północną Kaledonię od reszty wyspy. Było się czego bać, gdyż według dzisiejszej klasyfikacji doszło tam do wybuchu epidemii klasy III, najpotężniejszego z kiedykolwiek zanotowanych!

Rok 140-141, Thamugadi, Numidia (Algieria)

Lucjusz Waleriusz Strabo, rzymski gubernator prowincji, zanotował sześć lokalnych wybuchów epidemii wśród nomadów. Wszystkie zostały zduszone w zarodku przez dwie kohorty stacjonującego w prowincji III Legionu Augusty. Ogólna liczba zneutralizowanych zombie: 134. Strat własnych: 5. Oprócz oficjalnego raportu, wydarzenia te znalazły odbicie w dokumentach prywatnych. Wpis z dziennika sapera zawiera ważną obserwację:

Miejscowa rodzina pozostawała uwięziona w swoim domu przez co najmniej dwanaście dni, podczas gdy bestie drapały i szarpały za zamknięte drzwi i okna. Kiedy zlikwidowaliśmy nieczyste stworzenia i uratowaliśmy rodzinę, sprawiali wrażenie obłąkanych. Z tego, co udało

się od nich dowiedzieć, bezustanne jęki i wycie tych bestii, dzień w dzień i noc w noc, były dla tych nieszczęśników bezlitosną, nieznośną torturą.

To pierwsza relacja podnosząca aspekt psychologicznych skutków ataku zombie. Wszystkie siedem incydentów, biorąc pod uwagę chronologię zdarzeń, było zapewne skutkiem niedokładnej likwidacji ogniska zarazy – wystarczył jeden lub kilku pominiętych osobników, by ponownie zainfekować raz oczyszczony teren.

Rok 156, Castra Regina, Germania (południowe Niemcy)

Po ataku siedemnastu zombie został zainfekowany ważny miejscowy duchowny. Rzymski dowódca garnizonu, prawidłowo rozpoznając symptomy zakażenia, nakazał swoim podwładnym likwidację zarażonego. Miejscowa ludność stanęła w obronie duchownego i wszczęła rozruchy. Ogólna liczba zneutralizowanych zombie: 10, wliczając kapłana. Straty własne: 17 legionistów, wszyscy polegli w wyniku zamieszek. Liczba cywilów zabitych przez Rzymian w czasie tłumienia rozruchów: 198.

Rok 177, bezimienna osada w pobliżu Tolosy, Akwitania (południowo-zachodnia Francja)

Epizod opisany w liście wysłanym przez podróżującego kupca do brata w Kapui:

Cuchnący człowiek w stanie rozkładu wyszedł z lasu. Na jego szarej skórze widać było wiele ran, ale nie płynęła z nich ani kropla krwi. Kiedy zobaczył kwilące dziecko, jego ciałem wstrząsnął dreszcz podniecenia. Ze wzrokiem utkwionym w malcu otworzył usta i wydał z siebie zawodzący jęk. (...) Dariusz, emerytowany legionista, podbiegł (...), odepchnął skamieniałą z przerażenia matkę, jedną ręką zabrał jej dziecko, a drugą dobył miecza. Głowa przeraźliwego stwora potoczyła się pod jego nogi, a potem w dół zbocza, razem z upadającym ciałem. (...) Dariusz nalegał, by nosili skórzane kaftany, kiedy wrzucali resztki potwora do ognia. (...) Głowę, wciąż kłapiącą paszczęką, ciśnięto w płomienie.

Ten fragment ilustruje typowe rzymskie podejście do problemu żywych trupów: bez strachu, bez przesądów, po prostu kolejny problem wymagający praktycznego rozwiązania. To był ostatni znany przypadek ataku zombie w czasie trwania Cesarstwa Rzymskiego. Późniejsze nie były już ani tak skutecznie zwalczane, ani tak rzeczowo opisywane.

Rok 700, Fryzja (północna Holandia)

Pewien obraz odkryty ostatnio w skarbcu amsterdamskiego Rijksmuseum jest namacalnym dowodem wydarzenia, które, jak wykazała analiza fizyczna dzieła, datuje się około roku 700 naszej ery. Polichromia przedstawia oddział rycerzy w pełnych zbrojach atakujący zgraję szarych oberwańców z okrwawionymi ustami. Z ich ciał sterczą strzały, widoczne są także inne rany. W centrum obrazu rycerze ścierają się z przeciwnikami, obcinając im głowy mieczami. W dolnym rogu malowidła trzy zombie klęczą nad leżącym na ziemi rycerzem. Część pancerza została już zdarta, jeden ze stworów odrywa mu właśnie kończynę, a pozostałe pożerają odsłonięte ciało. Obraz nie jest podpisany, a nikt w muzeum nie jest w stanie udzielić informacji, w jaki sposób ani skąd dzieło to trafiło do zbiorów.

Rok 850, nieznana prowincja Saksonii (północne Niemcy)

Bearnt Kuntzel, mnich pielgrzymujący do Rzymu, zapisał ten incydent w swoim pamiętniku. Zombie wyłonił się z gęstwiny Czarnego Lasu, pokąsał i zainfekował miejscowego rolnika. Ofiara reanimowała się kilka godzin po śmierci i zaatakowała swoją rodzinę. Później choroba rozprzestrzeniła się na całą wioskę. Ocaleni uciekli do zamku swego pana, nie zdając sobie sprawy z tego, że są wśród nich również pokąsani. Rozszerzające się ognisko zarazy przyciągnęło tłum gapiów z sąsiednich wiosek. Miejscowy proboszcz orzekł, że nieszczęśnicy zostali opętani przez diabła, którego należy z nich wypędzić wodą święconą i śpiewami. Próba egzorcyzmów skończyła się masakrą, po której wierni zostali albo zjedzeni, albo sami stali się umarlakami.

Zdesperowani okoliczni feudałowie zjednoczyli swe siły, by „ogniem i mieczem oczyścić świętą ziemię z szatańskiego pomiotu". Silna strachem ekspedycja spaliła wszystkie wioski i napotkanych zombie w promieniu 50 mil rzymskich, nie oszczędzając w zapale bitewnym wielu żywych wieśniaków. Zamek właściciela pierwszej zaatakowanej wioski, której mieszkańcy zamknęli się tam wraz z zainfekowanymi jeszcze żywymi, stał się w tym czasie gniazdem zarazy, w którym szalało, nie mogąc się wydostać na zewnątrz, ponad 200 zombie. Ponieważ obrońcy zamku zamknęli bramy i podnieśli most, uczestnicy ekspedycji oczyszczającej nie byli w stanie go zdobyć. W rezultacie zamek uznano za „nawiedzony" i pozostawiono własnemu losowi. Jeszcze przez ponad dziesięć lat przechodzący w pobliżu chłopi słyszeli zza murów zawodzenie uwięzionych zombie. Według zapisków Kuntzela naliczono 573 zabitych żywych trupów i ponad 900 zjedzonych wieśniaków. Rezultatem wybuchu był też pogrom w okolicznej osadzie żydowskiej, której mieszkańców obwiniano o rzucenie uroku. Pamiętnik Kuntzela odnaleziono przypadkowo w watykańskim archiwum w roku 1973.

Rok 1073, Jerozolima

Historia doktora Ibrahima Obeidallacha, pioniera nauki o fizjologii zombie, ilustruje zmienne koleje ludzkiej wiedzy o tym zjawisku – wielkie kroki naprzód i wywołane ignorancją tragiczne kroki w tył w dziele poznawania i zrozumienia żywych trupów. Z nieznanych przyczyn doszło do wybuchu epidemii w Jaffie, porcie na wybrzeżu Palestyny. Lokalna milicja, dysponując przetłumaczonym egzemplarzem rzymskiego „Rozkazu ogólnego numer

XXXVII" z powodzeniem zastosowała jego zalecenia, skutecznie eliminując zagrożenie przy minimum strat ludzkich. Wśród pojmanych była młoda kobieta ukąszona przez zombie, którą zawieziono do doktora Obeidallacha, słynnego lekarza i biologa. Obeidallach przekonał (być może łapówką) żołnierzy, by wbrew zaleceniom „Rozkazu XXXVII", nakazującego natychmiastowe ścięcie i całopalenie wszystkich pokąsanych, przekazali mu opiekę nad umierającą kobietą, aby mógł ją zbadać. Zawarto w końcu kompromis: chorą zabrano do miejskiego więzienia, gdzie lekarz przeniósł się z całym swoim instrumentarium. Tam, w celi, pod czujnym okiem stróżów prawa, bacznie obserwował związaną ofiarę, będąc świadkiem jej śmierci, a potem reanimacji. Korzystając z możliwości, jakie dawało unieruchomienie chorego, wykonał przy tym szereg pionierskich badań. Odkrywając, że wszystkie funkcje życiowe niezbędne do podtrzymania życia ustały, Obeidallach naukowo udowodnił, że zombie jest obiektywnie organizmem martwym, lecz nadal funkcjonalnym. Po dokonaniu tych odkryć podróżował po Bliskim Wschodzie, zbierając informacje na temat innych przypadków zarazy.

Badania Obeidallacha udokumentowały całą fizjologię zombie. Jego notatki miały zawierać wiadomości na temat systemu nerwowego i układu pokarmowego umarlaka, zależności tempa rozkładu ciała od środowiska zewnętrznego, a nawet kompletne badania nad wzorcami behawioralnymi żywych trupów, co gdyby się potwierdziło, byłoby naprawdę zadziwiającym osiągnięciem, biorąc pod uwagę epokę, w której Obeidallach żył i pracował.

Niestety, ten zadziwiający człowiek został w roku 1099 uznany przez chrześcijańskich zdobywców Jerozolimy za czciciela szatana i stracony, a jego dorobek naukowy zniszczono niemal w całości. Część zapisków ocalała na kolejnych kilka stuleci w Bagdadzie, ale do dziś zachowały się jedynie strzępy badań Obeidallacha. Historia życia, eksperymentów, ogólny opis naukowej spuścizny i dzieje pożałowania godnego końca naukowca z rąk krzyżowców ocalały, opowiedziane przez żydowskiego historyka, kolegę i biografa Obeidallacha. Człowiek ten zdołał uciec do Persji, gdzie jego dzieło skopiowano. Przez pewien czas cieszyło się popularnością na różnych dworach bliskowschodnich. Jedna z tych kopii dotrwała do dziś w Archiwum Narodowym w Tel Awiwie.

Rok 1253, Fiskurhofn, Grenlandia

Islandzki wódz Gunnbjorn Lundergaart, idąc w ślady swych nordyckich przodków-eksploratorów, założył kolonię u ujścia izolowanego fiordu. Lundergaart wysadził na brzeg 153 kolonistów, a po spędzeniu zimy na brzegu pożeglował z powrotem do ojczyzny po zapasy i dalszych osadników. Gdy powrócił po pięciu latach, zamiast kwitnącej osady zastał ruiny z trzema tuzinami ogryzionych do czysta szkieletów. Powiada się, że napotkał również trzy istoty, dwie kobiety i dziecko o szarej skórze, ze śladami wielu ran, z których nie ciekła krew. Na widok Gunnbjorna i jego ludzi istoty skierowały się w ich stronę. Nie odpowiadając na żadne kierowane do nich słowa, stworzenia rzuciły się na Wikingów i zostały

natychmiast zarąbane mieczami i toporami. Normano-
wie, podejrzewając klątwę bogów, która zawisła nad eks-
pedycją, spalili zabudowania i wszystkie ciała. Lundergaart polecił Wikingom, by i jego zabili, poćwiartowali
i spalili, umożliwiając mu dołączenie do rodziny, która
znajdowała się wśród ofiar. „Saga o Fiskurhofn" została opowiedziana przez członków ekspedycji irlandzkim
mnichom, którzy zapisali ją, dzięki czemu przetrwała
w archiwach narodowych w Reykjaviku. Stanowi ona
najdokładniejszy opis kontaktu nordyckiej cywilizacji
z zombie i może stanowić wyjaśnienie tajemniczego, na-
głego zakończenia nordyckiej kolonizacji Grenlandii na
początku XIV wieku.

Rok 1281, Chiny

Wenecki podróżnik Marco
Polo zapisał w swoim dzienniku wyprawy, że w czasie
wizyty w letnim pałacu cesa-
rza w Xanadu Kubiłaj-chan
pokazał im odciętą głowę
zombie zamkniętą w słoju ze
spirytusem (Polo opisał płyn
jako „wodę z esencją wina, ale
bezbarwną i z gryzącym aro-

matem"). Głowę tę miał, według Kubiłaja, odciąć jego
dziad Czyngis-chan w drodze powrotnej z podbojów na
Zachodzie. Polo napisał, że głowa była w pełni świado-
ma ich obecności, a nawet spoglądała na nich na wpół

rozłożonymi oczyma. Kiedy zbliżył rękę do szkła, głowa kłapała szczękami, próbując ugryźć go w palce. Cesarz strofował go za drażnienie głowy i przypomniał historię dworzanina, który miał mniej szczęścia i został ukąszony. Urzędnik „zmarł po jakimś czasie, po czym miał zmartwychwstać i zaatakować swoją służbę". Polo twierdzi, że głowa „żyła" przez cały okres jego pobytu w Chinach. Nikt nie zna dalszych losów tej pamiątki. Gdy Polo powrócił z Chin, historia o głowie została ocenzurowana przez Kościół, i dlatego nie ma jej w oficjalnym wydaniu pamiętnika. Historycy spekulują, że skoro imperium Mongołów sięgnęło aż po Bagdad, głowa mogła należeć do jednego z obiektów badań Obeidallacha, co zapewniłoby jej bez wątpienia tytuł najdłużej „żyjącego" okazu żywego trupa.

Rok 1523, Oaxaca, Meksyk

Miejscowi prawią o chorobie, która zaciemnia duszę, wywołując łaknienie krwi bratniej. Ciała mężów, niewiast, nawet dzieci, szarzeją od zgnilizny i nabierają woni nieczystej. Dla tych, których ciemność duszy dopadnie, nie masz lekarstwa krom śmierci, a i tę ogień jeno przynosi, boć ciał ich nijaki ludzki oręż się nie ima. Przypadłość tę na pogan bez wątpienia ściągnął brak łaski pana naszego, Jezusa Chrystusa, na którą zaprawdę nie masz lekarstwa. Ubogaciwszy ich masy poznaniem prawdziwej łaski i światłości wiekuistej, musimy teraz próbować odnaleźć te nieszczęsne ofiary zatwardziałości i oczyścić je z całych sił mocy niebieskich.

Fragment ten pochodzić ma ponoć z zapisków ojca Estebana Negrona, hiszpańskiego księdza i badacza postaci Bartolomeo de las Casasa. Pierwotnie usunięty z wydanego dzieła został niedawno odkryty w Santo Domingo. Wśród badaczy panują podzielone zdania co do jego autentyczności. Część uważa go za prawdziwy dokument epoki, który padł ofiarą kościelnej cenzury. Inni z kolei uznają go za apokryf, czy nawet fałszerstwo, w rodzaju słynnych niedawno rzekomych dzienników Hitlera.

Rok 1554, Ameryka Południowa

Hiszpańska ekspedycja pod wodzą Don Rafaela Cordozy penetrowała Amazonię w poszukiwaniu mitycznego Eldorado – Złotego Miasta. Przewodnicy z plemienia Tupi przestrzegali konkwistadorów przed wejściem do miejsca, które nazywali Doliną Wiecznego Snu. Według ich przestróg, mieli tam napotkać stwory wyjące jak wiatr i łaknące krwi. Wielu ludzi tam weszło – mówili Tupi – ale żaden nie powrócił. Większość konkwistadorów było przerażonych opowieścią krajowców i prosiło dowódcę, by powrócili na wybrzeże. Cordoza zbył ich obawy, podejrzewając, że Tupi zmyślili tę opowieść, by zniechęcić go do poszukiwań Złotego Miasta i rozkazał posuwać się dalej. W nocy obóz zaatakowały dziesiątki żywych trupów. Co działo się dalej, pozostało na zawsze zagadką. Zgodnie z listą pasażerów statku *Santa Veronica*, który przywiózł Cordozę z Ameryki Południowej do Santo Domingo, Don Rafael dotarł z powrotem na wybrzeże jako jedyny ocalały. Czy walczył do końca, czy opuścił swoich towarzyszy – nie wiadomo. Rok później wrócił do Hiszpanii, gdzie opowiedział pełną historię nieudanej ekspedycji i ataku, który wyniszczył jej uczestników, na dworze królewskim i w Świętym Oficjum w Rzymie. Nikt nie dał mu wiary. Dwór oskarżył go o sprzeniewierzenie środków przyznanych na ekspedycję, a Oficjum o bluźnierstwo. Zmarł w biedzie i zapomnieniu, odarty z tytułów i ludzkiego szacunku. Jego historia nie przetrwała w oryginalnym zapisie, choć można się pokusić o jej odtworzenie z fragmentów i odnośników zawartych w hiszpańskich dokumentach z tamtej epoki.

Rok 1579, Środkowy Pacyfik

W czasie swej wyprawy dookoła Ziemi sir Francis Drake – pirat, który stał się brytyjskim bohaterem narodowym – rzucił kotwicę u brzegów bezimiennej wyspy, by odnowić zapasy wody i pożywienia. Krajowcy uprzedzali go, by nie odwiedzał pobliskiej wysepki zamieszkanej przez Bogów Zmarłych. Wedle zwyczaju umieszczano tam wszystkich zmarłych i śmiertelnie chorych, których Bogowie Zmarłych zabierali stamtąd do życia wiecznego. Drake, zafascynowany historią, postanowił zbadać, czy tak jest naprawdę. Z pokładu okrętu obserwował grupę krajowców, którzy zawieźli na wysepkę ciało umierającego. Po umieszczeniu go na plaży przewodnik grupy kilkakrotnie zadął w konchę, po czym krajowcy pośpiesznie odpłynęli z wyspy. Po chwili z dżungli wychynęło kilka postaci, które zaczęły pożerać leżące na piasku ciało, po czym odeszły kołyszącym się krokiem. Ku zdumieniu Drake'a, po jakimś czasie nadgryziony zmarły wstał z piasku o własnych siłach i poczłapał za nimi. Drake do końca życia nigdy nie wspominał o tym incydencie. Fakt ów wyszedł na jaw, gdy po jego śmierci odnaleziono tajny dziennik wyprawy, przechodzący z rąk do rąk wśród prywatnych kolekcjonerów, zanim wreszcie trafił do admirała Jacky'ego Fishera, ojca nowoczesnej Royal Navy. W roku 1907 Fisher wykonał kilka kopii dziennika i podarował je w prezencie gwiazdkowym swoim przyjaciołom. W dokumencie tym Drake podaje dokładną pozycję wysepki, którą nazwał Wyspą Potępionych.

Rok 1583, Syberia

Zagubiona i głodująca grupa zwiadowców ekspedycji kozackiej Jermaka została przygarnięta przez azjatyckie plemię. Europejscy goście, gdy tylko odzyskali siły, odpłacili im za gościnę, ogłaszając się władcami wioski, i założyli w niej leże zimowe, w którym postanowili przetrwać zimę i doczekać nadciągnięcia głównych sił swego dowódcy. Po zjedzeniu wszystkich zapasów zgromadzonych na zimę przez krajowców Kozacy uciekli się do kanibalizmu, pożerając trzynastu swoich gospodarzy, zanim reszta zdołała uciec na lodową pustynię. Gdy skończył się zapas świeżego mięsa z uboju Azjatów, Kozacy postanowili użyć wioskowego cmentarza, na którym wiecznie panujący tu mróz zakonserwował ciała zmarłych, jako naturalnej spiżarni. Pierwsze wykopane ciało należało do około dwudziestoletniej kobiety, pochowanej ze związanymi rękami i nogami oraz kneblem w ustach. Kiedy przeniesione do ciepłej izby ciało odtajało, zmarła ożyła na oczach zdumionych Kozaków. W nadziei na to, że dowiedzą się od niej jak tego dokonała, zdjęli jej knebel. Już w czasie jego ściągania kobieta ugryzła w rękę jednego z Kozaków. Ignorując niebezpieczeństwo, przybysze w swojej nieświadomości i krótkowzroczności poćwiartowali, upiekli i zjedli jej ciało. Tylko dwóch Kozaków nie uczestniczyło w uczcie: ukąszony (koledzy uznali, że szkoda mięsa dla i tak umierającego) i człowiek głęboko przesądny, który uznał, że mięso trupa jest przeklęte. Miał rację, gdyż tej nocy wszyscy uczestnicy uczty zmarli, otruci. Ranny Kozak zmarł rano.

Jedyny ocalały próbował spalić ciała towarzyszy. Gdy szykował stos całopalny, pokąsany reanimował się i zaczął go ścigać. Kozak uciekał ile sił na przełaj przez step. Po mniej więcej godzinie pościgu nowo reanimowany zombie zamarzł i znieruchomiał. Uciekinier brnął jeszcze kilka dni przez zmrożony step, nim został odnaleziony i uratowany przez innych zwiadowców Jermaka. Jego historię opisał rosyjski historyk, ojciec Piotr Gieorgiewicz Watutin. Kronika Watutina pozostawała nieznana, przez wiele pokoleń ukryta w odległym monasterze na wyspie Walaam na jeziorze Ładoga. Dopiero niedawno została przetłumaczona na angielski. Kroniki milczą o losie niefortunnych azjatyckich gospodarzy Kozaków, nie wiadomo nawet, do jakiej grupy etnicznej się zaliczali. Odwet ekspedycji karnej Jermaka sprawił, że niewielu jej członków przeżyło. Natomiast z naukowego punktu widzenia opowieść ta zawiera pierwszą relację o zamarzaniu zombie w niskiej temperaturze.

Rok 1587, Wyspa Roanoke,
Północna Karolina

Angielscy koloniści pozbawieni wsparcia z odległej Europy wysyłali regularnie ekspedycje myśliwskie po jedzenie w głąb lądu. Po jednej z takich wypraw ślad po nich zaginął na trzy tygodnie. Dopiero wówczas wrócił jedyny ocalały, na wpół oszalały z przerażenia, opowiadając o „bandach dzikich potworów (...), których toczonych przez czerwie ciał nie imały się kule". W początkowym ataku zginął tylko jeden z jedenastu członków ekspedycji, lecz czterech innych zostało okrutnie pokąsanych. Wszyscy oni zmarli następnego dnia, zostali pogrzebani, ale po kilku godzinach powstali ze swych płytkich grobów. Ocalały przysięgał na wszystkie świętości, że reszta myśliwych została zjedzona żywcem przez byłych towarzyszy i tylko on zdołał uciec. Gubernator kolonii uznał go za kłamcę i mordercę, a wyrok śmierci przez powieszenie wykonano następnego dnia o świcie.

Na poszukiwanie ciał wysłano drugą ekspedycję, by „ciała tych nieszczęsnych ofiar morderczego szału nie zostały zbezczeszczone przez pogan". Pięcioosobowa wyprawa powróciła w stanie całkowitego wyczerpania, niosąc na swych ciałach ślady ran i ukąszeń. Tuż za bramami kolonii zostali zaatakowani zarówno przez „dzikusów", opisywanych przez uratowanego z poprzedniej ekspedycji, którego słowa znalazły teraz potwierdzenie, jak i kilku rozpoznanych przez nich członków pierwszej wyprawy. Nowi ocaleni, mimo natychmiastowej pomocy lekarskiej, umarli w odstępstwie zaledwie godzin. Pogrzeb wyznaczono na następny ranek. W nocy zmarli reanimowali się samoistnie i od tej pory zwarta relacja urywa się. Jedna z wersji zakłada zainfekowanie i przypadkowy pożar, który zniszczył całą kolonię. Wedle drugiej zniszczenie kolonii było dziełem Indian, którzy prawidłowo oceniwszy zagrożenie, zlikwidowali w zarodku groźny ośrodek zarazy, zabijając wszystkich kolonistów znajdujących się na wyspie. Wedle jeszcze innej Indianie ewakuowali zdrowych, a dopiero potem wybili zombie i spalili kolonię. Wszystkie trzy wersje pojawiały się w różnych powieściach i opracowaniach historycznych tworzonych przez kolejne dwa stulecia, ale żadna nie pozwala jednoznacznie stwierdzić, dlaczego ta pierwsza angielska kolonia w Nowym Świecie zniknęła praktycznie bez śladu.

Rok 1611, Edo, Japonia

Enrique da Silva, portugalski kupiec handlujący na Wyspach Japońskich, napisał w liście do brata:

Ojciec Mendoza, odkrywając na nowo uroki kastylijskiego wina, opowiadał mi o człowieku, który ostatnio przyjął naszą wiarę. Nawrócony był członkiem najsekretniejszego zakonu rycerskiego tego dziwnego, barbarzyńskiego kraju – Bractwa Życia. Zakonnik twierdzi, że to tajne stowarzyszenie szkoli zabójców do zabijania demonów, co mówię zupełnie poważnie. (...) Z tego co twierdził, te potwory były kiedyś ludźmi. Po śmierci jakieś nieznane zło opanowuje ich ciała, każe im powstać z martwych (...), żywiąc się mięsem żywych ludzi. Do walki z tymi przerażającymi

*stworzeniami sam Szogun, jak mówił Mendoza, powołał
właśnie Bractwo Życia. (...) Kandydaci do bractwa zabie-
rani są z domów w młodym wieku (...) i szkoleni w sztuce
walki. (...) Ich dziwna metoda walki wręcz bez broni kła-
dzie szczególny nacisk na unikanie schwycenia przez potwora. W tym celu wiją się jak wąż unikający złapania. (...)
Uzbrojenie stanowią zakrzywione wschodnie bułaty, którymi obcinają im głowy. (...) W ich świątyni, której umiejscowienie stanowi najściślejszą tajemnicę, ma się znajdować
komnata, gdzie wzdłuż ścian zawieszone są wciąż żywe,
jęczące głowy zabitych potworów. Starsi nowicjusze, którzy
przeszli próby i mają być powołani w szeregi bractwa, muszą tam spędzić samotnie całą noc, za towarzystwo mając
te nieczyste stworzenia. (...) Jeśli ta historia opowiedziana
przez ojca Mendozę jest prawdziwa, to ten kraj zaprawdę
pełen jest bezbożnego zła, jak zawsze przeczuwałem. (...)
Gdyby nie ich jedwab i korzenie, powinno się go omijać
za wszelką cenę. Gdym zapytał starego klechę, gdzie mogę
spotkać owego konwertytę, by z jego własnych ust usłyszeć potwierdzenie, Mendoza odparł, że zamordowano go*

dwa tygodnie temu. Bractwo nie pozwala rozgłaszać swych tajemnic, ale jeszcze bardziej nie pozwala swoim członkom zmieniać wiary.

Spośród licznych japońskich tajnych stowarzyszeń, bractw i zakonów, istniejących w czasach feudalnych, tego jednego nie wymienia żaden tekst – ani w przeszłości, ani teraz. Da Silva myli w swojej relacji parę rzeczy, bo np. nazywa miecz samurajski „bułatem". Europejczycy w ogóle rzadko zaprzątali sobie głowy jakimikolwiek aspektami japońskiej kultury. Niewiele ma wspólnego z prawdą także jego opis sali z wyjącymi głowami. Poza kłapaniem paszczęką odcięta głowa zombie nie jest w stanie wydawać żadnego dźwięku, bo utraciła kontakt z układem oddechowym, płucami, przeponą i strunami głosowymi. Jeśli jednak jego opowieść jest prawdziwa, mamy do czynienia z wyjaśnieniem, dlaczego z odnotowanych w historii ataków zombie tak niewiele – w porównaniu do innych stron świata – miało miejsce w Japonii. Albo japońska kultura zdołała zbudować wokół tych wypadków tak szczelny mur milczenia, albo Bractwo Życia było bardzo skuteczne w tępieniu żywych trupów. Tak czy owak, aż do połowy XX wieku nie ma żadnych relacji z terenu Japonii o pojawieniu się zombie.

Rok 1690, Południowy Atlantyk

Portugalski statek *Marialva* wypłynął z Bissau w zachodniej Afryce do Brazylii z ładunkiem niewolników. Nigdy nie dotarł do celu. Po trzech latach na środku południowego Atlantyku duński statek *Zeebrug* spostrzegł dryfującą

Marialvę. Na rozpoznanie wysłano ekipę abordażową, która znalazła całą ładownię wciąż przykutych łańcuchami do pryczy czarnoskórych zombie szarpiących łańcuchy i wyjących. Na statku nie było śladu załogi, a każdy z Afrykanów miał ślad co najmniej jednego ukąszenia na ciele. Duńczycy pośpiesznie uciekli z przeklętego statku i powiosłowali z powrotem, meldując swemu kapitanowi o swoich przerażających odkryciach. Ten podjął natychmiastową decyzję o zatopieniu *Marialvy* ogniem artyleryjskim. Ponieważ nie wiadomo w jaki sposób infekcja dostała się na pokład, o jej przyczynach można jedynie spekulować. Na pokładzie nie było szalup ani ciał załogi poza kapitanem, który zastrzelił się we własnej kajucie na rufie. Wielu uważa, że ponieważ wszyscy Afrykanie byli skuci łańcuchami, nosicielem zarazy musiał być któryś z członków portugalskiej załogi. Jeśli to prawda, niewolnicy musieli znosić przerażający spektakl pożerania się i zarażania przez członków załogi – najpierw siebie nawzajem, a w końcu i skutych nieszczęśników w ładowni. Jeszcze bardziej przerażająca jest myśl o tym, jak zakażenie przeniosło się do ładowni; zapewne jeden z członków załogi zaatakował i zainfekował leżącego na narach skutego niewolnika. Ten potem umarł, reanimował się i nadal skuty łańcuchami zaatakował innych ściśniętych w tłoku i skutych współbraci. I potem już poszło – jeden za drugim krzyczący nieszczęśnik kąsany był przez sąsiadów, aż wreszcie ostatnie przerażone głosy umilkły i ładownia była już pełna zombie. Próba wyobrażenia sobie, co czuł niewolnik ostatni w rzędzie, czekający na swoją kolej z pełną świadomością nadciągającego, nieuniknionego losu, wystarczą za najstraszniejszy horror.

Rok 1762, Castries, Saint Lucia, Karaiby

Historię tego wybuchu epidemii do dziś opowiada się zarówno na Karaibach, jak i wśród karaibskich imigrantów w Wielkiej Brytanii. Służy jako poważne ostrzeżenie nie tylko przed potęgą żywych trupów, ale także przed frustrującą niezdolnością ludzkości do zachowania jedności w obliczu tego zagrożenia. Ogniskiem epidemii wywołanej przez nieznaną przyczynę były dzielnice białej biedoty w przeludnionym mieście Castries na wyspie St. Lucia. Kilku wolnych czarnych i mulatów prawidłowo rozpoznało zagrożenie i próbowało ostrzec władze. Zostali zignorowani. Samą chorobę określono jako rodzaj wścieklizny, a grupę chorych zamknięto w miejscowym więzieniu. Tych, którzy zostali pokąsani przy próbie zatrzymania zombie odesłano do domów bez leczenia. W ciągu 48 godzin miasto opanował kompletny chaos. Niewielki oddziałek lokalnej milicji nie miał pojęcia jak poradzić sobie z problemem – został rozbity i zjedzony. Ci z białych, którzy przeżyli, uciekli na okoliczne plantacje, a ponieważ część z nich została pokąsana, roznieśli zarazę po całej wyspie. Około 10 dnia po wybuchu epidemii zginęła już połowa białej ludności. Dalszych 40% (kilkuset ludzi) przerodziło się w błądzące po całej kolonii zombie. Pozostałe 10% białych uciekło z wyspy na czymkolwiek, co unosiło się na wodzie lub schroniło się w dwóch fortecach: Vieux Fort i Rodney Bay. Liczni czarni niewolnicy stali się z dnia na dzień wolni, za to zdani na łaskę zombie.

W odróżnieniu od białych w kulturach byłych niewolników od dawna przekazywano wszelkie wiadomości dotyczące ich obecnego przeciwnika, a ta wiedza pozwoliła opanować panikę i wzbudzić w ludziach determinację. Na każdej plantacji niewolnicy zorganizowali zdyscyplinowane oddziały łowców zombie. Zbrojni w pochodnie i maczety (broń palną zabrali biali) niewolnicy wraz z wyzwoleńcami i mulatami (na St. Lucia żyły spore populacje obu tych kategorii społecznych) posuwali się od północy na południe. Utrzymując łączność przy pomocy bębnów, poszczególne grupy wymieniały między sobą wiadomości i prowadziły ustalenia taktyczne. W toku powolnej, metodycznej akcji wyspa została oczyszczona w ciągu tygodnia. Biali zamknięci w fortach odmówili przyłączenia się do akcji, a to z racji rasistowskich przesądów i tchórzostwa. Dziesięć dni po zgładzeniu ostatniego zombie na wyspę dotarły oddziały kolonialne Brytyjczyków i Francuzów. Wszyscy dawni niewolnicy zostali na powrót zakuci w kajdany. Kto stawiał opór, był wieszany na miejscu. Ponieważ ekspedycji karnej wydarzenia przedstawiono jako bunt niewolników, interweniujące wojska pojmały też wszystkich dawnych wyzwoleńców i mulatów, uzupełniając nimi stan niewolników na plantacjach lub wieszając za stawianie oporu i wspieranie rzekomej rebelii. Niewolnicy nie sporządzili żadnej pisemnej relacji ze swoich działań, ale ustne opowieści przekazują obraz tamtych wydarzeń do dziś. Podobno gdzieś na wyspie znajduje się upamiętniający je pomnik, ale mieszkańcy nie chcą nikomu go wskazać. Jedyną pozytywną lekcją, którą można wyciągnąć z wydarzeń w Castries jest fakt, że grupa zdeterminowanych, umotywowanych i zdyscyplinowanych cywilów, wyposażonych nawet w najprymitywniejszą broń i środki łączności, jest w stanie stawić czoło każdemu atakowi zombie.

Rok 1807, Paryż, Francja

Do Château Robinet, szpitala dla psychicznie chorych niebezpiecznych dla otoczenia, przywieziono pacjenta. Oficjalny raport sporządzony przez dr. Reynarda Boise, administratora szpitala, stwierdza: „Pacjent nie wykazuje kontaktu z otoczeniem, zachowuje się jak zdziczały z nieuleczalną żądzą zachowań gwałtownych. (...) Kłapie szczękami jak wściekły pies, zdołał zranić jednego z pacjentów, zanim udało się go związać". Dalej czytamy o tym, że pokąsany pacjent został opatrzony, podano mu miarkę rumu i odesłano do zbiorowej celi, w której przebywało jeszcze 50 pacjentów, mężczyzn i kobiet. W ciągu kilku kolejnych dni rozpętała się tam orgia przemocy. Strażnicy i lekarze, przerażeni wrzaskami dochodzącymi z celi odmawiali wejścia tam przez ponad tydzień. Po tym czasie, gdy krzyki ucichły, znaleziono w celi pięciu częściowo nadgryzionych zombie i szczątki kilkudziesięciu zwłok. Boise natychmiast złożył dymisję i zakończył życie zawodowe, przechodząc na emeryturę. Nie wiadomo, co się stało z pięcioma zombie z celi i z pierwszym pacjentem. Sam Napoleon nakazał „oczyszczenie" szpitala i zlikwidował go, przekształcając w sanatorium dla weteranów wojennych. Nie wiadomo także skąd przywieziono pierwszego pacjenta, jak został on zainfekowany, ani czy zaraził jeszcze kogoś po drodze do Château Robinet.

Rok 1824, Afryka Południowa

Fragment z dziennika H.F. Fynna, członka pierwszego bry-
tyjskiego poselstwa do wielkiego króla Zulusów, Czaki:

*Kraal tętnił życiem. (...) Młodzieniec z królewskiego
rodu wstąpił do zagrody dla bydła. (...) Czterej wojownicy
królewscy przyciągnęli jakąś postać, ze związanymi rękami i nogami, (...) na głowie miał kaptur z krowiej skóry.
Z tego samego materiału wykonane były rękawy, ochra-
niające ramiona i dłonie wlokących go gwardzistów, więc
nie dotykali skóry skazańca. (...) Młody szlachcic pochwycił
swoją assegai [dzidę długości około 1,2 m] i wyskoczył na
środek zagrody. (...) Król wydał rozkaz i gwardziści wrzu-
cili skazańca do zagrody. Ten ciężko upadł na ziemię, ręce
i nogi bezwładnie rozleciały się na boki jak u pijanego.
Kaptur osłaniający twarz spadł i ku swemu przerażeniu
spostrzegłem, że była ona w przerażający sposób znie-
kształcona. W szyi brakowało kawałka ciała, jakby wy-
gryzionego przez jakąś bestię. Oczy miał wyłupione, puste
oczodoły wyglądały jak piekielne czeluści. Z żadnej z tych
potwornych ran nie spłynęła jednak choćby kropla krwi.
Król uniósł dłoń, uciszając ożywiony tłum. Nad kraalem
zapadła martwa cisza, tak kompletna, że nawet ptaki
zdawały się słuchać rozkazów wielkiego króla. (...) Młody
szlachcic uniósł włócznię na wysokość piersi i powiedział
jedno słowo. Jego głos był zbyt cichy, by dotarł do mych
uszu. W panującej ciszy skazaniec jednak go dosłyszał.
Jego głowa powoli zwróciła się w kierunku młodzieńca,
dolna szczęka opadła. Z jego zmasakrowanych ust wy-
dobył się jęk tak straszliwy, że zamarłem z przerażenia.*

Potwór, bo teraz już byłem przekonany, że to był potwór, powoli poczłapał w kierunku wojownika. Szlachcic podniósł assegai do ciosu i zadał pchnięcie, zatapiając ciemne ostrze w piersi stwora. Demon nie upadł, nie umarł, w ogóle nie zareagował na przebicie serca. Po prostu szedł dalej, powolnym, niepewnym krokiem. Młodzieniec cofnął się, drżąc jak liść na wietrze. Idąc tyłem, potknął się i upadł, a pył oblepił jego spocone ciało. Tłum zachował ciszę, tysiąc hebanowych postaci w napięciu śledziło przebieg tragicznej sceny. (...) Wówczas Czaka wskoczył do zagrody i zakrzyknął wielkim głosem: „Sondela! Sondela!”. Potwór natychmiast odwrócił się od leżącego młodzieńca ku królowi. Czaka z szybkością muszkietowej kuli wyrwał assegai z rany w piersi i wbił ją w jeden z pustych oczodołów, po czym zakręcił ostrzem jak mistrz szermierki, obracając nim w czaszce. Przeraźliwy stwór osunął się na kolana, po czym upadł twarzą naprzód w czerwony afrykański pył.

Relacja kończy się w tym miejscu. Fynn nigdy nie wyjaśnił, co stało się z pokonanym młodzieńcem i z zabitym zombie. Ten opis próby męstwa rodzi kilka ważnych pytań: Skąd wzięła się tradycja używania do niej zombie? Czy Zulusi mieli pod ręką więcej niż jednego umarlaka do prowadzenia takich i podobnych prób? A jeśli tak, to w jaki sposób je pozyskiwali?

Rok 1839, Afryka Wschodnia

Dziennik podróży sir Jamesa Ashton-Hayesa, jednego z wielu niekompetentnych europejskich poszukiwaczy źródeł Nilu, zawiera opis epizodu, który mógł być atakiem zombie, jak również rutynowej, przyjętej w tamtejszej kulturze reakcji na ten atak.

Do naszej wioski przyszedł rano młody Murzyn z raną na ramieniu. Najwyraźniej dzikus spudłował, rzucając włócznią, a niedoszła kolacja pocałowała go na dobranoc. Widok byłby nawet dość humorystyczny, gdyby nie to, że wypadki, które potem nastąpiły, wydają mi się na wskroś barbarzyńskie. (...) Wioskowy znachor i wódz obejrzeli ranę, wysłuchali opowieści młodzieńca i pokiwali głowami, podejmując decyzję, której nawet nie wyrazili słowami. Ranny ze łzami w oczach pożegnał się z żoną i rodziną (...) zapewne w ich tradycji kontakt fizyczny w takich wypadkach nie jest dozwolony, po czym klęknął przed wodzem. (...) Starzec uniósł sporą maczugę z żelazną kulą na końcu i spuścił ją prosto na czubek głowy nieszczęśnika, rozbijając ją niczym wielkie czarne jajko. Niemal jednocześnie dziesięciu wojowników rzuciło na ziemię swoje włócznie, wyciągnęło prymitywne kordelasy i wzniosło jakiś dziwny okrzyk, coś jak „Nagamba ekwaga nah eereeah enge". Co uczyniwszy, po prostu wybiegli w głąb sawanny. Ciało nieszczęsnego dzikusa zostało natychmiast poćwiartowane i spalone do wtóru zawodzenia chóru kobiet. Gdy spytałem mego przewodnika o jakieś wyjaśnienie tak okrutnej reakcji na w sumie błahą ranę, ten wzruszył ramionami i odpowiedział pytaniem: „A co, chciałby pan, żeby ożył dziś w nocy?". Dziwni ludzie, ci dzicy.

Hayes nie pisze, co to było za plemię, a dokładniejsze studia nad jego dziennikiem wykazują, że wszystkie podawane przez niego dane geograficzne są żałośnie nieprecyzyjne. Nic dziwnego, że nigdy nie odnalazł źródeł Nilu. Okrzyk wojowników zidentyfikowano potem jako „Njamba egoaga na era enge!", co w języku Kikujów oznacza „Razem walczymy, razem zwyciężamy lub giniemy". To pozwala historykom przynajmniej domyślać się, że opisane wydarzenia miały miejsce gdzieś na terytorium dzisiejszej Kenii.

Rok 1848, Góry Owl Creek, Wyoming

Zapewne nie był to pierwszy wypadek ataku zombie na terenie Stanów Zjednoczonych, lecz jako pierwszy doczekał się pisemnej wzmianki. Grupa 56 pionierów, znana jako Ekspedycja Knudhansena, zaginęła w środkowej części Gór Skalistych, w drodze do Kalifornii. Rok później kolejna wyprawa odnalazła ślady ich ostatniego obozowiska.

Wokół wyraźnie było widać ślady walki. Pośród spalonych wozów leżały połamane fragmenty różnych sprzętów. Znaleźliśmy także szczątki co najmniej 45 ludzi. Oprócz licznych ran wszyscy mieli roztrzaskane czaszki. Część czaszek nosiła ślady po kulach, inne zostały rozbite tępym narzędziem, młotem lub nawet kamieniem. (...) Nasz przewodnik, człowiek z wielkim doświadczeniem w dziczy, nie wierzy, by mogła to być sprawka Indian. Jego zdaniem, po co mieliby napadać na naszych ludzi, nic nie rabując i nawet nie zabierając koni i wołów? Policzyliśmy szkielety zwierząt i musieliśmy przyznać mu rację. (...)

Oglądając zwłoki, dokonaliśmy jeszcze jednego straszliwego odkrycia – była nim ogromna liczba ran kąsanych, znalezionych u wszystkich zmarłych. Zwłoki zachowały się nad podziw, widać było, że żadne zwierzę, od mrówek po kojoty, nawet ich nie tknęło. Po pograniczu krążyły opowieści o przypadkach kanibalizmu, ale te opowieści o bezbożnych aktach zdziczenia, zwłaszcza z ekspedycji Donnera, były zbyt przerażające, byśmy w nie wierzyli. (...) Nie mogliśmy zrozumieć, dlaczego tak wcześnie mieliby się rzucić na siebie, zwłaszcza przed wyczerpaniem zapasów żywności.

Ten wyimek pochodzi z dziennika Arne Svensona, nauczyciela, który stał się pionierem i farmerem, uczestnika drugiej wyprawy. Sama opowieść nie potwierdza jeszcze wybuchu epidemii zombizmu. Dowód, że do niej doszło, został odnaleziony dopiero 40 lat później.

Rok 1852, Chiapas, Meksyk

Grupa poszukiwaczy skarbów z Bostonu, James Miller, Luke MacNamara i Willard Douglass, przybyła w te porośnięte dżunglą okolice, by plądrować umiejscowione tam w pogłoskach ruiny miasta Majów. Po drodze w mieście Tzinteel mieli okazję obejrzeć pogrzeb człowieka, którego określano mianem „pijącego szatańską krew". Osobnik, którego miano pochować, był związany, zakneblowany i najwyraźniej wciąż żywy. Podejrzewając, że mają do czynienia z jakąś barbarzyńską egzekucją, Amerykanie po krótkiej walce uratowali skazańca. Po rozkuciu go z łańcuchów i odkneblowaniu oswobodzony więzień rzucił się na swoich wyzwolicieli. Ich strzały nie odniosły żadnego skutku. MacNamara zginął rozszarpany, dwaj pozostali odnieśli lekkie rany. Miesiąc później rodziny otrzymały listy datowane następnego dnia po incydencie. Obaj Amerykanie opisali w nich całe zdarzenie i dołączyli zaprzysiężone zeznanie, że ich poległy kolega następnego dnia powrócił do życia, rzucając się na nich i kąsając. Pocieszali rodziny, że odnieśli jedynie powierzchowne rany i że wkrótce po kilku tygodniach odpoczynku i leczenia w Mexico City, w ciągu których pozbędą się trapiącej ich teraz gorączki, powrócą do USA. Listy były ostatnim odnalezionym śladem po nich obu.

Rok 1867, Ocean Indyjski

Angielski parowiec pocztowy RMS *Rona* wiozący 137 skazańców do Australii zakotwiczył u wybrzeży wyspy Bijourtier, by udzielić pomocy niezidentyfikowanemu statkowi, który wszedł na pobliską piaszczystą mieliznę. Ekipa ratunkowa wysłana z parowca znalazła na pokładzie zombie z przetrąconym kręgosłupem, który pełzał po opuszczonym statku. Kiedy próbowano udzielić mu pomocy, zombie rzucił się na marynarzy i odgryzł palec jednemu z nich. Jego kolega odciął napastnikowi głowę kordelasem, a reszta zabrała rannego z powrotem na pokład *Rony*. Umieszczono go w okrętowym szpitalu dla skazańców, dano miarkę rumu i obiecano pomoc lekarską rano. W nocy marynarz zmarł, reanimował się i zaatakował skazańców. Przerażony kapitan nakazał zamknąć ładownię, pozostawiając skazanych z zombie, po czym kontynuował rejs do Australii. Przez resztę podróży z ładowni dochodziły przerażające krzyki, które potem ustąpiły miejsca jękom i skowytowi. Kilku z członków załogi przysięgało, że słyszało przeraźliwe piski zjadanych żywcem szczurów.

Po sześciu tygodniach na morzu statek rzucił kotwicę w Perth. Oficerowie i załoga wsiedli do łodzi i uciekli na brzeg, informując władze o przebiegu wypadków. Nikt nie uwierzył w ich opowieści. Posłano jednak po wojsko, by przeciwdziałać ewentualnemu buntowi skazańców i nadzorować ich wyładunek. Po pięciu dniach oczekiwania na wojsko sztorm zerwał RMS *Rona* z kotwicy, uniósł statek kilkadziesiąt mil morskich wzdłuż wybrzeża i rzucił na skały. Miejscowi i była załoga, która weszła na pokład, nie znaleźli ani śladu zombie – pozostały jedynie ogryzione kości i ślady stóp wiodące w głąb lądu. Historia *Rony* była popularna wśród marynarzy przełomu XIX i XX wieków. W rejestrach Admiralicji statek ten figuruje jako „utracony na morzu".

Rok 1882, Piedmont, Oregon

Dowody ataku znalazła ekspedycja ratunkowa, wysłana do odległego miasteczka poszukiwaczy srebra, gdy przez dwa miesiące po roztopach nikt nie dawał z niego znaku życia. Wyprawa zastała Piedmont w ruinach. Wiele domów spłonęło, a budynki ocalałe z pożogi nosiły liczne ślady pocisków. Co ciekawe, przestrzeliny wskazywały na to, że dawano ognia z wnętrza domów, nie z ulicy, tak jakby walka toczyła się we wnętrzach. Jeszcze bardziej wstrząsające było odkrycie 27 okaleczonych, na wpół zjedzonych szkieletów. Pośpiesznie wysnuta teoria o wywołanych głodem przypadkach kanibalizmu upadła, gdy w miejskich magazynach znaleziono nietknięte zapasy żywności na całą zimę. Najstraszniejszego odkrycia dokonano jednak w kopalni srebra. Szyb został wysadzony od środka, a po przekopaniu zawału odnaleziono zwłoki pięćdziesięciorga ośmiorga mężczyzn, kobiet i dzieci zmarłych z głodu. Ze znalezionych opakowań ratownicy wydedukowali, że grupa miała zapas pożywienia na kilka tygodni, który został zjedzony, co sugerowało, że ludzie ci spędzili w kopalni znacznie więcej czasu. Po zsumowaniu liczby zwłok znalezionych w miasteczku i zmarłych z głodu w kopalni okazało się, że brakuje co najmniej 32 osób.

Najszerzej przyjmowana teoria głosi, że Piedmont zaatakował zombie lub grupa zombie. Po krótkiej, zaciętej walce, ci, którzy ocaleli, zabrali ile kto miał pod ręką żywności i uciekli do kopalni. Po zablokowaniu wejścia czekali na pomoc, która nigdy nie nadeszła. Podejrzewa się, że zanim zapadła decyzja o wysadzeniu wejścia, wysłano jednego lub kilku ludzi do najbliższych osad z wiadomością i prośbą o pomoc. Ponieważ żaden z nich nigdy nie dotarł na miejsce, a żadnych zwłok nie odnaleziono, należy założyć, że albo zginęli w drodze, albo zostali wyłapani przez zombie. Jeśli to rzeczywiście zombie zaatakowali Piedmont, żadnych ich szczątków nie odnaleziono. Władze nie próbowały ukrywać incydentu w Piedmont, a na temat jego przyczyn i przebiegu krążyły najdziksze pogłoski: od zarazy przez lawinę,

porachunki wewnętrzne, aż do ataku „dzikich Indian" –
najbardziej nieprawdopodobnego, bo okolic Piedmont
nigdy nie zasiedlali żadni Indianie. Kopalni nigdy nie
przywrócono do użytku. Patterson Mining Company,
właściciel kopalni, wypłaciła rodzinom robotników po
20 dolarów odszkodowania w zamian za milczenie. Jak
na ironię, właśnie wpis w księgach rachunkowych doku-
mentujący tę wypłatę przyczynił się do ujawnienia całej
sprawy. Wykryto go w roku 1931, gdy spółka zbankruto-
wała i likwidator rewidował księgi. Nie wszczęto jednak
wówczas żadnego oficjalnego dochodzenia.

Rok 1888, Hayward, Washington

Mamy tu do czynienia z zapewne pierwszą wzmianką
o amerykańskim zawodowym łowcy zombie. Incydent
rozpoczął się, gdy do miasta przybył z głęboką raną ramienia gorączkujący traper nazwiskiem Gabriel Allens.
Jak pisał dr Jonathan Wilkes, który opatrywał trapera:
„Allens opowiadał o człowieku, który błąkał się po prerii
jak opętany, ze skórą szarą jak kamień i oczyma pozba-
wionymi życia. Gdy zbliżył się do niego, tamten wydał
z siebie przeszywający jęk i rzucił się na niego, gryząc
w rękę". Niewiele wiadomo o tym, co się działo, gdy Allens,
Pacjent Zerowy tego wybuchu epidemii, zaczął infekować
pozostałych mieszkańców miasta. Rozproszone wzmianki wskazują, że jego pierwszą ofiarą stał się dr Wilkes,
a potem trzech ludzi, którzy próbowali pojmać zreani-
mowanego Allensa. Po sześciu dniach od przybycia trapera Hayward stało się miastem oblężonym. Mieszkańcy

ukryli się w domach lub w kościele, a zombie bezustannie starały się przedrzeć do ich schronień. Broni palnej było pod dostatkiem, ale nikt nie wiedział, że śmiertelne dla zombie są jedynie strzały w głowę. Zapasy pożywienia, wody i amunicji szybko się wyczerpywały. Nikt nie spodziewał się, że obrona potrwa kolejne sześć dni.

O świcie siódmego dnia do miasta przybył Indianin Lakota nazwiskiem Eliasz Czarny Niedźwiedź. Z konia, używając kawaleryjskiej szabli, w ciągu pierwszych dwudziestu minut ściął głowy dwunastu umarlakom. Następnie narysował kawałkiem węgla drzewnego krąg wokół wieży ciśnień i wspiął się na jej szczyt. Stamtąd, używając jako przynęty dźwięku trąbki sygnałowej, okrzyków i kwiku uwiązanego pod wieżą konia, zwabił zombie z całego miasta. Każdy, który przekroczył linię narysowaną węglem był eliminowany strzałem w głowę z winchestera Czarnego Niedźwiedzia. W ten metodyczny, zdyscyplinowany sposób Eliasz zlikwidował całą hordę, 59 zombie, w ciągu sześciu godzin. Zanim ludzie zorientowali się, że oblężenie dobiegło końca, Indianin wsiadł na swojego konia i odjechał bez pożegnania. Z późniejszych relacji o indiańskim łowcy zombie wyłania się następujący obraz. Jako 15-letni chłopiec w czasie polowania z dziadkiem w Oregonie był świadkiem masakry ekspedycji Knudhansena. Co najmniej jeden z jej uczestników został wcześniej zainfekowany i reanimował się, atakując pozostałych. Czarny Niedźwiedź wraz z dziadkiem pośpieszył na ratunek, zabijając wielu zombie ciosami tomahawków w głowę, odcinając głowy lub paląc potwory żywym ogniem. Jedna z ocalonych, 30-letnia kobieta, opowiedziała im, jak szerzyła się zaraza i że ponad połowa grupy

reanimowała się już i odeszła w głąb lasów. Na zakończenie przyznała się, że rany jej i reszty to nieodwołalna
klątwa. Wszyscy błagali Indian o szybką śmierć.

Gdy zakończyli akt łaski, także stary Lakota zwie-
rzył się wnukowi, że został ukąszony w czasie potycz-
ki. Ostatnią ofiarą tomahawka Czarnego Niedźwiedzia
padł więc tego dnia jego własny dziadek. Od tamtej pory
Indianin poświęcił swe życie polowaniu na pozostałych
zombie z wyprawy Knudhansena. Z każdym starciem do-
wiadywał się więcej o przeciwniku i zdobywał bogatsze
doświadczenia. Choć nie dotarł do Piedmontu na czas,
zlikwidował dziewięciu zombie spośród tych, którzy się
stamtąd rozpełzły. Do czasu Hayward Czarny Niedźwiedź
był zapewne najlepszym na świecie badaczem, tropicie-
lem i likwidatorem zombie. Niewiele wiadomo o jego dalszym życiu i o tym, jak je zakończył. W roku 1939 historię
Czarnego Niedźwiedzia opublikował w formie książkowej
i w artykułach prasowych angielski dziennikarz, ale Wielka Brytania miała wówczas znacznie poważniejsze kłopoty i do dziś nie dotrwał ani jeden egzemplarz książki. Nie
da się więc stwierdzić, ile bitew z żywymi trupami stoczył
Czarny Niedźwiedź. Wciąż trwa poszukiwanie być może
zachowanych egzemplarzy książki o nim i jego życiu.

Rok 1893, Fort Ludwika Filipa, Francuska Afryka Północna

Dziennik młodego oficera Legii Cudzoziemskiej rela-
cjonuje jeden z najpoważniejszych odnotowanych wybuchów epidemii zombizmu:

Trzy godziny po świcie do bram fortu dotarł pieszo sta-ry Arab bliski śmierci od słońca i pragnienia. (...) Po dniu wypoczynku, leczenia i pojenia opowiedział historię o za-razie, która zmienia swe ofiary w kanibalistyczne potwory. (...) Zanim zdążyliśmy zorganizować patrol do jego wioski, obserwatorzy z południowego muru wypatrzyli na hory-zoncie coś, co z początku zdawało się być stadem bydła. (...) Przez lornetkę ujrzałem jednak, że to nie zwierzęta, lecz ludzie w podartych łachmanach i o ziemistej cerze. Po chwili wiatr się zmienił, przynosząc z oddali przeciągły skowyt, a niedługo także odór rozkładających się ciał. (...) Domyśleliśmy się, że to ci chorzy ludzie, o których mówił Arab, i że musieli tu trafić jego śladami. Jak przebyli tak daleką drogę bez jedzenia i picia, nie mieliśmy pojęcia. (...) Próby nawiązania kontaktu i ostrzeżenia nie odniosły żadnego rezultatu. (...) Nawet strzały z naszego działa nie zdołały ich rozgonić. (...) Ogień karabinowy zdawał się nie przynosić żadnego skutku! (...) Kapral Strom został natychmiast wysłany konno z meldunkiem i po posiłki do Bir-el-Ksaib, po czym zamknęliśmy i zabarykadowaliśmy bramę, szykując się do odparcia ataku.

Ten atak okazał się najdłuższym zanotowanym w hi-storii obłężeniem przez zombie. Legioniści nie potrafili zrozumieć, że atakujący ich przeciwnicy są martwi i strzelanie im w klatkę piersiową to marnowanie amu-nicji. Skutek okazjonalnych trafień w głowę nie był w ma-sie napastników na tyle spektakularny, by przekonać żołnierzy do tej skutecznej taktyki. Po kapralu Stormie wysłanym po posiłki wszelki ślad zaginął. Przypuszcza się, że zabili go wrodzy Arabowie lub pustynia. Jego towarzysze broni pozostali w oblężeniu jeszcze przez trzy długie lata! Na szczęście atak miał miejsce tuż po wizycie karawany z zaopatrzeniem, a woda była dostępna ze studni, do której pilnowania wybudowano fort. Z biegiem czasu wyrżnięto i zjedzono zwierzęta juczne i konie. Przez cały ten czas mury były oblegane przez armię ponad 500 żywych trupów. Dziennik wspomina, że wiele z nich zneutralizowano, używając improwizowanych ładunków wybuchowych i zapalających, a nawet głazów, zrzucanych z murów obronnych. Wszystkie te działania były jednak zbyt mało skuteczne, by przerwać oblężenie. Bezustanny skowyt wpędził kilku żołnierzy w obłęd, zaś dwóch popełniło samobójstwo. Kilkakrotnie dochodziło do dezercji i prób ucieczki na pustynię. Wszyscy uciekinierzy zostali wyłapani i zjedzeni. Wśród oblężonych doszło do buntu, który jeszcze bardziej przerzedził ich szeregi, zmniejszając liczbę ocalonych do zaledwie 27 osób. Po trzech latach dowódca fortu spróbował desperackiego planu:

Rozdaliśmy ludziom tyle wody, ile zdołali unieść i resztę zapasów żywności. Zniszczono drabiny i schody na mury. (...) Zebraliśmy się na południowym murze i zaczęliśmy nawoływać naszych prześladowców, zbierając większość z nich koło bram. Pułkownik Drax z szaleńczą odwagą kazał się opuścić na plac apelowy, po czym sam otworzył bramę. Nagle wnętrze fortu zalał tłum śmierdzącej tłuszczy. Pułkownik zadbał, by mieli zachętę do wejścia, prowadząc ich przez plac apelowy, koszary, kasyno i szpital. (...) Wyciągnęliśmy go na górę w ostatniej chwili, gdy odcinał szablą rozkładającą się rękę, zaciśniętą na bucie.

Siedząc na murach, wołaliśmy do tych stworów, gwizda-
liśmy, robiliśmy dużo ruchu i hałasu, by zachęcić resz-
tę do wejścia w obręb murów, których tak długo przed
nimi broniliśmy! (...) W tym samym czasie z północnego
muru opuściliśmy Dorseta i O'Toole'a, którzy dobiegli do
bramy i zatrzasnęli ją za napastnikami! (...) Uwięzione
wewnątrz stwory w bezsilnej złości nawet nie potrafiły jej
otworzyć. Pchały skrzydła na zewnątrz, jeszcze skutecz-
niej zamykając sobie drogę, gdyż brama otwierała się do
wewnątrz!

Po uwięzieniu zombie w forcie legioniści opuścili się
na pustynię, w zaciekłej walce wręcz wybili kilka żywych trupów pozostałych na zewnątrz, po czym prze-
maszerowali ponad 360 kilometrów do najbliższej oazy
w Bir Ounane. Po całym incydencie nie ma ani jednej
wzmianki w oficjalnych dokumentach armii. Brak wyjaśnienia, dlaczego ustały regularne meldunki z fortu
Ludwika Filipa, nie wiadomo czemu nie wysłano patroli, by wyjaśnić sytuację. Jedynym śladem po tych
zdarzeniach jest zapis z posiedzenia sądu wojskowego,
na którym pułkownika Draxa zdegradowano i skazano
na więzienie za „poważne zaniedbania w służbie". Akta
sprawy, mogące wyjaśnić na czym ono polegało, pozostają do dziś tajne. W Legii, armii francuskiej i społeczeństwie, zwłaszcza wśród afrykańskich kolonistów, *pieds*
noirs, pogłoski o oblężeniu, krążyły przez dziesięciolecia. Powstało nawet wiele fikcyjnych relacji z „Diabel-
skiego oblężenia". Pomimo oficjalnych zaprzeczeń tym
faktom Francuzi nigdy nie obsadzili ponownie fortu
Ludwika Filipa.

Rok 1901, Lu Shan, Tajwan

Jak wspomina Bill Wakowski, amerykański marynarz
służący we Flocie Azjatyckiej, w Lu Shan kilku wieśniaków powstało z łoża śmierci i zaatakowało wioskę, w której cumowała amerykańska kanonierka rzeczna. Z racji
oddalenia i braku łączności przewodowej (telefonu/tele-
grafu) wiadomość o wydarzeniach w Lu Shan dotarła do
Tajpej dopiero po siedmiu dniach.

*Ci amerykańscy misjonarze, trzódka pastora Alfreda,
uważali, że to kara boska zesłana na niewiernych Chińczaków za to, iż nie przyjęli wiary Pana. Jak tylko się
ukorzą i przyjmą prawdziwą wiarę, Ojciec w Niebiesiech
wygna z nich Szatana i wszystko będzie OK. Nasz dowódca kazał im się zamknąć i siedzieć na tyłku w kajucie,
póki im nie zorganizuje uzbrojonej eskorty. Tamci nawet
słyszeć o tym nie chcieli. Stary nie mógł rozkazywać cywi-
lom, więc wzięli swoją łódź i popłynęli. (...) Nasz patrol
i pluton Chińczaków dotarł do wioski około południa. (...)
Ciała, czy raczej ich resztki, były wszędzie. Cała ziemia
aż się lepiła od krwi. I ten smród... Boże święty, jak tam
śmierdziało! (...) Nagle z mgły wyleźli ci ludzie, odrażają-
cy, bestie w ludzkiej skórze. Zaczęliśmy strzelać z mniej
niż 100 jardów. Nic, żadnego skutku. Ani kragami, ani
gatlingami nic żeśmy nie zdziałali. (...) Rileyowi chyba
odbiło. Założył na lufę bagnet i próbował nadziać jedną
z bestii. Opadło go z tuzin innych. Zanim się obejrzałem,
rozdarły mi kumpla na strzępy i zaczęły obgryzać mięso
z kości. Straszny widok! (...) Potem przyszedł ten Chińczak: mały łysy czarownik, mnich czy jak go tam zwać. (...)*

Wymachiwał czymś, co wyglądało jak płaski szpadel z pół-
księżycowatym ostrzem na końcu styliska. (...) Po chwili
u jego stóp leżało może dziesięć, może dwadzieścia bez-
głowych trupów bestii. (...) Miotał się tam, ćwierkał coś,
ożywiony, po chińsku i pokazywał to na swoją głowę, to na
głowy potworów. Stary jakimś boskim cudem zrozumiał,
o czym ten Chińczak gadał i kazał celować tamtym w gło-
wy. (...) Z bliska dziurawiliśmy je jak durszlak. (...) Potem,
przeglądając ciała, znaleźliśmy wśród Chińczaków paru
białych, naszych misjonarzy. Jeden z chłopaków trafił na
potwora, któremu pocisk przetrącił kręgosłup. Nadal żył,
machał bezładnie rękami i szczerzył okrwawione zębiska,
skowycząc jak potępiony. Wraz ze Starym rozpoznaliśmy
go natychmiast – to był pastor Alfred. Stary odmówił Skład
Apostolski, po czym strzelił mu z rewolweru w skroń.

Wakowski sprzedał swoją relację do popularnego magazynu horrorów *Opowieści makabryczne*, za co został
zdegradowany, usunięty z Marynarki Wojennej USA
i uwięziony. Po odsiedzeniu wyroku nie chciał odpowia-
dać na żadne pytania dotyczące incydentu. Marynarka
do dziś zaprzecza, by do takich zdarzeń kiedykolwiek
doszło.

Rok 1905, Tabora, Tanganika, Niemiecka Afryka Wschodnia

Akta procesowe podają, że tubylczy przewodnik imie-
niem Simon został aresztowany i oskarżony o zamor-
dowanie przez obcięcie głowy słynnego niemieckiego

podróżnika i myśliwego, Karla Seekta. Obrońca Simona, holenderski plantator nazwiskiem Guy Voorster wyjaśnił, że zdaniem jego klienta nie było to morderstwo, lecz akt miłosierdzia i odwagi, który uratował od straszliwej śmierci wielu ludzi. Według Voorstera:

Lud Simona uważa, że istnieje straszliwa choroba, która pozbawia ludzi sił życiowych, pozostawiając w zamian martwe, lecz nadal sprawne ciało pozbawione rozeznania własnych czynów i otoczenia, ożywiane jedynie kanibalizmem. (...) Co więcej, ofiary takiego żywego trupa również powstaną z grobu, by pożerać jeszcze więcej ludzi. Ten cykl powtarzać się będzie, aż zabraknie ludzi na Ziemi, zastąpionych przez te straszliwe krwiożercze potwory. (...) Mój klient wspomina, że ofiara powróciła do obozu spóźniona o dwa dni, w malignie i z zagadkową raną na ramieniu. Nieszczęśnik zmarł tego samego dnia wieczorem. (...) Mój klient mówi dalej, że Herr Seekt powstał z łoża śmierci i rzucił się na resztę uczestników wyprawy. Mój klient, rozpoznając objawy wspomnianej straszliwej choroby, użył maczety do odcięcia mu głowy, a następnie rozkawałkował zwłoki i spalił je w obozowym ognisku.

Pan Voorster szybko odciął się od twierdzeń Simona i orzekł, że dowodzą one jedynie, iż morderca jest niespełna rozumu i jako takiego nie należy go skazywać na śmierć. Sąd uznał jednak, że niepoczytalność jest okolicznością łagodzącą jedynie w stosunku do białych sprawców i Simon został skazany na szubienicę. Akta procesu, aczkolwiek w opłakanym stanie, zachowały się w archiwum państwowym w Dar-es-Salaam, w Tanzanii.

Rok 1911, Vitre, Luizjana

Ta stara amerykańska legenda krążąca po barach i szkolnych szatniach Południa znajduje potwierdzenie w udokumentowanych faktach. W noc Helloween kilku młodych ludzi urządziło sobie próbę męstwa, postanawiając spędzić ją całą, od zmierzchu po świt, na bagnach. Lokalna legenda opowiadała o grupie zombie, dawnej rodzinie plantatorów, które grasowały na bagnach, zjadając lub infekując wszelkich ludzi, którzy się tam zapędzili. Gdy do południa żaden z nastolatków nie powrócił do domu, zwołano wyprawę dla przeczesania bagien. Po wejściu na nie poszukiwacze zostali zaatakowani przez grupę ponad 30 zombie, w tym zaginionych chłopców. Ekipa wycofała się, przez swoją nieostrożność prowadząc ścigających zombie wprost do Vitre. Gdy przerażeni ludzie barykadowali się w domach, jeden z obywateli, Henri de la Croix, wymyślił, że oblanie atakujących zombie melasą ściągnie chmary owadów, które zjedzą je żywcem. Pomysł jednak zawiódł i grupa de la Croix ledwo uszła z życiem. Zombie po jakimś czasie polano ponownie, tym razem naftą i podpalono. W tych warunkach była to bardzo nieprzemyślana taktyka i mieszkańcy po chwili ujrzeli, jak płonący umarlacy roznoszą ogień na wszystko, czego się tknęli. Wielu mieszkańców zginęło straszliwą śmiercią w pożarach własnoręcznie zabarykadowanych domów, inni uciekli na bagna. Kilka dni później wyprawa ratunkowa naliczyła 58 ocalonych z ogólnej liczby 114 mieszkańców miasteczka. Sama osada spłonęła całkowicie. Oceny co do liczebności ofiar wśród żywych i zombie różnią się. Po dodaniu liczby ofiar wśród mieszkańców do ilości znalezionych zwłok zombie nadal brakowało co najmniej 15 ciał. Oficjalne kroniki okręgu Baton Rouge zapisały ten incydent jako rezultat „rozruchów zbuntowanych czarnych", co jest o tyle dziwne, że mieszkańcami Vitre byli wyłącznie biali. Wszelkie wiadomości na temat wydarzeń w Vitre pochodzą z listów i zapisów w dziennikach ocalonych i ich potomków.

Rok 1913, Paramaribo, Surinam

Doktor Ibrahim Obeidallach był pierwszym, ale na szczęście nie ostatnim badaczem rozwijającym ludzką wiedzę na temat żywych trupów. Doktor Jan Vanderhaven, słynny już w Europie jako badacz trądu, przybył do tej południowoamerykańskiej kolonii swej rodzimej Holandii, by studiować tutejsze przypadki tej znanej od wieków choroby.

Chorzy wykazują symptomy podobne do występujących na całym świecie: jątrzące się rany, wypryski na skórze, widoczne rozkładające się tkanki. Na tym jednak kończą się wszelkie podobieństwa. Ci biedacy sprawiają wrażenie cierpiących dodatkowo na najcięższe stadium obłędu. (...) Nie wykazują oznak racjonalnego myślenia, nie rozpoznają nikogo i niczego. (...) Nie potrzebują snu i nie odczuwają pragnienia. Odmawiają wszelkiego pożywienia, o ile nie jest żywe. (...) Wczoraj jeden z pielęgniarzy bez mojej wiedzy i wbrew wyraźnym poleceniom wrzucił do celi z chorymi rannego szczura. Jeden z nich chwycił go w powietrzu i natychmiast połknął w całości. (...) Chorzy wykazują skrajną agresję, niemal jak przy wściekliźnie. (...) Kłapią obnażonymi zębami na każdego, kto się do nich zbliży. (...) Krewna jednego z chorych, kobieta tu wielce wpływowa, wykorzystała swą pozycję, by wymóc pod moją nieobecność odwiedziny u ukochanego męża, który zapadł na tę chorobę. W czasie wizyty została ugryziona w rękę. Mimo udzielenia natychmiastowej pomocy i zastosowania wszelkich metod znanych nauce, zapadła na silną gorączkę i zmarła w ciągu zaledwie jednego dnia. (...) Ciało odebrali krewni, by pochować ją na rodzinnej plantacji. (...) Pomimo moich usilnych nalegań nie uzyskałem zezwolenia na sekcję zwłok, bowiem zdaniem władz ważniejsze było, by nieboszczka ładnie wyglądała w otwartej trumnie. (...) W nocy zameldowano, że zwłoki zostały skradzione. (...) Eksperymenty z alkoholem, formaliną i podgrzewaniem do 90°C wykluczyły bakteryjny charakter infekcji. (...) Wywnioskowałem więc, że czynnikiem zakażenia może być jedynie aktywny biologicznie płyn, który nazwałem „solanum".

„Płyn aktywny biologicznie" był powszechnie wówczas używanym terminem na określenie tego, co później przyjęło się nazywać pochodzącym z łaciny słowem „wirus". Powyższe wyimki pochodzą z przygotowywanego przez rok dwustustronicowego studium nowej choroby, autorstwa dr. Vanderhavena. Naukowiec dokumentuje w nim niewrażliwość zombie na ból, ich niezależność od tlenu, spowolniony rozkład zainfekowanych tkanek, brak szybkości, ograniczenie sprawności fizycznej i niezdolność do regeneracji. Z uwagi na gwałtowną naturę chorych i strach sanitariuszy Vanderhavenowi nigdy nie udało się przeprowadzić pełnej sekcji zwłok żywego trupa i z tego powodu nie mógł stwierdzić, że jego pacjenci są takimi właśnie ożywionymi zwłokami. Doktor powrócił do Holandii w roku 1914 i opublikował wyniki swoich badań. Jak na ironię publikacja spotkała się z kompletną obojętnością środowiska naukowego zajętego szalejącą właśnie pierwszą wojną światową. Egzemplarze opracowania leżały zakurzone w Amsterdamie przez lata. Venderhaven powrócił do praktykowania medycyny, tym razem w Holenderskich Indiach Wschodnich (dziś Indonezja), gdzie w końcu zmarł, powalony przez malarię. Przełomowe odkrycie Vanderhavena, który dowiódł wirusowej natury zombizmu, zostało upamiętnione przez dodanie do wymyślonej przez niego nazwy wirusa *Solanum* przymiotnika *vanderhaveni*. Nie wiadomo. co kierowało doktorem w wyborze nazwy wirusa. Pionierska praca Vanderhavena, choć niedoceniona przez współczesnych, dziś znana jest i poważana na całym świecie. Niestety, znalazły się także kraje zdolne uczynić z rezultatów badań doktora straszliwy użytek przeciw ludziom (patrz „Lata 1942–45, Harbin, Chiny", strony 342–344).

Rok 1923, Colombo, Cejlon

Ta relacja pochodzi z *The Oriental*, biuletynu wydawanego przez Brytyjczyków mieszkających na Cejlonie (dziś Sri Lanka). Christopher Wells, drugi pilot samolotu pasażerskiego brytyjskich linii Imperial Airways, został odnaleziony w tratwie ratunkowej po 14 dniach dryfowania na morzu. Nie udało się go odratować, ale przed śmiercią z wycieńczenia Wells opowiedział swoją historię. Ich samolot transportował zwłoki odnalezione przez brytyjską ekspedycję na szczycie Mount Everestu. Ciało należało do Europejczyka, ubranego we-

dług mody sprzed stulecia, bez żadnych dokumentów. Ponieważ zwłoki były zamarznięte, kierownik ekspedycji postanowił odesłać je do Colombo, by tam poddano je dalszym badaniom. W czasie lotu zwłoki rozmarzły, a nieboszczyk ożył i zaatakował załogę samolotu. Trzej członkowie załogi zdołali zneutralizować napastnika, rozbijając mu głowę gaśnicą – to był przypadkowy sukces, gdyż lotnicy nie zdawali sobie sprawy z natury zagrożenia i jedynie próbowali obezwładnić napastnika, a pod ręką nie mieli żadnej innej broni. Pozbywszy się bezpośredniego zagrożenia, próbowano zapanować nad uszkodzonym w czasie szamotaniny samolotem. Pilot wysłał w eter wezwanie o pomoc, ale nagła utrata sterowności nie pozwoliła mu podać aktualnej pozycji. Po wodowaniu członkowie załogi wdrapali się do tratwy ratunkowej, nie zdając sobie sprawy z tego, że ukąszenie mechanika pokładowego przez ich kłopotliwego pasażera będzie miało straszliwe konsekwencje. Rano mechanik zmarł, a po kilku godzinach ożył i zaatakował pozostałych rozbitków. Wells, chcąc pomóc szamoczącemu się z mechanikiem pilotowi, wymierzył napastnikowi potężnego kopniaka, który sprawił, że wraz z drugim pilotem stracił równowagę i wypadł za burtę. Dokończywszy tej opowieści – którą niektórzy nazywali spowiedzią – Wells stracił przytomność i zmarł. Jego relację opatrzono komentarzem, z którego wynikało, że historia ta była jedynie majakami rozbitka dotkniętego porażeniem słonecznym. Dochodzenie nie zdołało odnaleźć żadnych innych śladów samolotu, jego załogi ani rzekomego zombie.

Rok 1942, Środkowy Pacyfik

W trakcie początkowej fazy japońskiej ekspansji na Pacyfiku pododdział Cesarskiej Piechoty Morskiej wysłano z zadaniem opanowania małej wysepki Atuk w archipelagu Karolinów. Kilka dni po lądowaniu Japończycy zostali zaatakowani z głębi dżungli przez watahę zombie, ponosząc wysokie straty w ludziach. Nie mając pojęcia o naturze napastników ani o prawidłowych metodach ich zwalczania, żołnierze zostali zepchnięci do obrony na umocnionym szczycie góry na północnym krańcu wyspy. Jak na ironię trącący barbarzyństwem rozkaz dowódcy zakazujący ewakuacji rannych, uratował wycofujących się żołnierzy przed powtórzeniem błędów poprzedników, którzy zamykali się w fortecach z nosicielami zarazy. Oblężony pluton utrzymywał szczyt przez kilka dni, trwając na posterunku mimo braku pożywienia, wyczerpywania się ściśle racjonowanego zapasu wody i całkowitego odcięcia od zewnętrznego świata. Zombie oblegały Japończyków niezdolne do rozstrzygającego ataku z uwagi na niemożność wdrapania się na strome zbocze. W drugim tygodniu oblężenia szeregowy Ashi Nishimura (snajper plutonu) odkrył, że trafienie w głowę skutecznie eliminuje przeciwnika. To odkrycie słabego punktu napastnika pozwoliło wreszcie Japończykom przełamać impas i przejść do natarcia. Po wystrzelaniu zombie utrzymujących oblężenie góry Japończycy rozpoczęli metodyczne oczyszczanie wyspy. Świadkowie wspominają, że porucznik Hiroshi Tomonaga własnoręcznie pozbawił głów jedenastu zombie przy pomocy swego samurajskiego miecza *katana*, co stanowi bardzo ważny argument na rzecz tego oręża. Powojenne badania i porównanie dokumentów dowiodło, że Atuk było zapewne tą samą wyspą, którą sir Francis Drake opisał jako Wyspę Potępionych. Po wojnie Tomonaga zeznał amerykańskiej komisji śledczej, że gdy tylko odzyskano połączenie radiowe z Tokio, z Cesarskiej Kwatery Głównej przyszedł rozkaz zakazujący dalszego zabijania zombie i polecający ujmować pozostałe potwory żywcem. W rozkazie zawarte były szczegółowe instrukcje na temat sposobu chwytania, obezwładniania i krępowania umarlaków. Ponowne przeczesanie wyspy pozwoliło ująć jedynie cztery ocalałe osobniki, które zabrał z wyspy japoński okręt podwodny. Tomonaga nie miał pojęcia dlaczego wydano taki rozkaz, ani co później stało się z pojmanymi zombie. Kwatera Główna nakazała również pod karą śmierci zachowanie całego incydentu w tajemnicy.

Lata 1942-45, Harbin, Mandżukuo
(Mandżuria)

W wydanej w roku 1951 książce „Słońce wzeszło nad
piekłem" były oficer wywiadu Armii Stanów Zjednoczonych David Shore opisuje serię pseudomedycznych
eksperymentów prowadzonych przez ośrodek badawczy
Cesarskiej Armii do spraw broni biologicznej, działający
jako „Czarny Smok". Jeden z programów badawczych,
kryptonim „Kwiat Wiśni", miał badać możliwość hodowli i szkolenia zombie do wykorzystania na polu walki. Według Shore'a, Japończycy odnaleźli w bibliotece
medycznej w Surabaji, w zdobytych w 1942 roku Holenderskich Indiach Wschodnich, egzemplarz pionierskiej
pracy dr. Jana Venderhavena. Dzieło przesłano wkrótce
do „Czarnego Smoka" w Harbinie do ewentualnego wykorzystania. Powstał tam plan stworzenia armii zombie, lecz nie posiadano materiału badawczego do badań
praktycznych, gdyż nigdzie nie udało się znaleźć żadnej
próbki odkrytej przez Holendra substancji czynnej. Już
samo to stanowi dowód, że japońskie Bractwo Życia było
bardzo skuteczne w zwalczaniu zombizmu na Wyspach
Japońskich. Plan odłożono ad acta, lecz pół roku później
wszystko się zmieniło po incydencie na Atuk. Wszystkich czterech pojmanych zombie dostarczono do Har-
binu. Na trzech potworach prowadzono eksperymenty,
a zadaniem czwartego była „produkcja" innych zombie.
Zdaniem Shore'a do tego celu użyto chińskich jeńców,
których zamknięto w zagrodach, a do środka wpuszczo-
no „rozpłodowego" zombie. Gdy czterdziestoosobowy
„pluton" nowych zombie reanimował, umieszczono je

w obozie szkoleniowym, gdzie usiłowano nauczyć posłuchu. Rezultaty były negatywne: dziesięciu z szesnastu instruktorów zostało pokąsanych i zasiliło hordę zombie, która pozostała równie anarchiczna i niezorganizowana, jak przedtem. Po dwóch latach porażek zapadła decyzja o użyciu 50 posiadanych zombie w walce, niezależnie od stadium, w jakim się znajdował program ich szkolenia. Zombie mieli być zrzuceni na spadochronach nad terenami zajmowanymi w Birmie przez Brytyjczyków. Zanim do tego doszło, samolot został strącony i spłonął, a ładunek uległ zniszczeniu. Druga próba polegała na przerzuceniu kolejnych 10 zombie okrętem podwodnym do zajmowanej przez Amerykanów Strefy Kanału Panamskiego. I ta akcja spełzła na niczym, bowiem okręt zatopiono w drodze. Za trzecim razem inny okręt podwodny miał wysadzić tym razem 20 zombie bezpośrednio na Zachodnim Wybrzeżu USA. W połowie drogi odebrano z okrętu wiadomość, że jeden z umarlaków uwolnił się i zaatakował załogę, co zmusiło dowódcę do wydania rozkazu opuszczenia okrętu przez załogę i otworzenia zaworów dennych, co miał zamiar zrobić zaraz po wysłaniu depeszy. Pod koniec wojny podjęto kolejną, czwartą próbę użycia „bomby Z", zrzucając pozostałe zombie na spadochronach na obóz chińskiej partyzantki komunistycznej w prowincji Yunnan. Dziewięciu umarlaków chińscy snajperzy zabili strzałami w głowę. Nie był to wynik świadomości, z jakim przeciwnikiem mieli do czynienia, ale oszczędności amunicji – ponieważ było jej mało, Przewodniczący Mao nakazał strzelać „japońskim demonom" w głowę. Ostatni zombie został pojmany żywcem i dostarczony do kwatery Przewodniczącego w celu przeprowadzenia dalszych badań. Po radzieckiej inwazji na Mandżurię w sierpniu 1945 roku wszelkie ślady po „Czarnym Smoku" i projekcie „Kwiat Wiśni" zniknęły bez śladu.

Shore opisał prowadzone w Harbinie prace na podstawie relacji dwóch naocznych świadków, których przesłuchiwał w południowej Korei tuż po zakończeniu wojny. Ukończył książkę i znalazł dla niej wydawcę, małą niezależną oficynę braci Green. Dzieło wydrukowano, lecz zanim trafiło na półki księgarskie, rząd skonfiskował cały nakład. Green Brothers Press została oskarżona przez senatora Josepha McCarthy'ego o próbę wydania „materiału wywrotowego i obscenicznego". Pod ciężarem honorariów dla prawników wydawnictwo zbankrutowało. David Shore został oskarżony o zdradę tajemnicy państwowej, naruszenie bezpieczeństwa narodowego i skazany na dożywocie w więzieniu wojskowym w forcie Leavenworth, Kansas. Ułaskawiony w roku 1961, zmarł na atak serca w dwa miesiące po opuszczeniu więzienia. Wdowa po nim, pani Sara Shore, mimo kilkakrotnych przeszukań domu przez agentów federalnych przechowała kopię maszynopisu książki do swej śmierci w roku 1984. Ich córka, Hannah, ostatnio wygrała przed sądem sprawę o zezwolenie na powtórne opublikowanie dzieła ojca.

Rok 1943, Francuska Afryka Północna

Ten fragment znalazł się w zeznaniach sierżanta Antony'ego Marno, strzelca ogonowego amerykańskiego bombowca B-24 z 15. Armii Powietrznej. Powracając z nocnego nalotu na koncentrację niemieckich wojsk w południowych Włoszech, załoga straciła orientację nad algierską pustynią. Gdy z braku paliwa zatrzymały się już trzy z czterech silników, pilot wreszcie zauważył na ziemi coś, co wyglądało na ludzkie siedlisko i wydał załodze rozkaz opuszczenia samolotu. W rzeczywistości amerykańscy lotnicy trafili nad fort Ludwika Filipa.

To miejsce wyglądało jakby żywcem wyjęte z dziecięcego sennego koszmaru. (...) Wysokie mury, zamknięta brama, wokół żywej duszy, tylko świst wiatru. (...) Otworzyliśmy bramę. Okazało się, że nie było żadnej sztaby ani zamka, czy czegoś takiego. Wchodzimy na podwórzec, a tam były te wszystkie szkielety. Całe góry szkieletów, naprawdę. Zwalone na kupę jak w cholernym filmie. Nasz wódz popatrzył na to, tylko głową pokręcił i mówi: „Chłopaki, ja wam mówię, tu gdzieś powinien być zakopany skarb". (...) Całe szczęście, że żaden z tych cholernych szkieletów nie wpadł do studni. Napełniliśmy manierki wodą i podzieliliśmy zapasy zabrane z samolotu. Tam nie było nic do jedzenia, zresztą – cholera, wiecie, z takiego miejsca to nawet żaden z nas by chyba nie chciał nic zabierać.

Marno i reszta załogi zostali uratowani przez arabską karawanę 70 kilometrów od fortu. Pytani o to miejsce, Arabowie nagle zapomnieli francuskiego. Armia Stanów Zjednoczonych nie miała wówczas ani głowy, ani środków na organizowanie wyprawy do jakichś opuszczonych ruin na środku pustyni. Także później nie wysłano tam żadnej ekspedycji.

Rok 1947, Jarvie, Kolumbia Brytyjska

Seria artykułów w pięciu różnych gazetach ukazuje krwawe wydarzenia w małej kanadyjskiej osadzie i akt bohaterstwa, który położył im kres. Niewiele wiadomo o przyczynach i przebiegu epidemii. Historycy podejrzewają, że nosicielem był miejscowy myśliwy, Matthew Morgan, który pewnego razu powrócił z polowania pokąsany, z tajemniczą raną na ramieniu. O świcie następnego ranka ulicami Jarvie człapało już 21 zombie, a dziewięcioro mieszkańców zostało pożartych całkowicie. Pozostałych 15 ludzi zabarykadowało się w biurze szeryfa. Szczęśliwy strzał pokazał obrońcom czego może dokonać trafienie w czaszkę. Do tej pory jednak większość okien została już zabarykadowana i nie było którędy strzelać. Powstał plan, by przedostać się na dach, stamtąd do biura telegraficznego i powiadomić władze w Victorii o wydarzeniach w Jarvie. Obrońcy biura szeryfa zdołali dotrzeć do połowy szerokości ulicy, kiedy zostali zauważeni i umarlacy ruszyli w pościg. Jedna z uciekinierek, Regina Clark, powiedziała pozostałym, by biegli dalej, a ona spróbuje opóźnić pościg. Clark uzbrojona w zabrany z posterunku karabinek M1 pobiegła do ślepej uliczki. Świadkowie twierdzili, że zrobiła to świadomie, zwabiając żywe trupy do pułapki, z której nie było ucieczki, a jej niewielka szerokość nie pozwalała zbliżać się więcej niż czterem zombie naraz. Zachowując godną pochwały zimną krew i szybkość obsługi nieznanej sobie wcześniej broni, Clark wystrzelała całą hordę zombie. Świadkowie jej niesamowitego wyczynu wspominają, że pierwszy 15-nabojowy magazynek wystrzelała w zaledwie 12 sekund, ani razu nie chybiając.

Było to tym bardziej zadziwiające, jeśli weźmiemy pod uwagę, że pierwszym zastrzelonym był jej własny mąż. Władze określiły cały incydent jako „niewyjaśniony przejaw publicznej przemocy". Wszystkie artykuły prasowe oparte były na relacjach współobywateli Jarvie, bo Regina Clark odmówiła jakichkolwiek komentarzy, a jej pamiętnik pozostaje ściśle strzeżoną tajemnicą rodzinną.

Rok 1954, Than Hoa, Indochiny Francuskie

Fragment listu, który wysłał Jean Beart Lacouture, francuski biznesmen prowadzący firmę handlową w tej dawnej kolonii francuskiej (obecnie Wietnam):

> Gra nazywa się „Taniec diabła". Człowieka, zaopatrzonego jedynie w niewielki nóż o głowni nie większej niż 8 centymetrów, wrzuca się do klatki z jednym z tych stworzeń. (...) Czy przeżyje takiego walca z żywym trupem? A jeśli nie, to jak długo będzie się bronił? Zakłady obstawia się na te i wiele innych zmiennych. (...) Mamy tu całą stajnię takich cuchnących gladiatorów. Większość stanowią ci, którzy przegrali swoje pojedynki. Innych zabieramy z ulicy, (...) dobrze płacąc ich rodzinom. (...) Niech Bóg ma mnie w swojej opiece za te straszliwe grzechy.

Ten list wraz ze sporą sumą pieniędzy dotarł do La Rochelle we Francji trzy miesiące po przejęciu władzy w północnej części Wietnamu przez komunistycznych partyzantów Ho Chi Minha. Dalszy los opisującego

„diabelski taniec" Lacouture'a pozostaje niejasny. Mimo prób nie zdołano skontaktować się z autorem listu. Po roku, wraz z ciałami francuskich żołnierzy ekshumowanymi z cmentarzy wojskowych w Wietnamie, Laosie i Kambodży, do Francji dotarła trumna ze zwłokami Lacouture'a w zaawansowanym stadium rozkładu. Według władz północnowietnamskich przyczyną śmierci było samobójstwo przez oddanie strzału w skroń z pistoletu dużego kalibru.

Rok 1957, Mombasa, Kenia

Fragment z protokołu przesłuchania przez oficera armii brytyjskiej pojmanego rebelianta Kikuju, uczestnika powstania Mau Mau. Z powodu nieznajomości języka Kikuju przez przesłuchującego, wszystkie odpowiedzi uzyskiwano za pośrednictwem tłumacza z plemienia Masajów.

> **Pytanie: Ilu ich było?**
> *Odpowiedź: Pięciu.*
> **P: Opisz ich.**
> *O: Biali o skórze szarej i spękanej. Część miała widoczne rany i ślady ukąszeń na ciele. Wszyscy mieli rany postrzałowe na piersiach. Zataczali się i jęczeli. Oczy martwe, nic niewidzące. Usta ociekające krwią. Już z daleka było ich czuć padliną. Zwierzęta przed nimi uciekały.*

(W tym momencie wybuchła sprzeczka między więźniem a tłumaczem, po której więzień zamilkł).

P: Co się stało potem?

O: *Rzucili się na nas. Wyciągnęliśmy lalemy* (masajskie określenie kikujskiej krótkiej broni białej w rodzaju maczety) *i obcięliśmy im głowy, a potem zakopaliśmy je.*

P: Zakopaliście głowy?

O: *Tak.*

P: Dlaczego?

O: *Bo ogień mógłby zdradzić naszą obecność.*

P: Nie odnieśliście ran?

O: *Nie byłoby mnie tu przecież.*

P: Nie baliście się?

O: *Boimy się tylko żywych.*

P: Czyli to były złe duchy?

(Więzień zaśmiał się).

P: Co w tym śmiesznego?

O: *Złymi duchami to się dzieci straszy, póki jeszcze w nie wierzą. To nie były żadne złe duchy, tylko żywe trupy.*

Do końca przesłuchania więzień nie powiedział już wiele więcej. Zapytany, czy było tam więcej zombie, nie odpowiedział. Protokół opublikowała brytyjska prasa bulwarowa pod koniec roku. Nie było żadnej oficjalnej reakcji.

Rok 1960, Biełgorańsk, ZSRR

Od końca drugiej wojny światowej podejrzewano, że ZSRR przejął w Mandżurii japońskie ośrodki badań

nad bronią biologiczną, w tym „Czarnego Smoka" naukowców, wyniki ich badań, projekt „Kwiat Wiśni" i do-
świadczalne egzemplarze zombie. Ostatnio ujawnione
informacje w pełni to potwierdzają. Rosjanie przejęli
nawet cel japońskich przygotowań, chcąc przyszykować
armię zombie do udziału w nieuniknionej, jak się wydawało, trzeciej wojnie światowej. Projekt przemianowano
z „Kwiatu Wiśni" na „Jesiotr" i przeniesiono z Mandżurii
do wschodniosyberyjskiego gułagu. Taka lokalizacja za-
pewniała utrzymanie projektu w tajemnicy, jak również
zapas więźniów do kontynuacji pseudomedycznych eksperymentów. Ostatnio ujawnione dokumenty pozwalają
stwierdzić, iż realizacja projektu ponownie natrafiła na
problemy i że pod koniec lat 50. doszło do wybuchu epidemii, której efektem były setki zainfekowanych. Kilku
ocalałych naukowców zdołało zbiec z ośrodka badawczego do wnętrza zony (chronionego obszaru gułagu).
Bezpieczni wewnątrz zony, naukowcy oczekiwali przybycia spodziewanej wkrótce pomocy. Żadna odsiecz jednak nie nadeszła. Niektórzy historycy uważają, że była to
wina znacznego oddalenia ośrodka (nie był on połączony ze światem żadną drogą przez ponad sześć miesięcy
w roku, a transport i zaopatrzenie prowadzono wówczas
drogą powietrzną). Inni uważają, że ponieważ projekt
zainicjowano w KGB za Stalina, Komitet zachowywał
go w tajemnicy przed nowym przywódcą i inicjatorem
destalinizacji, Nikitą Chruszczowem, w oczekiwaniu
na rychły powrót do władzy Starej Gwardii. Jeszcze inni
uważają, że Chruszczow był w pełni świadom rozwoju
sytuacji i po poczynieniu odpowiednich przygotowań
(rozmieszczenie wojsk wokół zagrożonego terenu na

wypadek rozszerzenia epidemii) po prostu zwlekał, czekając na dalszy rozwój wypadków. Wewnątrz gułagu zawiązała się koalicja naukowców, bandytów i strażników. Nowi panowie obozu zaczęli całkiem wygodne życie. Pod nadzorem naukowców postawiono szklarnie, wywiercono studnie ciągnące wodę spod wiecznej zmarzliny, ustawiono nawet wiatraki produkujące prąd elektryczny skonstruowane z zapasu znalezionych na lotnisku śmigieł lotniczych. Codziennie utrzymywano łączność radiową z Wielką Ziemią. Oblężeni zawiadomili, że mają zamiar przeczekać w obozie do zimy, gdy być może zombie zamarzną i wówczas ludzie będą mogli wydostać się z obozu. Nie było im dane wykonać tego planu. Trzy dni przed pierwszym jesiennym mrozem radziecki samolot wojskowy zrzucił na Biełgorańsk testową bombę wodorową. Ładunek o sile jednej megatony ekwiwalentu trotylowego zmiótł z powierzchni ziemi obóz, miasteczko i całą okolicę.

Przez dziesięciolecia eksplozja w Biełgorańsku była według władz radzieckich rutynową w latach zimnej wojny próbą termojądrową. Dopiero za Jelcyna, w roku 1993, na Zachód przedostała się prawda o Biełgorańsku. Wolna prasa rosyjska mogła teraz prowadzić wywiady wśród starych Sybiraków, którzy wspominali o pogłoskach dotyczących tych wydarzeń. Także dawni dostojnicy radzieccy zaczęli półgębkiem mówić o prawdziwych przyczynach zrzucenia bomby. Wielu przyznało, że rzeczywiście istniało miasteczko o takiej nazwie nieobecne ani wtedy, ani później na żadnych mapach. Inni stwierdzali mimochodem, że istniał tam obóz i ośrodek broni biologicznej. Paru nawet posunęło się do przyznania, że

miał tam miejsce bliżej niesprecyzowanej natury „wypadek", choć nie podawali żadnych szczegółów tego, co
mianowicie „wypadło". Najbardziej obciążających dowodów dostarczył Artiom Zinowiew, archiwista KGB,
który w czasach rosyjskich został gangsterem. Za okrągłą
sumkę sprzedał on anonimowemu nabywcy z Zachodu
teczkę dokumentów dotyczących wydarzeń w Biełgorańsku, zawierającą komplet rządowych raportów na
temat incydentu. Były tam zapisy depesz, zdjęcia lotnicze
ośrodka i obozu wykonane przed i po próbie termojądro-
wej, a także sprawozdania załóg lotniczych i personelu
naziemnego, pisemne wyjaśnienia składane przez kie-
rowników projektu „Jesiotr" oraz liczący 643 strony
dokładny raport naukowy na temat fizjologii i wzorców
zachowań testowych zombie. Rosjanie zdyskredytowali
ujawnione materiały jako fałszywkę i prowokację. Być
może to prawda i być może Zinowiew jest tylko zdolnym
oszustem, który wykorzystał popyt na radzieckie sekrety,
lecz co ciekawe, zestawiona przez niego lista naukowców
odpowiedzialnych za projekt „Jesiotr", a także wojskowych, członków Politbiura i bezpieczniaków pokrywa się
dokładnie z listą osób rozstrzelanych przez KGB równo
w miesiąc po zagładzie Biełgorańska...

Rok 1962, nieznane miasteczko w Nevadzie

Wiadomości na temat tego wybuchu epidemii są zadzi-
wiająco niejasne, biorąc pod uwagę fakt, że doszło do
niego na gęsto zaludnionym obszarze planety w drugiej
połowie ubiegłego wieku. Jedyne źródła to fragmenta-

ryczne relacje świadków, pożółkłe wycinki z odległych stron gazet i podejrzanie ogólnikowy oficjalny raport policji. Pozwalają one stwierdzić, że doszło do lokalnego wybuchu epidemii, w wyniku którego kilku zombie przez pięć dni i nocy oblegało Hanka Davisa i trzech robotników sezonowych, chroniących się w stodole. Gdy policja zlikwidowała zombie i weszła do stodoły, oblężeni byli martwi. Późniejsze dochodzenie dowiodło, że wszyscy czterej zastrzelili się nawzajem. A dokładniej trzech zostało zabitych, a jeden sam odebrał sobie życie. Nie podano żadnego oficjalnego powodu tego wydarzenia. Stodoła dawała im doskonałe schronienie, a zapas wody i pożywienia nie był nawet w połowie zużyty. Dzisiejsi badacze zagadnienia podejrzewają, że do tragicznej decyzji doprowadziło oblężonych nieustanne wycie i skowyt zombie, które połączone z poczuciem totalnej izolacji i bezsilności, doprowadziło do załamania nerwowego. Oficjalnie sprawa jest „nadal niewyjaśniona".

Rok 1968, Wschodni Laos

W roku 1989 Peter Stavros, były snajper Sił Specjalnych i wieloletni narkoman, opowiedział tę historię w trakcie konsultacji psychologicznej w szpitalu dla weteranów wojennych w Los Angeles. Jego oddział odbywał rutynowy patrol poszukiwawczo-likwidacyjny wzdłuż granicy wietnamskiej. Celem wyprawy był rejon koncentracji komunistycznej partyzantki Pathet Lao. Po wejściu do wioski okazało się, że żołnierze trafili na oblężenie osady przez kilka zombie. Z nieznanych powodów dowódca zespołu rozkazał im wycofać się i wezwał uderzenie powietrzne. *Skyraidery* obrzuciły napalmem całą okolicę, niszcząc zarówno żywe trupy, jak i wszystkich mieszkańców wioski. Nie odnaleziono żadnych dokumentów potwierdzających historię Stavrosa. Większość członków zespołu zmarła, zginęła w akcji, bądź zaginęła na terenie Stanów Zjednoczonych, a pozostali odmówili komentarza.

Rok 1971, Dolina Nong'ona, Rwanda

Jane Massey, dziennikarka pisma *The Living Earth*, specjalizującego się w prezentowaniu dzikiej przyrody, pojechała do Rwandy, by zebrać materiały do artykułu o życiu zagrożonego wymarciem gatunku goryli siwych. Ten akapit pochodzi z wielkiego materiału, który napisała o tych rzadkich, egzotycznych ssakach:

Kiedy wyszliśmy nad brzeg stromej doliny, dostrzegłam na dnie jakiś ruch wśród liści. Nasz przewodnik Kengeri też go dostrzegł i poradził, żebyśmy ruszali stąd czym prędzej. W tej chwili wydarzyło się coś niesamowitego, co nie zdarza się w tej części świata: zapadła kompletna, martwa cisza. Nie było słychać żadnych ptaków i zwierząt, nawet owadów, a to przecież miejsce, gdzie występują dość hałaśliwe insekty. Zapytałam o to Kengeri, ale ten tylko kazał mi przyśpieszyć kroku i zachować ciszę. Z dołu doliny doszedł nas przerażający skowyt. Kevin, fotograf, odwrócił się z twarzą nawet bledszą niż zwykle i powtarzał, jakby sam siebie chciał przekonać, że to tylko wiatr, wiatr i nic więcej. No, muszę przyznać, że zdarzało mi się słuchać wiatru tu i ówdzie, na Sarawak, w Sri Lance, nad Amazonką, a nawet w Nepalu, ale nic takiego dotąd nie słyszałam – to na pewno NIE BYŁ wiatr! Kengeri wyjął maczetę i kazał mu się zamknąć. Powiedziałam, że chcę tam wrócić i sprawdzić, co to było. Przewodnik odmówił, a kiedy nastawałam, powiedział tylko: „Tam chodzą umarli" i ruszył szybkim krokiem przed siebie.

Massey nigdy nie wróciła do doliny ani nie odkryła źródła dziwnego dźwięku. Odpowiedź przewodnika mogła wynikać z lokalnych przesądów, a skowyt mógł być dziełem wiatru. Mapy doliny ujawniają jednak, że otaczają ją zewsząd wysokie skalne urwiska, uniemożliwiając ucieczkę zombie, które ewentualnie uwięzły na jej dnie. Teoretycznie więc dolina ta może spełniać rolę pułapki, wykorzystywanej przez lokalne plemiona do więzienia żywych trupów, których z jakichś powodów nie chcą niszczyć.

Rok 1975, Al-Marq, Egipt

Informacje na temat tego wybuchu epidemii pochodzą z różnorodnych źródeł: relacji naocznych świadków, mieszkańców miasteczka, dziewięciu relacji egipskich szeregowych, opowieści Gassima Faruka, byłego oficera wywiadu egipskich sił powietrznych, który niedawno emigrował do Ameryki oraz kilku zagranicznych dziennikarzy, którzy jednak zastrzegli sobie anonimowość. Wszystkie relacje potwierdzają, że w miasteczku doszło do ataku zombie. Bez odpowiedzi pozostały wołania o pomoc kierowane zarówno do okolicznych jednostek policji, jak i dowódcy stacjonującej w oddalonym o 55 km Gabal Garib egipskiej 2. Dywizji Pancernej. Tak się złożyło, że żołnierz łączności, który odebrał wezwanie o pomoc w Gabal Garib, pracował dla Mossadu i wieczorem po służbie przekazał wiadomość do Tel Awiwu. Tam zarówno izraelski wywiad, jak i sztab generalny uznały informację za fałszywkę i zignorowały ją. Szybko by o niej zapomniano, gdyby nie pułkownik Jakub Korsunsky, doradca wojskowy premier Goldy Meir. Amerykański Żyd, kolega ze szkoły wojskowej Davida Shore'a, sporo się od niego po wojnie dowiedział o zombie i o tym, co w świetle przejęcia „Czarnego Smoka" przez Rosjan może oznaczać obecność zombie w zapalnym regionie świata. Korsunsky zdołał przekonać premier Meir do wysłania patrolu do Al-Marq. W tym czasie oblężenie trwało już czternasty dzień. Dziewięciu ludzi zabarykadowało się z niewielką ilością wody i jedzenia w lokalnym meczecie. Pluton spadochroniarzy pod osobistym dowództwem Korsunsky'ego wylądował w centrum Al-Marq i po trwającej 12 godzin bitwie wyeliminował wszystkie zombie. Co do tego jak zakończyła się ta historia wciąż panują ożywione spory. Według jednych relacji miasteczko otoczyły oddziały egipskie, zaalarmowane lądowaniem izraelskich spadochroniarzy. Po wyłapaniu niestawiających oporu Izraelczyków miały już trwać przygotowania do ich egzekucji za wymordowanie cywilnych mieszkańców wioski, gdy jeden z ocalonych wybłagał dla nich ułaskawienie, pokazując trupy zombie i przekonując o rzeczywistym przebiegu zdarzeń. Egipcjanie mieli ponoć podjąć izraelskich spadochroniarzy bankietem i zapewnić bezpieczny powrót do domu. Niektórzy idą w swoich spekulacjach jeszcze dalej i wskazują możliwość wpływu tego wydarzenia na rozpoczęte wkrótce bezprecedensowe odprężenie w stosunkach egipsko-izraelskich. Nie istnieją jednak żadne niezbite dowody ani na to, że takie wydarzenie faktycznie miało miejsce, ani jego rzekomo daleko idących reperkusji. Korsunsky zmarł w roku 1991. Jego pamiętniki, dokumenty osobiste, teczka w archiwum armii izraelskiej, skonfiskowane przez cenzurę państwową artykuły prasowe oraz film, który jakoby miał nakręcić jeden ze spadochroniarzy w Al-Marq, pozostają utajnione przez rząd izraelski. Jeśli ta historia jest prawdziwa, nasuwa się jedno niepokojące pytanie: jak to się stało, że egipski dowódca dał się przekonać niezbornej relacji mieszkańca wycieńczonego po dwóch tygodniach oblężenia, niemającego prócz swoich słów i trupów (które przecież z początku niczym szczególnym się nie wyróżniają) żadnych dodatkowych dowodów na ratunkowy charakter misji Izraelczyków? A może w ręce Egipcjan trafił wciąż funkcjonujący okaz (okazy) zombie, który ją uprawdopodobnił? A jeśli tak, to co się z nim stało?

Rok 1979, Sperry, Alabama

W czasie codziennego obchodu miejscowy listonosz Chuck Bernard dotarł na farmę Henrichsów i zauważył, że nikt nie wyjął wczorajszej poczty. Ponieważ do tej pory nigdy nic takiego się nie zdarzało, Bernard postanowił dostarczyć przesyłki osobiście. Tuż przed dojściem do domu usłyszał z wnętrza strzały, okrzyki bólu i wezwania pomocy. Listonosz uciekł do samochodu i pojechał

15 kilometrów do najbliższego automatu telefonicznego, skąd zadzwonił na policję. Po przybyciu na miejsce dwaj zastępcy szeryfa i zespół ratowników medycznych zastali ślady brutalnego ataku. Jedyna ocalona, Freda Henrichs, zdradzała objawy zaawansowanego zombizmu – pokąsała obu sanitariuszy zanim policjanci zdołali ją obezwładnić. Przybyły tymczasem trzeci zastępca szeryfa, ubezpieczający obezwładnianie pani Henrichs, w panice ściągnął spust i strzelił jej w głowę, zabijając na miejscu. Dwaj pokąsani sanitariusze zostali odwiezieni do szpitala i tam wkrótce zmarli. Po trzech godzinach reanimowali się w czasie sekcji zwłok, atakując koronera i jego asystentkę, po czym wydostali się na ulicę. Do północy strach ogarnął całe miasto. Na wolności było już co najmniej 22 zombie, zjedzonych zostało 15 ludzi. Wielu mieszkańców szukało schronienia w swoich domach, inni próbowali uciec z miasta. Trojgu dzieci udało się wspiąć na szczyt wieży ciśnień. Mimo oblężenia przez umarlaków, którzy wielokrotnie próbowali wspinać się po kratownicy wieży, powstrzymywani kopniakami obrońców, dzieciom udało się przetrwać do nadejścia odsieczy. Jeden z mieszkańców, Harland Lee, postanowił stawić czoło zagrożeniu i wyszedł z domu uzbrojony w samopowtarzalny wariant pistoletu maszynowego Uzi, dubeltówkę z obciętymi lufami oraz dwiema sztukami broni krótkiej kalibru 44: rewolwerem i pistoletem samopowtarzalnym. Świadkowie opowiadają, że Lee zaatakował grupę 12 zombie, strzelając najpierw z Uzi, a potem po kolei z każdej broni. Nie wiedząc nic o naturze przeciwnika, strzelał w klatkę piersiową, za każdym razem powodując poważne obrażenia, ale nie zabijając

żadnego zombie. Kiedy zaczęła mu się kończyć amunicja, przyparty do sterty wraków samochodów, Lee próbował z bliskiej odległości strzelać w głowy z rewolweru i pistoletu, ale strach i frustracja spowodowały drżenie rąk, więc ani razu nie trafił w cel i wkrótce samozwańczy łowca zombie sam został zjedzony. Rano zjechali szeryfowie i ich zastępcy z okolicznych miejscowości oraz policja stanowa, która wraz z zebraną naprędce grupą okolicznych mieszkańców ruszyła do miasteczka. Tym razem ludzie dysponowali grupami wyszkolonych snajperów z policji stanowej i wiedzą o konieczności strzałów w głowę, którą przekazał miejscowy myśliwy po dokonaniu tego odkrycia w czasie odpierania ataku na własny dom. Dzięki temu zagrożenie zostało szybko zneutralizowane. Oficjalne wyjaśnienie ogłoszone przez Departament Rolnictwa mówiło o „masowej histerii w wyniku skażenia wód gruntowych pestycydami". Wszystkie zwłoki zostały usunięte przez ekipy Centrum Kontroli Chorób Zakaźnych zanim lekarze zdążyli dokonać sekcji. Większość nagrań łączności radiowej, filmów nakręconych przez ekipy telewizyjne (to były jeszcze czasy przed bezpośrednimi relacjami) oraz fotografii wykonanych przez osoby prywatne została skonfiskowana przez rząd. Ocaleni wytoczyli 175 spraw sądowych, z czego w 92 przypadkach doszło do ugody poza sądem. 48 spraw trwa do dziś, a resztę sądy odrzuciły z różnych, nieraz dość tajemniczych powodów. Niedawno rozpoczął się kolejny proces związany z wydarzeniami w Sperry, gdyż jedna z sieci telewizyjnych skarży rząd o zwrot zajętych materiałów. Wedle powszechnej opinii ta sprawa potrwa jeszcze długie lata.

Październik 1980, Maricela, Brazylia

Wiadomości o tym ataku początkowo pochodziły od organizacji ekologicznej „Zielona Matka", broniącej interesów Indian, którym bezprawnie konfiskuje się ziemię i niszczy ich naturalne środowisko. Hodowcy bydła dążący za wszelką cenę do realizacji swoich interesów uzbroili się i wyruszyli, by zaatakować indiańską wioskę. W drodze do celu, w głębi dżungli, natknęli się jednak na brutalnego i bardziej przerażającego przeciwnika: hordę ponad 30 zombie. Niemal wszyscy ranczerzy zostali pożarci lub dołączyli do hordy. Tylko dwóm ludziom udało się ujść z życiem i uciec do pobliskiego miasteczka Santerem. Ich ostrzeżenia zostały jednak zignorowane i oficjalny raport zrzucił winę za atak na „spokojnych, szanowanych obywateli miasta" na „rebelię buntowniczych, brutalnych Indian". Do Mariceli wysłano trzy brygady wojsk federalnych. Żołnierze nie znaleźli nawet śladu żadnych zombie i uderzyli na wioskę Indian. Incydentowi, który miał miejsce później, zaprzeczają władze brazylijskie kategorycznie twierdzące, że nic nie wiedzą o żadnych napaściach zombie. Świadkowie opowiadają jednak, że doszło do ataku umarlaków, a w odpowiedzi wojsko zmasakrowało wszystko, co się ruszało i nie nosiło munduru – zombie i Indian, bez różnicy. Także działacze „Zielonej Matki" zaprzeczają historiom o zombie, twierdząc, że to fałszywka rządu, który chce w ten sposób usprawiedliwić zorganizowaną z podpuszczenia ranczerów rzeź Indian. Być może tak właśnie było, ale jeden z informatorów, emerytowany major służby uzbrojenia armii brazylijskiej, wspomina, że tuż przed operacją w Mariceli ściągał ze zbrojowni całego kraju wszelkie dostępne miotacze ognia, a następnie serwisował je i napełniał po akcji, z której wróciły opróżnione.

Grudzień 1980, Juruti, Brazylia

Ta osada, 450 kilometrów w dół rzeki od Mariceli, stała się celem kilku ataków zombie pięć tygodni później. Nadpaleni, wyłaniający się z wody umarlacy atakowali rybaków w łodziach lub wychodzili na brzeg w kilku miejscach wzdłuż wybrzeża. Nadal jednak nic nie wiadomo o dokładnej liczbie tych ataków, ich skutkach ani jakichkolwiek akcjach ludzi.

Rok 1984, Cabrio, Arizona

Wybuch epidemii w Cabrio ze względu na swoje rozmiary i liczebność ofiar mieści się w granicach klasy I, jednak jego skutkiem było ważne odkrycie w badaniach nad zombizmem i wirusem *Solanum*. W pożarze szkoły podstawowej na skutek zaczadzenia zginęło czterdzieścioro siedmioro dzieci. Przeżyła jedynie 9-letnia Ellen Aims, która wyskoczyła z okna budynku. Rozbijając szybę, doznała głębokiego rozcięcia uda i straciła sporo krwi. Tylko natychmiastowa transfuzja była w stanie uratować jej życie. W ciągu zaledwie pół godziny po transfuzji Ellen zaczęła jednak zdradzać objawy infekcji wirusem zombizmu. Prawdziwa natura choroby nie została rozpoznana przez personel medyczny, który podejrzewał obecność wirusa innej choroby. W czasie prowadzenia badań krwi Ellen zmarła, po czym w obecności licznych świadków reanimowała się i zaatakowała pielęgniarkę, gryząc ją w rękę. Po obezwładnieniu pacjentki pielęgniarkę od-izolowano, a lekarz zadzwonił do kolegi w Phoenix po konsultację. Dwie godziny później do szpitala zaczęli na-pływać specjaliści z Centrum Kontroli Chorób Zakaź-nych eskortowani przez miejscową policję i „niezidenty-fikowanych agentów rządowych". Ellen i zainfekowana pielęgniarka zostały ewakuowane drogą powietrzną do nieznanego miejsca na „dalsze leczenie". Wszystkie karty choroby i zapas krwi przechowywany w szpitalu zostały skonfiskowane. Rodziny Aimsów nie dopuszczono do dziecka. Po około tygodniu rodzina została poinformo-wana, że Ellen zmarła, a ciało z „przyczyn medycznych" skremowano. Był to pierwszy przypadek potwierdzający fakt, że infekcja może się przenosić także przez krew. Nasuwa się pytanie: kto był zainfekowanym dawcą? Jak doszło do pobrania krwi od kogoś chorego? Czy chory nie był świadomy, że doszło do zakażenia? Co się z nim następnie stało? Poza tym jakim cudem specjaliści z CKCZ tak szybko dowiedzieli się o przypadku Ellen Aims, a następnie podjęli błyskawiczną reakcję? Lekarz z Phoenix, z którym rozmawiał dyżurny z izby przyjęć, odmawia komentarza. Oczywiście te wszystkie pytania pozostające bez odpowiedzi spowodowały powstanie wielu teorii spiskowych. Rodzice Ellen wnieśli sprawę do sądu przeciw CKCZ, by spowodować ujawnienie prawdy. Ich relacja była punktem wyjścia własnych badań autora nad tym przypadkiem.

Rok 1987, Khotan, Chiny

W marcu 1987 roku grupa chińskich dysydentów poinformowała Zachód o katastrofie, do której o mało co nie doszło w elektrowni atomowej w prowincji Xinjiang. Po kilku miesiącach zaprzeczeń rząd chiński oficjalnie przyznał, że w elektrowni doszło do „awarii". W ciągu kolejnego miesiąca sprawa ta zaczęła już być przedstawiana jako „usiłowanie sabotażu przez szajkę kontrrewolucyjnych terrorystów". W sierpniu szwedzka bulwarówka *Tycka!* opublikowała artykuł o tym, że amerykański satelita szpiegowski sfotografował w Khotan czołgi i pojazdy pancerne strzelające z bliskiej odległości do tłumów cywilów, usiłujących wedrzeć się do elektrowni atomowej. Część zdjęć miała przedstawiać grupy cywilów rozszarpujących żołnierzy dosłownie na sztuki i rzekomo także jedzących ludzkie mięso. Rząd USA zaprzeczył istnieniu takich zdjęć, a gazeta odwołała swoje rewelacje. Jeśli wydarzenia w Khotan były atakiem zombie, pojawia się szereg pytań, na które nikt do tej pory nie chciał odpowiedzieć. Jak zaczął się atak? Jak długo trwał? Jak został ostatecznie opanowany? Ile zombie brało w nim udział? Czy udało im się wedrzeć do elektrowni? Jakie były szkody? Czy nie doszło do stopienia rdzenia reaktora na skalę Czarnobyla? Czy zombie wydostały się na zewnątrz? Czy były jakieś kolejne ataki? Historia ta nabiera prawdopodobieństwa po ujawnieniu informacji profesora Kwang Zhou, chińskiego dysydenta, który kilka lat później wyemigrował do Ameryki. Kwang twierdzi, że znał jednego z żołnierzy biorących udział w wypadkach khotańskich. Zanim zesłano go wraz z innymi świadkami do obozu reedukacyjnego, zdradził profesorowi, że słyszał jak dowódcy wspominali w trakcie tej operacji o „Koszmarze Wiecznego Przebudzenia". Pozostaje pytanie, skąd wziął się Pacjent Zero tego wybuchu? Po lekturze książki Davida Shore'a, a zwłaszcza po wzmiance o wzięciu do niewoli ostatniego zombie wyhodowanego przez specjalistów „Czarnego Smoka", nasuwa się wniosek, że komunistyczny rząd chiński mógł w przeszłości lub nawet obecnie, prowadzić własną wersję projektów „Kwiat Wiśni" i „Jesiotr" – budować własną armię żywych trupów.

Grudzień 1992, Park Narodowy Drzew Jozuego, Kalifornia

Kilku turystów podróżujących przez park zameldowało strażnikom parku o porzuconym na poboczu namiocie i sprzęcie kempingowym. Strażnik udał się na miejsce i podążając za śladami, dokonał przerażającego odkrycia. Około 2 kilometrów od namiotu, w zaroślach, leżały pokryte śladami ugryzień ludzkich zębów zwłoki około dwudziestoletniej dziewczyny z głową rozbitą kamieniem. Dochodzenie wykazało, że zamordowaną jest Sharon Parsons z Oxnard w Kalifornii. W poprzednim tygodniu wybrała się do parku pod namiot wraz ze swoim chłopakiem, Patrickiem MacDonaldem, za którym rozesłano teraz list gończy. Sekcja zwłok Sharon przyniosła interesujące wyniki. Zdumiony patolog sądowy stwierdził znaczne spowolnienie procesu rozkładu, nieodpowiadające tempu rozkładu tkanki mózgowej, a zwłaszcza płata czołowego. Treści żołądkowe wykazały obecność fragmentów ludzkiej tkanki, które odpowiadały grupie krwi MacDonalda. Pod paznokciami znaleziono także ślady tkanek ludzkich, ale należały one do trzeciej osoby, samotnego obserwatora i fotografa dzikiej przyrody Devina Martina, który zaginął miesiąc wcześniej w czasie rowerowej wyprawy do parku. Ponieważ Martin był odludkiem, nie miał krewnych i jedynie sporadycznie współpracował z pismami, nikt nie zgłosił jego zaginięcia. Przeczesanie parku nie dało żadnych rezultatów. Film z kamery na stacji benzynowej w pobliżu granic parku pozwolił zidentyfikować MacDonalda. Dyżurny sprzedawca zapamiętał, że był wyraźnie podenerwowany, w oberwanym ubraniu i trzymał przyciśniętą do ramienia zakrwawioną szmatkę. Po zakupie paliwa ruszył bardzo szybko na zachód, w kierunku Los Angeles.

Styczeń 1993, Centrum Los Angeles, Kalifornia

Wciąż trwa dochodzenie w sprawie początkowej fazy tego ataku, a zwłaszcza ustalenia, skąd przybył nosiciel wirusa. Pierwszy przypadek odkryli członkowie gangu VBR, Venice Boardwalk Reds. Przybyli w ten rejon miasta, by pomścić śmierć kolegi zamordowanego dzień wcześniej przez konkurencyjny gang Los Peros Negros. Około 1.00 bandyci wkroczyli na teren niemal opuszczonej dzielnicy przemysłowej będącej kryjówką Peros. Od razu zauważono brak bezdomnych. Ta okolica stanowiła znane w mieście obozowisko kloszardów, a tymczasem ulice slumsu były ciche, puste i wymarłe. Kartony, wózki sklepowe i inne przedmioty stanowiące jedyny dobytek bezdomnych walały się po ulicach, wokół nie było nikogo. Wypatrujący członków konkurencyjnego gangu kierowca nie zważał zbytnio na sytuację na drodze i w pewnej chwili samochód potrącił wolno idącego chodnikiem przechodnia. Pod wpływem uderzenia kierowca stracił kontrolę nad pojazdem, który uderzył w budynek. Zanim Czerwoni zdołali naprawić uszkodzony wóz lub obsztorcować nieudolnego kierowcę, zauważyli, że przejechany przechodzień się porusza. Mimo złamanego kręgosłupa ofiara zaczęła pełznąć w kierunku gangsterów. Chcąc położyć kres cierpieniom nieboraka, jeden z gangsterów strzelił mu w klatkę piersiową z pistoletu kalibru 9 mm. Trafienie nie powstrzymało pełznącego, a huk wystrzału poniósł się po okolicy. Gangster, zdumiony brakiem rezultatu, strzelił do pełznącego jeszcze kilkakrotnie, za każdym razem dostrzegając trafienie, ale potrącony wciąż pełzł w jego stronę. Dopiero ostatni nabój z magazynka trafił ofiarę w głowę, unieruchamiając ją na dobre. Czerwoni nie mieli czasu zastanowić się nad tym kogo, czy też co, zabili. Nagle usłyszeli zbiorowy skowyt i jęki, które dochodziły z wielu stron naraz. Tym, co wzięli początkowo za cień, okazała się grupa około 40 zombie nadchodzących ze wszystkich stron.

Z racji uszkodzenia samochodu Czerwoni uciekali na piechotę, próbując przebić się przez kordon zombie w jego najcieńszym miejscu. Kilka przecznic dalej napotkali konkurentów z Los Peros Negros w identycznej sytuacji – bez samochodu, ściganych przez zombie, które zajęły ich kwaterę. Zapominając o konflikcie, w obliczu nadchodzącej zagłady oba gangi zawarły rozejm i udały się na wspólne poszukiwanie bezpiecznego schronienia lub możliwości ucieczki. Choć większość budynków w okolicy doskonale nadawała się do obrony (pozbawione okien wysokie składy magazynowe), wejścia do nich były albo zamknięte, albo solidnie zabite deskami. Znający lepiej teren Peros zaproponowali ucieczkę do położonego w pobliżu niewielkiego gimnazjum DeSoto Junior High. Z zombie tuż za plecami młodociani gangsterzy dobiegli do szkoły i wdarli się do środka przez okno na pierwszym piętrze. To uruchomiło alarm antywłamaniowy, który z kolei zaintrygował wszystkie zombie w okolicy i wkrótce tłum oblegający szkołę urósł do ponad setki osobników. Wybór szkoły DeSoto na fortecę był doskonałą decyzją, wyjąwszy tę syrenę alarmową. Szkoła była murowana, z wysokim parterem, którego okna zasłonięte były kratami i siatką drucianą, a potężne drewniane drzwi wejściowe obite blachą, co sprawiało, że budynek był łatwy do obrony. Wewnątrz obrońcy wykazali się chwalebną przezornością, szykując wewnętrzną cytadelę, sprawdzając i umacniając dodatkowo drzwi i okna, napełniając wanny i umywalki wodą, po czym sporządzili remanent posiadanej broni i amunicji. Używając szkolnych telefonów, wezwali na pomoc zaprzyjaźnione gangi uliczne, policję bowiem uważali za wroga gorszego od zombie. Nikt z wyrwanych ze snu telefonem w środku nocy nie uwierzył w ani jedno słowo z tego, co usłyszał, ale obiecano przyjście z odsieczą najszybciej, jak się da.

To ostatnie posunięcie przyczyniło się do jednego z nielicznych w historii przypadków „nadzabijalności" w walce ludzkości z zombie. Ufortyfikowani, dobrze uzbrojeni, umiejętnie dowodzeni, dobrze zorganizowani i wysoko umotywowani gangsterzy mogli ze wschodem słońca zacząć eliminację oblegających bez ryzyka strat własnych. Odsiecz w postaci zaalarmowanych sojuszniczych gangów dotarła rano, już po zakończeniu oblężenia, lecz, niestety, spotkała się na miejscu z przybyłymi oddziałami specjalnymi policji. W rezultacie wszyscy uczestnicy zdarzeń zostali aresztowani. Incydent oficjalnie wyjaśniono jako „wymianę ognia między rywalizującymi gangami ulicznymi". Zarówno Czerwoni, jak i Peros wielokrotnie próbowali wyjaśnić prawdziwą naturę wydarzeń każdemu, kto chciał ich wysłuchać. Ich historię tłumaczono jednak zwykle jako efekt halucynacji po zażyciu „Lodu", popularnego wówczas narkotyku syntetycznego. Ponieważ policja i posiłki przybyły już po zakończeniu incydentu, nie było wiarygodnych świadków ani żadnych ocalałych zombie. Jedyne, co zastała policja, to sterta zwłok bezdomnych, których nikt nie był w stanie zidentyfikować (ani nie zgłaszał ich zaginięcia), zabitych z premedytacją strzałem w głowę. W tej sytuacji aresztowani w szkole członkowie obu gangów zostali oskarżeni o wielokrotne zabójstwo pierwszego stopnia i skazani na dożywocie w więzieniach stanowych Kalifornii. Wszyscy zostali w nich zamordowani w ciągu roku, zapewne przez członków konkurencyjnych gangów. Ta historia zakończyłaby się w tym miejscu, gdyby nie upór dochodzeniowca, który woli pozostać anonimowy. Osoba ta była świeżo po lekturze akt sprawy Parsons-MacDonald i zaciekawiły ją zastanawiające szczegóły tej sprawy. Pamiętając o nich, była w stanie uwierzyć w opowieść młodocianych gangsterów, morderców bezdomnych z DeSoto. Przełomowego argumentu dostarczył raport koronera z sekcji zwłok ofiar. Obserwacje patologa idealnie pasowały do opisu zmian stwierdzonych u Parsons. Ostatecznym ukoronowaniem tego wątku było odnalezienie w kieszeni jednej z ofiar strzelaniny, trzydziestoparolatka w nieco lepszym ubraniu i ogólnym stanie, portfela z dokumentami na nazwisko Patrick MacDonald. Ofiary nie dawało się jednak zidentyfikować na podstawie zdjęcia, gdyż zabito ją dwoma strzałami w twarz, oddanymi z bliska ze strzelby-obrzyna. Detektyw nie drążył/a dalej tematu, i nie złożył/a meldunku swoim przełożonym, by nie narażać się na sankcje dyscyplinarne. Zamiast tego skserował/a wszystkie dokumenty i zeznania aresztowanych, przekazując je autorowi.

Luty 1993, Wschodnie Los Angeles, Kalifornia

O 1.45 rano Octavia i Rosę Melgarów, właścicieli lokalnego sklepu mięsnego, obudziły przeraźliwe krzyki dochodzące spod okna ich sypialni na pierwszym piętrze, nad sklepem. Obawiając się, że mogło dojść do włamania, Octavio złapał za rewolwer i pobiegł na dół, a Rosa zadzwoniła po policję. Na chodniku pod oknem zastali skulonego, przerażonego, drżącego i szlochającego człowieka, ubranego w zabłocony kombinezon Zarządu Kanalizacji. Osobnik ten, którego imienia i nazwiska nigdy nie poznano, obficie krwawił z kikuta prawej nogi. Na widok Octavia mężczyzna zaczął krzyczeć, by ten natychmiast zamknął pokrywę studzienki. Zaskoczony Octavio spełnił jego prośbę, co wyraźnie uspokoiło dziwnego przybysza. Zamykając żeliwną pokrywę, Melgar usłyszał z wnętrza kanału coś przypominającego przeciągły, skowyczący jęk. W czasie gdy Rosa opatrywała krwawiący kikut, kanalarz, na przemian krzycząc, szlochając i szepcząc opowiedział, że w trakcie sprawdzania kanału burzowego wraz z czterema kolegami został zaatakowany przez jakichś szaleńców. Wedle tej relacji napastnicy szli, zataczając się; byli ubrani w łachmany, pokryci ranami i wyli zamiast mówić. W pewnej chwili opowieść stała się niezrozumiała, przechodząc w serię westchnięć, jęków i szlochów, po czym mężczyzna stracił przytomność. Policja i pogotowie ratunkowe przybyły dopiero po półtorej godzinie i stwierdziły zgon nieszczęśnika. Po odjeździe karetki policjant spisał zeznania Melgarów. Octavio wspomniał mu o wyciu, które słyszał z kanału przy zamykaniu studzienki. Policjant zapisał to, ale nie skomentował w żaden sposób. Po kilku godzinach Melgarowie usłyszeli w wiadomościach, że w drodze do szpitala karetka miała wypadek i spłonęła. Zapis rozmowy radiowej z karetką tuż przed pożarem (w jakiś tajemniczy sposób zdobyty przez dziennikarzy) zawierał przede wszystkim przerażone krzyki, poprzedzane tylko jednym w miarę wyraźnym zdaniem, że martwy pacjent wydostaje się właśnie z worka na zwłoki. Niecałą godzinę później na chodniku przed sklepem Melgarów zatrzymały się cztery furgonetki oddziałów szturmowych policji, sanitarka i ciężarówka Gwardii Narodowej. Teren został odcięty przez policję, nad studzienką wzniesiono wielki namiot z oliwkowego plastyku połączony z ciężarówką wojskową rękawem wykonanym z tego samego materiału. Melgarowie, ewakuowani przez policję z domu wraz z innymi mieszkańcami ulicy, obserwowali dalsze wydarzenia zza barierek, którymi przegrodzono ulicę. Usłyszeli stłumione echo strzałów dochodzących z kierunku włazu do studzienki. Niecałą godzinę potem namiot szybko zwinięto i usunięto barierki, a pojazdy odjechały bez słowa wyjaśnienia. Nie ulega wątpliwości, że to wydarzenie było następstwem wcześniejszego o miesiąc incydentu w centrum Los Angeles. Zapewne nigdy nie poznamy szczegółów wydarzeń ani nie dowiemy się, co tak naprawdę zaszło w podziemnym labiryncie. Melgarom odradzono zadawanie dalszych pytań, zwracając uwagę na „dalsze skutki prawne" na tyle skutecznie, że od tej pory odmawiają komentarzy w tej sprawie. Policja zaprzecza, by miał miejsce jakikolwiek incydent, a ewakuację mieszkańców tłumaczy „względami bezpieczeństwa przy rutynowej kontroli sanitarnej kanału". Zarząd Kanalizacji Los Angeles zaprzecza utracie jakichkolwiek pracowników.

Marzec 1994, San Pedro, Kalifornia

Gdyby nie Allie Goodwin, suwnicowa z tego południowokalifornijskiego portu i jej kartonowy aparat fotograficzny jednorazowego użytku, świat nigdy by nie poznał prawdziwej historii tego ataku zombie. Nieoznakowany kontener został wyładowany z s/s *Mare Caribe*, frachtowca bandery panamskiej, który przypłynął z Davao City na Filipinach. Przez kilka dni kontener pozostawał na nabrzeżu, oczekując na odbiór. Pewnej nocy strażnik usłyszał jakieś dźwięki dochodzące z wnętrza metalowej skrzyni. Podejrzewając próbę przemytu nielegalnych imigrantów, wraz z kilkoma kolegami otworzył kontener. Z jego wnętrza wydostało się 46 zombie, które natychmiast zjadły wszystkich strażników. Świadkowie tego wydarzenia rozbiegli się w popłochu, szukając schronienia w magazynach, biurowcu i innych budynkach. Niektóre z tych ukryć spełniły swoje zadanie, inne stały się śmiertelnymi pułapkami. Czworo operatorów dźwigów, w tym Goodwin, wdrapało się na swoje maszyny i użyło ich do budowy improwizowanej fortecy z kontenerów. Schroniło się w niej na resztę nocy 13 robotników. Operatorzy żurawi i suwnic używali następnie swych dźwigów jako broni, zrzucając kontenery na zauważonych zombie w zasięgu ich działania. Do czasu przybycia policji (opóźnionej przez kilka zamkniętych na klucz bram portowych) na wolności pozostało już tylko 11 zombie. Policja zasypała je tak gęstym ogniem, że część pocisków trafiła przypadkowo w głowy. Liczbę ofiar w ludziach oceniono na 20 osób. Na miejscu zdarzenia znaleziono 39 trupów zombie. Siedem brakujących zapewne spadło z nabrzeży do basenów portowych i zostało zniesionych na morze przez silne prądy.

Wszystkie media relacjonowały wydarzenia w San Pedro jako udaremnioną próbę włamania. Nie było oświadczeń ze strony agend rządowych żadnego szczebla. Milczenie zachowała dyrekcja portu, policja San Pedro, a nawet firma ochroniarska, która straciła ośmiu pracowników. Załoga s/s *Mare Caribe*, kapitan statku i jego armator zaprzeczają, jakoby wiedzieli o zawartości feralnego kontenera, który, nawiasem mówiąc, zniknął z nabrzeża w tajemniczych okolicznościach. Nazajutrz wybuchł równie dziwny pożar, niszcząc część zabudowań i nabrzeży portowych. Skala zacierania śladów jest wręcz niewiarygodna, jeśli weźmiemy pod uwagę, że San Pedro to ruchliwy port przeładunkowy usytuowany w jednej z najgęściej zaludnionych okolic Stanów Zjednoczonych. Rządowi udało się jednak zablokować niemal wszystkie źródła informacji. Wszystkie zainteresowane strony uznały oświadczenia i zdjęcia wykonane przez Goodwin za fałszerstwo, a ją samą wkrótce skierowano na badania psychologiczne i zwolniono z pracy, uznając za niezdolną do dalszego pełnienia funkcji na zajmowanym stanowisku.

Kwiecień 1994, Zatoka Santa Monica, Kalifornia

Trzech mieszkańców Palos Verdes, Jim Hwang, Anthony Cho i Michael Kim, zgłosiło policji, że zostali zaatakowani w czasie łowienia ryb w wodach zatoki. Według zgodnego zeznania wszystkich trzech, haczyk wędki Hwanga zaczepił o coś dużego i bardzo ciężkiego. Gdy po wybraniu żyłki ich połów wyłonił się z wody, ku swemu przerażeniu rozpoznali, że złowili... człowieka. Nagiego, częściowo rozłożonego, nadpalonego, lecz nadal żywego, czemu dał wyraz, atakując ludzi na łodzi. Uchwycił Hwanga i usiłował ugryźć go w szyję, ale Cho odciągnął kolegę, a Kim zdzielił przerażającego napastnika przez głowę pagajem i wypchnął za burtę. Potwór zatonął w wodach zatoki, a trzej spanikowani wędkarze pośpieszyli do brzegu. Ich opowieść była tak niezwykła, że wszystkich trzech poddano w komisariacie testom na obecność alkoholu i substancji odurzających (wyniki były jednoznacznie negatywne) i zatrzymano na noc w areszcie, by dopiero po ponownym przesłuchaniu rano zwolnić do domów. Policja odmawia komentarzy, informując jedynie, że „dochodzenie w tej sprawie trwa". Biorąc pod uwagę czas i miejsce ataku, można podejrzewać, że napastnik był jednym z brakujących zombie z San Pedro.

Rok 1996, Linia demarkacyjna, Śrinagar, Indie

Fragment raportu złożonego po incydencie przez porucznika Tagore z Sił Ochrony Pogranicza:

Podejrzany zbliżał się powoli, wciąż zataczając się, jakby był chory lub pod wpływem substancji odurzających. [Przez lornetkę] zauważyłem, że nosi mundur pakistańskich rangersów, co wydało mi się dziwne, bo nie było meldunków o jakichkolwiek operacjach przeciwnika w tym rejonie. Gdy zbliżył się na 300 metrów, zawołałem przez system nagłośnienia „Stój! Kto idzie?". Podejrzany nie zareagował. Na ostrzeżenie o otwarciu ognia także nie było żadnej reakcji. Mikrofon kierunkowy wyłapał jedynie jakieś niezrozumiałe dźwięki, jakby skowyt. Zauważyłem przez lornetkę, że głos z głośnika powodował jednak jakąś reakcję: wyraźnie przyśpieszył kroku, kierując się do najbliższego źródła dźwięku. W odległości 200 m od naszego bunkra wszedł na pierwszą minę przeciwpiechotną, amerykańską skaczącą M2A4. Po wybuchu widzieliśmy wyraźnie trafienia odłamków w dolną i górną część torsu. Podejrzany potknął się i upadł, ale po chwili wstał o własnych siłach i ruszył dalej przed siebie. (...) Wywnioskowałem, że musi nosić jakiś rodzaj osłon balistycznych. (...) Na kolejną minę przeciwpiechotną trafił w odległości 150 m od nas. Tym razem odłamki trafiły także w twarz, odrywając dolną szczękę. (...) Z tej odległości zauważyłem, że mimo odniesienia poważnych ran podejrzany nie krwawi. (...) Wiatr zmienił kierunek i zaczął wiać w stronę posterunku. Wtedy doszedł nas odór zgnilizny, podobny do woni gnijącego mięsa. Gdy podejrzany doszedł na 100 metrów, poleciłem szeregowemu Tilakowi [snajperowi plutonu] zlikwidować go. Tilak trafił go pierwszym pociskiem prosto w czoło. Po strzale szeregowego Tilaka podejrzany upadł i więcej nie powstał ani nie wykonywał żadnych ruchów.

Kolejne meldunki opisują operację usunięcia ciała z pola minowego i zawierają wstępny raport z sekcji zwłok przeprowadzonej w szpitalu wojskowym w Śrinagarze. Wkrótce po dokonaniu sekcji zwłoki zostały zabrane przez Służbę Bezpieczeństwa Narodowego. Żadnych dalszych wyników badań nie ujawniono.

Rok 1998, Zabrowsk, Syberia

Jacob Tailor, wielokrotnie nagradzany autor filmów dokumentalnych kręconych dla Canadian Broadcasting Company, przybył do syberyjskiej osady Zabrowsk, by wykonać zdjęcia odnalezionego tam w wiecznej zmarzlinie nieuszkodzonego okazu tygrysa szablozębego. Okaz zachował się tak dobrze, że być może istniała szansa na jego sklonowanie. Niedaleko odnaleziono także ciało mężczyzny pod trzydziestkę, którego po ubiorze zidentyfikowano jako szesnastowiecznego Kozaka. Zasadnicze zdjęcia miały mieć miejsce w lipcu, ale Tailor wybrał się tam z ekipą już w lutym, by zapoznać się z terenem i samym znaleziskiem. Na miejscu uznał, że ciało Kozaka zasługuje na choćby kilkusekundowe ujęcie w jego filmie i poprosił, by przechowywano je wraz z tygrysem do jego ponownego przyjazdu, po czym powrócił wraz z ekipą do Toronto na zasłużony odpoczynek. Część ekipy Tailora powróciła do Zabrowska 14 czerwca, by przygotować miejsce wykopalisk do filmowania. Wkrótce potem łączność z zespołem przygotowawczym została przerwana.

Gdy Tailor i reszta ekipy 1 lipca dotarli śmigłowcem do Zabrowska, zastali wszystkie 12 zabudowań osady opuszczone, z wyraźnymi śladami walki: wybite okna, poprzewracane meble, ściany opryskane krwią, a nawet ze strzępami tkanek. Krzyki ściągnęły Tailora z powrotem do śmigłowca, gdzie zastał grupę 36 zombie, w tym mieszkańców wioski i zaginionych kolegów z ekipy przygotowawczej, rozszarpujących pilotów. Tailor nie miał pojęcia czego właśnie jest świadkiem, ale widział dość, by ratować się ucieczką.

Sytuacja nie wyglądała dobrze. Tailor, jego operator, dźwiękowiec i producent nie mieli broni ani zapasów, a w głębi syberyjskiej głuszy nie było co liczyć na pomoc. Filmowcy schronili się w jedynym piętrowym budynku w osadzie, dawnym Domu Partii. Zamiast barykadować drzwi i okna, postanowili zniszczyć obie klatki schodowe. Wszelką znalezioną żywność zebrali na piętrze, napełnili również wszystkie znalezione naczynia wodą ze studni. Siekierą, łomem, młotkiem i kombinerkami, jedynymi narzędziami, jakie znaleźli, rozebrali pierwsze schody. Drugich już nie zdążyli przed nadejściem zombie. Tailor działał szybko, zrywając drzwi z zawiasów i przybijając je na drugich schodach. Powstała w ten sposób śliska rampa, na którą żaden z zombie nie był w stanie się wdrapać. Jeden po drugim próbował, lecz obrońcy spychali ich w dół. Walka trwała w ten sposób przez dwa dni bez przerwy. Dwóch członków zespołu dyżurowało przy schodach, dwóch spało, zatykając uszy watą – inaczej nie dawało się spać w ciągłym skowycie za oknami.

Trzeciego dnia przypadek podsunął Tailorowi sposób skutecznej obrony. Obawiając się, że zombie może złapać jednego z nich za nogę podczas skopywania umarlaków z rampy na schodach, filmowcy używali do tego starej miotły, znalezionej na piętrze. Kij od miotły, osłabiony długoletnim używaniem, złapany przez któregoś z zombie w końcu pękł. Tailor wykorzystał zachwianie równowagi potwora i kopnął go, spychając ze schodów. Ku jego zdumieniu zepchnięty zombie, wciąż trzymając w ręku ułamany koniec miotły, upadł na drugiego idącego z dołu, wbijając tamtemu koniec kija przez oczodół do mózgu. W ten sposób Tailor przypadkowo zabił swojego pierwszego zombie, jednocześnie odkrywając skuteczny sposób likwidacji umarlaków. Od tej pory obrońcy diametralnie zmienili taktykę działań. Zamiast spychania żywych trupów z rampy, zaczęli je wabić, a kiedy podchodziły, rozbijali im głowy siekierą. Gdy żeleźce siekiery oderwało się od styliska i utkwiło w czaszce kolejnego zombie, zastąpili zniszczone narzędzie młotkiem. Gdy złamał się trzonek młotka, chwycono za łom. Ta aktywna faza bitwy trwała ponad siedem godzin, ale w końcu wycieńczeni filmowcy zdołali zlikwidować wszystkie oblegające ich żywe trupy.

Do dziś rosyjskie władze nie przedstawiły oficjalnego wyjaśnienia wydarzeń w Zabrowsku. Każdy pytany o nie urzędnik odpowiadał, że „dochodzenie trwa". Wydaje się jednak, że kraj z tak wieloma socjalnymi, politycznymi, ekologicznymi i wojskowymi problemami jak Rosja ma na głowie poważniejsze zmartwienia, niż śmierć kilku cudzoziemców i jej własnych obywateli, gdzieś na dalekiej Syberii.

Tailor, dokumentalista z krwi i kości, nie byłby sobą, gdyby nie uwiecznił tych wydarzeń dwiema kamerami cyfrowymi, które, włączone non stop, zarejestrowały incydent. Dzięki temu powstał czterdziestodwugodzinny, fascynujący zapis o doskonałej jakości technicznej, przy którym blednie nawet film z Lawson. Tailor przez lata próbował pokazać publiczności choć część zarejestrowanego materiału. Wszyscy międzynarodowi „eksperci" zgodnie uznawali ten film za bardzo pracowicie sfabrykowaną fałszywkę. Tailor przypłacił to utratą wiarygodności w środowisku, które tak długo uważało go za swego idola. Upadek reputacji zawodowej pociągnął ruinę życia osobistego: od paru lat toczy się sprawa rozwodowa państwa Tailor, a w kilku sądach trwają procesy cywilne.

Rok 2001, Sidi Moussa, Maroko

Jedynym dowodem ataku jest mała wzmianka na dalekiej stronie francuskiej gazety:

Masowa histeria w wiosce marokańskich rybaków

Źródła potwierdzają, że pięciu mieszkańców osady zapadło na nieznaną dotąd chorobę psychiczną objawiającą się kanibalistycznymi atakami na przyjaciół i rodziny. Zgodnie z miejscowym zwyczajem, dotkniętych tą przypadłością związano, obciążono balastem i zatopiono w wodach oceanu. Trwa wdrożone przez władze śledztwo w sprawie incydentu, a zarzuty przedstawione jego uczestnikom są różne: od zabójstwa po nieumyślne spowodowanie śmierci.

Mimo to do żadnego procesu nie doszło, zaś do opinii publicznej nie dotarły kolejne informacje o tym incydencie.

Rok 2002, St. Thomas, Amerykańskie Wyspy Dziewicze

Ocean wyrzucił na północno-wschodnie wybrzeże wyspy zombie ze złuszczoną skórą, napuchniętego od długotrwałego przebywania w wodzie. Zaniepokojeni mieszkańcy trzymali się od niego z dala i zadzwonili po policję. Zombie wstał z piasku i zataczając się, zaczął ścigać gapiów, którzy wciąż unikali kontaktu z tajemniczym przybyszem. Dwaj miejscowi policjanci nakazali umarlakowi zatrzymać się. Gdy „podejrzany" nie zastosował się do polecenia, oddali strzał ostrzegawczy, co jednak nie przyniosło spodziewanego rezultatu. Wówczas jeden z policjantów oddał kolejne dwa strzały, trafiając umarlaka w klatkę piersiową. Zanim padły kolejne, do żywego trupa podbiegł sześcioletni chłopiec, szturchając go kijkiem. Zombie natychmiast pochwycił malca i uniósł go do ust. Policjanci rzucili się, by wyrwać dziecko z uchwytu potwora. W tym momencie Jeremiah Dewitt, imigrant z Dominikany, wyrwał jednemu z policjantów rewolwer i z przyłożenia strzelił napastnikowi w głowę. O dziwo, żaden z ludzi uczestniczących w incydencie nie został zainfekowany. Proces oczyścił Jeremiaha Dewitta z zarzutu zabójstwa, uznając jego działanie za obronę konieczną. Zdjęcia prasowe zombie pozwalają – mimo znacznie posuniętego rozkładu – stwierdzić, że żywy trup był pochodzenia bliskowschodniego lub północnoafrykańskiego. Resztki odzienia i kawałek liny z ciężarkiem od sieci rybackiej pozwalają przypuszczać, że mógł to być jeden z zombie zatopionych w oceanie u wybrzeży Maroka. Teoretycznie tak dalekie przejście przez zombie po dnie Atlantyku z wykorzystaniem prądów morskich jest możliwe, lecz dotąd nie odnotowano takiego incydentu. W odróżnieniu od poprzednich przypadków, gdy rząd podejmował wielkie wysiłki, by wyciszać informacje o atakach zombie, tym razem historia jest wręcz nagłaśniana, a zombie stał się miejscową atrakcją turystyczną, porównywaną do potwora z Loch Ness w Szkocji czy nepalskiego Yeti. Turyści odwiedzający stragany z pamiątkami w Charlotte Amalie, stolicy archipelagu, mogą kupić zdjęcia, koszulki, rzeźby, zegary ścienne i naręczne, a nawet dziecięce kolorowanki upamiętniające „Zombie z St. Thomas". Tuziny kierowców mikrobusów konkurują (czasem bardzo zawzięcie) o prawo zawiezienia turystów z lotniska Cyrila E. Kinga w stolicy na miejsce, gdzie ocean wyrzucił na brzeg zombie. Po procesie Dewitt opuścił St. Thomas, przenosząc się do kontynentalnych Stanów Zjednoczonych, by tam rozpocząć nowe życie. Ani przyjaciele na wyspie, ani rodzina w Dominikanie nie mają od niego żadnych wiadomości.

Analiza historyczna

Aż do końca XX wieku badacze żywych trupów byli przekonani, że częstotliwość ataków zombie była mniej więcej równomierna przez całą historię rodzaju ludzkiego. Nasilenie ataków na poszczególne społeczności tłumaczono tym, że lepiej dokumentowały one swoje dzieje. Koronnym na to dowodem była dysproporcja w ilości ataków między okresem Cesarstwa Rzymskiego a europejskim średniowieczem. Tę teorię głoszono szczególnie często, by odpierać „alarmistyczne" teorie niektórych badaczy, twierdząc, że częstotliwość ataków rośnie wraz z przechodzeniem społeczeństw z historii ustnej na pisaną. Ten nadal bardzo popularny pogląd od jakiegoś czasu usuwany jest w cień przez wymowę faktów. Liczba ludności Ziemi rośnie. Środek ciężkości jej życia nieodwołalnie przesunął się z terenów wiejskich do miast. Rozwój środków transportu połączył ze sobą najbardziej oddalone krańce planety. Wszystko to prowadzi do odrodzenia się chorób zakaźnych, o których myślano, że zostały opanowane już setki lat temu. Logika podpowiada, że także wirus zombizmu korzysta z tak pomyślnej koniunktury. Rozwój środków masowej informacji i technologii informacyjnych sprawia, że coraz wyraźniejszy staje się wzrost częstotliwości ataków zombie wprost proporcjonalny do postępów cywilizacji. Ta częstotliwość wciąż rośnie, prowadząc do dwóch możliwych scenariuszy zdarzeń. Pierwszy – pomyślny – zakłada, że rządy państw świata uznają wreszcie, iż zombie naprawdę istnieją i powołają specjalne ciało międzynarodowe do zwalczania zagrożenia, jakie stanowią dla ludzkości. Zombie staną się akceptowaną częścią codziennego życia, ale zmarginalizowaną i łatwą do opanowania; być może z czasem powstaną nawet jakieś środki pozwalające leczyć zombizm lub się na niego uodpornić. Zgodnie z drugim – tragicznym – scenariuszem, dalsze lekceważenie problemu doprowadzi w końcu do wybuchu konfliktu między ludźmi a zombie na pełną skalę, a w konsekwencji do wielkiej wojny, do której ty jesteś już teraz gotowy.

ZAŁĄCZNIK:
DZIENNIK EPIDEMII

W tym miejscu należy prowadzić dziennik podejrzanych wydarzeń, mogących wskazywać na możliwość wybuchu epidemii (ewentualne oznaki zagrożenia, patrz rozdział 1, „Wykrywanie"). Pamiętaj: Wczesne wykrycie zagrożenia i przygotowanie się na nie zawczasu zapewnią ci najlepsze szanse przeżycia. Poniżej podaję przykładowy sposób wypełnienia strony dziennika epidemii.

DATA: 14 lipca 2005

CZAS: 3.51

MIEJSCE: Miasteczko X

DYSTANS: ok. 450 km

SZCZEGÓŁY: W porannych wiadomościach kanału 5 doniesiono o rodzinie „poszatkowanej" i częściowo zjedzonej przez nieznanego maniaka lub maniaków. Ciała nosiły ślady walki: siniaki, rany cięte i szarpane, otwarte złamania. Na wszystkich były wyraźnie widoczne ślady pogryzienia. Wszyscy zostali zabici strzałami z bliskiej odległości w głowę. Komentarz mówi o ataku sekty. Co za sekta? Skąd? Dlaczego miałaby zaatakować? Reporterka stwierdziła jedynie, że opiera się na „oficjalnych źródłach". Trwa obława. Na zdjęciach widać tylko policję mundurową, a co drugi funkcjonariusz ma karabin z celownikiem optycznym. Mediom nie pozwolono uczestniczyć w obławie, gdyż „policja nie może im zagwarantować bezpieczeństwa". Na koniec reporterka powiedziała, że ciała zabierają na sekcję do szpitala w mieście Y., a nie do miejscowej kostnicy, gdyż konieczna jest „pełna sekcja", której ponoć nie da się wykonać na miejscu. Szpital do którego ich zabierają jest tylko 75 km stąd!

PODJĘTE DZIAŁANIA: Wyciągnąłem listy kontrolne czynności. Zadzwoniłem do Toma, Gregga, Henry'ego. Spotykamy się dziś wieczorem u Gregga o wpół do ósmej. Naostrzyłem maczetę. Wyczyściłem i naoliwiłem karabinek, zamówiłem strzelnicę na trening jutro rano, po drodze do pracy. Napompowałem opony roweru. Zadzwoniłem do straży parkowej, upewniając się, że rzeka ma normalny poziom. Jeśli zdarzy się jakiś incydent przy okazji tej sekcji w szpitalu, podejmiemy bardziej zaawansowane kroki.

DATA:

CZAS:

MIEJSCE:

DYSTANS:

SZCZEGÓŁY:

PODJĘTE DZIAŁANIA:

DATA:

CZAS:

MIEJSCE:

DYSTANS:

SZCZEGÓŁY:

PODJĘTE DZIAŁANIA:

PODZIĘKOWANIA

Przede wszystkim dziękuję Edowi Victorowi za to, że mi uwierzył.

Davidowi, Janowi, Siergiejowi, Alexowi, Carleyowi, Sarze, Fikhirini, Rene, Paolowi i Jiangowi za tłumaczenia.

Doktorowi Zane i jego zespołowi za badania terenowe.

Jamesowi „Pułkownikowi" Loftonowi za strategiczne perspektywy.

Profesorowi Sommersowi za dane.

Sir Ianowi za dostęp do biblioteki.

Redowi i Steve'owi za pomoc z kartografią.

Manfredowi za możliwość pogrzebania w piwnicy muzeum.

Artiomowi za odwagę i uczciwość.

„Josephowi" i „Mary" za to, że pozwolili obcemu poczuć się w ich kraju jak u siebie.

Chandarze, Yusufowi, Hernanowi, Taylor i Moszemu za zdjęcia.

Aviemu za zapisy rozmów.

Masonowi za zdjęcia filmowe.

M.W. za ilustracje.

Tatsumi za czas i wyrozumiałość.

„Pani Malone" za pomoc w walce z biurokracją (DZIĘ-
KI!!!)

Josene za wycieczkę.

Tronowi za zawiezienie w „to miejsce".

Kapitanowi Ashleyowi i załodze *Sau Tome* za udowod-
nienie tezy.

Alice, Piotrowi, Hugh, Telly'emu, Antonio, Hideki i doktorowi Singhowi za wywiady.

Chłopcom (i dziewczętom) z laboratorium – już wy wiecie za co.

Annik za zręczne pióro i szpadę.

Oraz oczywiście wszystkim tym, którzy pomogli pod
warunkiem zachowania anonimowości.

Życie tych, których pomożecie uratować, będzie waszą
wspólną zasługą.

O autorze

Max Brooks mieszka w Nowym Jorku, ale jest gotów w każdej chwili przenieść się do miejsca bardziej odległego – za to łatwiejszego do obrony.

Spis treści

Wstęp 7

Od autora 11

Rozdział 1 – Zombizm: mity i rzeczywistość 13

  Wirus *Solanum* 14
  Cechy zombie 20
  Łże-zombie voodoo 41
  Zombie w Hollywood 45
  Wybuchy epidemii 47
  Wykrywanie 50

Rozdział 2 – Uzbrojenie i techniki zwalczania 55

  Podstawowe zasady 57
  Walka wręcz 60
  Broń neurobalistyczna 71
  Broń palna 77
  Materiały wybuchowe 94
  Ogień 95
  Inne bronie 99
  Uzbrojenie ochronne 106

Rozdział 3 – Obrona 113

  Mój dom moją twierdzą 115
  Budynki publiczne 133

Zasady ogólne 145
Twierdza 147

Rozdział 4 – Ucieczka 159

Zasady ogólne 160
Wyposażenie 170
Pojazdy 173
Typy terenu 183
Alternatywne środki transportu 195

Rozdział 5 – Atak................................... 205

Zasady ogólne 207
Uzbrojenie i wyposażenie.......................... 215
Transport 217
Typy terenów....................................... 218
Taktyki zwalczania żywych trupów 225

Rozdział 6 – Przeżyć w świecie żywych trupów....... 247

Świat żywych trupów............................... 249
Nowy początek 252
Zasady ogólne 254
Typy terenu 271
Czas trwania 284
I co potem?... 287

Rozdział 7 – Zombie na przestrzeni dziejów.......... 289

Załącznik: dziennik epidemii 383

Podziękowania 387

O autorze.. 389

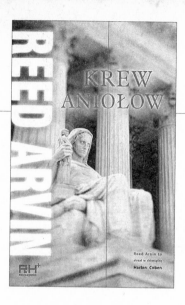

Reed Arvin

Krew aniołów

Powieść, w której autor uzmysławia jak wielkie znaczenie w życiu każdego człowieka ma prawda i jak dramatyczne w skutkach może być jej poszukiwanie.

Magdalena Gorzelak
Klub Literacki Litera

„Krew aniołów" jest potwierdzeniem pisarskiego kunsztu Reeda Arvina, którego wyznacznikami stają się: intrygująca historia, błyskotliwie prowadzona fabuła i świetnie skonstruowane postacie.

ISBN: 978-83-60504-09-3

REDHORSE

Reed Arvin

Ostatnie pożegnanie

Ostatnie pożegnanie Reeda Arvina to bestsellerowy thriller, znakomicie osadzony w realiach współczesnych Stanów Zjednoczonych. Akcja powieści rozgrywa się w dwóch, całkowicie sobie obcych środowiskach: w snobistycznym świecie finansjery amerykańskiego Południa, i w czarnym gettcie - w bandyckiej dzielnicy Mc Daniels Glen.

ISBN: 978-83-60504-10-9

REDHORSE

Kirył Jeskow

Ostatni Powiernik Pierścienia - tom 1

Alternatywna historia Śródziemia, próbująca wykazać, że zwycięzcy ludzie i elfy zamanipulowali historią,
dokonując czystek etnicznych w Śródziemiu.
Mordor buduje cywilizację technologiczną, wynajduje
proch, buduje huty i fabryki.
Elfy, ludzie z Gondoru, a przede wszystkim Biała Rada
Magów zawiązują antymordorską koalicję, celem „osta-
tecznego rozwiązania kwestii mordorskiej".

ISBN: 978-83-60504-26-0

REDHORSE

Kirył Jeskow

Ostatni Powiernik Pierścienia - tom 2

Jeskow usiłuje przedstawić taką, jaką zapewne być mogła bez ubarwień i retuszy, rzeczywistość skrajnie nieraz różną od cukierkowatego obrazu nakręconego przez Tolkiena. I udaje mu się to.

Paweł Laudański
Fahrenheit

Wysłuchaliście już kiedyś tych, co zwyciężyli. Posłuchajcie też tych, którzy przegrali.

ISBN: 978-83-60504-27-7

REDHORSE

John Everson

Demoniczne Przymierze

Terrel Heights jest małym miasteczkiem, w którym
z pozoru nic się nie może zdarzyć, a Joe Kieran – dzien-
nikarzem, który szuka nowego, spokojniejszego życia.
Jednak reporterskie śledztwo w sprawie tajemniczych
samobójstw wiedzie go na skraj urwiska, do ciemnych
jaskiń i w ramiona kobiet. Bo właśnie seks i pragnienie
rozkoszy okazują się największą siłą i orężem demona
z Terrel Heights.
Ta książka pełna erotyzmu i tajemnicy pokazuje, jak
wiele otwartych drzwi ma ludzka psychika. A demony
nie zwykły pukać...

ISBN: 978-83-60504-20-8

REDHORSE

John Moore

Heroizm dla początkujących

W Królestwie Deserae najcenniejszy skarb korony, magiczny talizman dostał się w łapska złego Lorda Voltometra. Tylko jedna osoba może go powstrzymać. Książę Kevin zrobi wszystko, aby dostać się do Twierdzy Zagłady, oprzeć się wdziękom odzianej w skórzany kostium, dzierżącej w dłoni pejcz kusicielki i stawić czoła armii niewymownych potworności, uzbrojony jedynie w swe względnie czyste serce, wątpliwą odwagę i, co najważniejsze, egzemplarz książki „Heroizm stosowany – praktyczny poradnik"...

ISBN: 978-83-60504-11-6

REDHORSE

Wydanie I
Copyright © 2007 by Max Brooks
Copyright © 2007 by Red Horse sp. z o.o.
Copyright © 2007 for this translation by Leszek Erenfeicht

Tytuł oryginału
The zombie survival guide

Opracowanie graficzne i projekt okładki:
Magdalena Zawadzka

Redakcja
Rafał Nowocień

Korekta
Marta Serafin
Magdalena Grela

Skład
Konrad Kućmiński

ISBN 978-83-60504-43-7

Sprzedaż internetowa
www.merlin.pl

Zamówienia hurtowe
Firma Księgarska Jacek Olesiejuk sp. z o.o.
ul. Poznańska 91, 05-850 Ożarów Mazowiecki
tel./fax: (22) 721-30-00
www.olesiejuk.pl, e-mail: hurt@olesiejuk.pl

Wydawnictwo
Red Horse sp. z o.o.
www.redhorse.pl, e-mail: biuro@redhorse.pl

Druk i oprawa
ABEDIK S.A. Poznań